Una h

Biblioteca J. J. Benítez
Investigación

Biografía

J. J. Benítez (1946) nació en Pamplona. Se licenció en Periodismo en la Universidad de Navarra. Era una persona normal (según sus propias palabras) hasta que en 1972 el Destino (con mayúsculas, según él) le salió al encuentro, y se especializó en la investigación de enigmas y misterios. Ha publicado cuarenta libros. En julio de 2002 estuvo a punto de morir. Dice que seguirá viajando e investigando hasta que su «Dios favorito» quiera. Antes tenía más de ciento treinta nuevos libros en preparación. Ahora vive sólo el presente.

J. J. Benítez
Ricky B.
Una historia «oficialmente» imposible

Planeta

© J. J. Benítez, 1997
© Editorial Planeta, S. A., 2004
   Avinguda Diagonal 662, 6.ª planta. 08034 Barcelona (España)

Diseño de la cubierta: Opalworks
Ilustración de la cubierta: © Iván Benítez
Fotografía del autor: © José Antonio S. de Lamadrid
Procedencia de las ilustraciones: fotos Beatriz Sandoval, Blanca Rodríguez,
Eduardo Cañizares, familia Aguilar, familia Herrera, Iker Jiménez, el ingeniero,
J. J. Benítez, Jiménez del Oso, José Martínez, Lucy Lovick, Magdalena Godoy,
María del Carmen Aguilar, Manuel Colón, Satcha Benítez y Sebastián Moreno
Primera edición en Colección Booket: marzo de 2004

Depósito legal: B. 6.509-2004
ISBN: 84-08-05110-5
Impresión y encuadernación: Litografía Rosés, S. A.
Printed in Spain - Impreso en España

ÍNDICE

Primera parte

Los heterodoxos piensan, hablan, escriben y actúan para unos pocos. Si usted pertenece a la gran masa, si jamás mira al cielo o hacia sí mismo, no se moleste en leer esta investigación. No comprenderá...

J. J. Benítez

A Blanca,
que me acompañó hasta
el final.

Lunes, 2 de septiembre (1996).

05 horas.

Cruzo el Distrito Federal sin tropiezos. Continúa lloviendo.

Aeropuerto internacional Benito Juárez.

«¡Vaya por Dios!... Empezamos bien. El tráfico aéreo es una espesa tela de araña.»

El vuelo de United Airlines despega con retraso. Según mis cuentas, con veintiocho minutos y treinta segundos.

«¡Sólo falta que llegue tarde a la cita con Ricky...!»

Y al miedo, a ese indeseable «compañero» de viaje, se une el nerviosismo.

«Bien... ¡Ahí voy!»

El cronómetro señala las ocho horas, treinta y seis minutos y diez segundos.

«¡Adiós..., México!»

Y por delante... ¡dos mil millas!

Abro el cuaderno de «bitácora». Y examino las imágenes de Ricky, la supuesta alienígena... por enésima vez.

Me la sé de memoria...

«¿Será realmente uno de "ellos"?... No, me niego a pensar... Ahora no...»

Y me aferro al cuestionario. Y lo repaso. Y lo corrijo...

—¿Café?

—Claro, señorita... Todo el café del mundo.

Y la azafata observa de reojo las fotografías de la bella «gringa».

Y comenta, guiñándome el ojo:

—Su novia es muy guapa...

Sonrío sin ganas.

«Si tú supieras...»

10.30, hora local.

Aterrizaje impecable.

Aplausos para el capitán Khein.

Y la gran metrópoli norteamericana resplandece altiva en el horizonte.

«¡Ha llegado el momento!»

Y al abandonar el avión sucede «algo»...

«¿Dónde está el "compañero"?... ¿Qué ha sido del punzante e implacable miedo?»

Y con paso rápido, camino del control de pasaportes, me respondo atónito:

«Sí, me siento tranquilo... Extrañamente en paz...»

Examino las manos.

Pulso normal.

«Pero ¿dónde ha ido a parar el familiar y penoso temblor de hace unas horas?»

Inspiro hondo y sonrió para mis adentros...

«¡La "fuerza"!... ¡Ha regresado!...

»¡Merdi vienne..., "Abuelo"!»

Y busco... Busco en los interminables y funcionales pasillos...

«¡Un teléfono!... ¡Necesito un teléfono!... ¡Ricky espera mi llamada!»

Más sorpresas...

«¡Mierda!...»

Cientos de orientales —los inevitables y omnipresentes japoneses— hacen cola frente a las cabinas de inmigración.

10.40.

«¡Inaudito!...

»Uno de los aeropuertos más concurridos del mundo y no veo un solo teléfono...»

«Empujo» con la mente. Inútil. El funcionario no tiene prisa.

10.50.

«Ya falta menos...»

Una treintena de nipones me separa de la línea verde.

Los nervios protestan... y yo también.

Primer susto.

Un inspector se acerca a la fila.

¡Y me «elige»!...

«No me extraña... Al lado de tanto "mini-japonés" debo de parecer el Michael Jordan ese...»

Y exige los papeles.

¿Motivo de su visita a Estados Unidos?

Y dudo...

«¿Qué respondo? ¿Cómo le explico? ¿Cómo le digo que intento reunirme con una mujer que —quizás— "es y no es humana"? ¿Podrá entenderlo y entenderme? ¿Será capaz de admitir que una supuesta compatriota suya —Ricky— no es lo que parece? ¿Cómo hablarle de extraterrestres... infiltrados entre nosotros?»

Y me escurro con un lacónico y aséptico... «profesional..., motivo profesional».

Pero el funcionario, insatisfecho, trata de desnudarme con la mirada.

Y me digo:

«Lo tienes crudo...»

No sé por qué —quizás porque soy un malvado—, pero estas situaciones me divierten...

Y desconfiado y minucioso, hojea de nuevo el pasaporte.

«Calma —insisto mentalmente—. Sobre todo, calma...»

Y revuelvo en el ático de las excusas, buscando un motivo (?) medianamente creíble. Pero, de momento, no aparece...

Y el lance —¡dichoso Destino!— se envenena.

De pronto se detiene en una de las hojas. Lee y regresa a mis ojos. Y adivino una incipiente y velada agresividad.

Señala uno de los sellos ovoide —en rojo, para mayor desgracia— y se arma hasta los dientes...

«¡Vaya por Dios!... ¡También es mala pata!»

Y montado en la sospecha, agrio por dentro y por fuera, pregunta:

—¿Profesión?

Aquel sello —estampado por la República de Cuba— enciende al individuo.

—Periodista —replico al punto y con orgullo.

Y el inspector aprieta...

—¿Es usted comunista?

Y frío como el mármol me apunto a un juego divertido..., y peligroso.

—Currista... Soy currista.

Pero el obtuso, obviamente, no capta la «larga cambiada».

«¿Cómo traducir al inglés una expresión tan taurina?»

—¿Caguista?

Y sujetando la risa con dificultad repito desafiante:

—¡Currista!... ¡De Curro!

Y el muy traidor se destapa: ¡habla español!

Menos mal que no he mentado a su señor padre..., entre dientes.

Y exige de nuevo una explicación.

—¿Cuguista?... ¿Qué es cuguista?

Y me ensaño...

—El régimen político-social perfecto, amigo.

Y atónito, insiste...

—¿En España son cuguistas?

Y me adorno a lo Curro Romero...

—Sólo los inteligentes...

Y perplejo, se «cierra en tablas».

—Pero, vamos a ver... ¿eso es democrático?

Y lo descabello...

—Dígame... ¿es Dios democrático?

Oreja y vuelta al ruedo...

Y con una estudiada y oportuna sonrisa pongo fin a la «faena».

Y el «gringo», en las nubes, se suaviza.

«¡Gracias, Curro!»

—Está bien, señor cuguista..., pero ¿a qué viene exactamente?

Y suelto otra verdad. Mejor dicho, media verdad...

—Estoy citado con una «estrella»...

Y el funcionario, temiendo una nueva fresca, se rinde.

—¿De cine?... ¡Qué suerte!... ¡Que tenga un buen día!

Y al recuperar el pasaporte redondeo la frase mentalmente:

«Sí..., una "estrella" del firmamento...

»Nunca mejor dicho.»

11.04.

—Mi turno... ¡Al fin!

Y el policía repasa y verifica el impreso de entrada.

Contempla la fotografía de aquel descarado y levanta la vista, examinándome.

Sostengo la escrutadora mirada.

Finalmente teclea aburrido en el diminuto ordenador.

Y leo con él:

«No existe.»

La clave —equivalente a «estar limpio» de antecedentes— me libera.

Y el sello, golpeando el pasaporte, suena a pistoletazo de salida.

«Autorizado el ingreso en USA... Ahora sí... Ahora empieza la gran carrera. Y Ricky es la meta.»

Y vuelo por los pasillos...

«¿Reconocerá la verdad?... ¿Aceptará que no es de

aquí?... ¿Admitirá la aparentemente fantástica versión del ingeniero?... ¿O me mandará a paseo? Pronto saldré de dudas... Muy pronto...»

11.10.

«¡Un teléfono!... Pero ¿qué pasa en este maldito aeropuerto? ¡Necesito un teléfono!»

Y el Destino (?) tensa la cuerda...

¡Cuán sabio es!

Y rebusco en los bolsillos. Y en la bolsa de mano que me acompaña...

«¡Nada!... ¡Ni un centavo!»

Con los nervios y las prisas he olvidado lo más importante: moneda fraccionaria...

Pregunto. Subo. Vuelvo a bajar. Corro...

Y en la estúpida «caza» de los *coin* procuro animarme:

«Estoy cerca..., sí... Ricky está ahí fuera... ¡Voy a conocerla!... ¡La verdad es mía!»

¡Pobre iluso!

¿Cómo imaginar en esa frenética carrera contra el reloj lo que me deparaba el caprichoso Destino (?)?

11.15.

Desisto.

No hay forma de obtener monedas de veinticinco centavos...

¡Increíble!

Dicen que por un clavo —un *coin*— se perdió una batalla...

Pues bien, éste es mi caso.

«¡Tres cuartos de hora de retraso!... Ricky pensará que he fallado, que no he acudido a la cita...»

Y el Destino (?), impasible —«en su momento»—, destensa...

Y lo hace por boca de un amable japonés.

«Las tarjetas de crédito... ¿Cómo no se me ha ocurrido antes?... ¡Soy un inútil!»

Y la voz cálida y acariciante de Ricky —¡cómo no!— responde al primer toque.

—¡Por fin!

Y el Destino (?) se «explica»...

—¿Todo bien?... ¿Ha hecho un buen viaje?... Estaba preocupada... He tenido que salir y acabo de regresar... Justo un minuto antes de su llamada...

¡Asombroso!

La aparente pérdida de tiempo no ha sido tal...

«¿Qué hubiera ocurrido si telefoneo... y no contesta nadie? Probablemente, nada... ¿O sí?

»Pero "alguien" (?) me ha ahorrado cuarenta y cinco minutos de angustia. Una angustia de mayor calado...»

¿Casualidad? Lo dudo...

¿«Sutilezas» de mis «primos»?

Es posible...

Y compruebo que es cierto: el miedo a Ricky se ha quedado en México...

Me siento seguro. Decidido...

Y la mujer sugiere que aguarde en el exterior, en la puerta de internacional.

Y me sorprende de nuevo...

«Estaremos ahí en unos minutos...»

¿Estaremos?... Pero ¿cuántos son?

¡Oh, Dios!

Debí suponerlo...

Nunca «trabajan» en solitario...

Pero ¿qué tonterías estoy pensando?

¡Tranquilo!

Y el corazón me lleva al Distrito Federal mexicano...

«Blanca... ¡Deberías estar aquí!»

Y presuroso me encamino al punto convenido.

«¿Estaremos?... ¡No importa!... Hoy puedo con un regimiento.»

¡Pobre incauto!

E ignorando lo que se preparaba, seguí trepando por aquella ilusión...

«¡No me lo creo! ¡Estoy a punto de conocerla!... ¿Será la misma de las fotos? ¿Y si fuera otra?»

Y me corrijo...

«No... Eso sería... ¿cruel?... ¿Imposible? ¿Milagroso?

»¿Despejaré la incógnita?...

»¿Es Ricky uno de "ellos"?»

ESPAÑA

Esta gran incógnita —una de las más irritantes en mis veinticinco años de investigación del fenómeno OVNI— hizo acto de presencia diez años atrás. En realidad, todo empezó con una carta de mi buen amigo y veterano investigador Ignacio Darnaude Rojas-Marcos. La misiva aparecía fechada el 6 de julio de 1986. En esencia, decía así (1):

«ROMANCE CON UNA UMMITA EN...

»ORIGEN DE LA INFORMACIÓN: Lyana... Es amiga personal del ingeniero...

»Nos relató esta historia en nuestra visita a su casa el 4-7-86. Lyana está casada con un ingeniero norteamericano, y normalmente vive en Estados Unidos...

»Tiene cuatro hijos y es profesora de Universal History en un *high school* norteamericano, y también es autora de guiones cinematográficos.

»EL PROTAGONISTA: Unos cincuenta años, ingeniero, buen aspecto físico, atractivo, éxito con las mujeres, se dedica a negocios de construcción y gana mucho dinero. Vive normalmente en..., y veranea en...

»SINOPSIS DE LOS HECHOS: Este ingeniero fue una noche a cenar a un restaurante de... Vio a una chica

(1) Por elementales razones de seguridad, y espero que el lector vaya comprendiéndolas paulatinamente, he silenciado la identidad de algunos de los principales protagonistas de esta desconcertante historia, evitando igualmente la localización geográfica de determinados escenarios. La gravedad de lo que aquí se plantea así lo exige.

21

joven cenando sola, entabló conversación con ella, comieron juntos, y luego la llevó a su casa, donde estuvo varios días como invitada. Allí hicieron el amor y vivieron como amantes.

»En la chica todo era normal, aunque parecía "algo rara" por ciertos detalles extraños en su comportamiento. Solía comer sólo alimentos vegetarianos. El ingeniero se fue a... a hacer unos trabajos, y cuando volvió le dijeron que su amiga se había pasado día y medio en un monte cercano, sin probar alimento.

»Ella le contó que había habido un accidente de autobús en México, y que por este motivo murió una mujer, que tenía por cierto una cicatriz en una pierna. La invitada aprovechó esta circunstancia para tomar posesión del cuerpo de la fallecida, resucitarlo y vivir de ahí en adelante usurpando su personalidad. Pudo realizar tan extraordinaria operación por ser extraterrestre y provenir de un planeta denominado "UMMO". La singular huésped le relató a su amigo numerosos pormenores de la vida y costumbres en su planeta natal.

»El ingeniero, intrigado por tan anómalos acontecimientos, se desplazó a..., y en una biblioteca localizó libros que trataban del planeta UMMO y comprobó que los datos proporcionados por su "romance" alienígena coincidían con la información consultada en esos textos.

»La mujer exhibía una cicatriz en una pierna, en correspondencia con su relato de su entrada en el cadáver de la accidentada mexicana.

»A lo largo de sus conversaciones, la chica le aseguró que sus paisanos planetarios iban a venir a buscarla y se la iban a llevar con ellos.

»Una noche se acercaron los dos a... Al volver, una luz muy potente se acercó, y el ingeniero perdió el control del coche. Ella se puso muy excitada y le comentó: "Son ellos. ¡Vienen a por mí!" Al rato, el objeto luminoso se alejó, desapareciendo en el horizonte, y el ingeniero pudo conducir de nuevo el automóvil. Volvieron a la casa y se acostaron. A la mañana siguiente el propietario comprobó que su amiga había desaparecido. Y no ha vuelto a tener más noticias de ella.

»INVESTIGACIÓN SUBSIGUIENTE: Esta información, como se ve, proviene de una conversación "de segunda mano", nada rigurosa y sin las necesarias precisiones. Procede ahora entrevistar en profundidad al ingeniero, recabar de él todos los datos pertinentes sobre acontecimientos tan llamativos, someterlos a los imprescindibles chequeos y comprobaciones, y redactar un informe sobre los hechos ya verificados.»

Recuerdo que, tras la lectura de esta carta, convencido de que «aquello» sólo podía ser fruto de alguna mente calenturienta, procedí a archivarla, olvidando el, aparentemente, fantástico suceso. ¿Grave error por mi parte? ¿O es que no había llegado el momento? Ahora, con la perspectiva del tiempo a mi favor, me inclino por lo segundo. Y antes de proseguir con los pormenores de esta fascinante investigación, el corazón pide que me desnude. Será justo y saludable que el lector sepa a qué atenerse desde el principio.

Como decía, en mayo de este año (1997) se han cumplido mis «bodas de plata» con la investigación de los «no identificados». He dado más de cien veces la vuelta al mundo. He interrogado personalmente a más de diez mil testigos. He visto estas naves «no humanas» en cuatro oportunidades. Y dispongo, en fin, de una gruesa y privilegiada documentación que demuestra cómo infinidad de civilizaciones ajenas a la Tierra nos visitan, observan y «controlan» desde hace miles de años. Pues bien, este impresionante bagaje informativo ha supuesto, entre otros beneficios, media docena de certezas y un océano de dudas. En mi caso resulta rigurosamente cierto que, cuanto más investigo, menos sé. Pero, como digo, hay algo que sí tengo muy claro: amén de la realidad física de estas «humanidades», estoy convencido de su poderosa, sutil e inexorable «influencia» sobre el comportamiento del hombre. Al menos, sobre los actos y la conciencia de determinados individuos. Seré más preciso. Hace tiempo —mucho tiempo— que sospecho (que sé) que algunas de estas civilizaciones «controlan» o «dirigen» (me fallan las palabras) las vidas de muchos seres humanos. Muchos más de lo que podamos imaginar...

«Investigar a los investigadores.» Una frase que he repetido sin cesar. He aquí una de las claves para comprender lo que afirmo. Y es en base a ese cúmulo de increíbles «coincidencias» —vividas, por ejemplo, por los auténticos investigadores, los de campo— por lo que me atrevo a creer e insinuar que la historia rescatada por Ignacio Darnaude empezó a ser investigada «en su momento». Antes, servidor debía conocer y penetrar el fenómeno OVNI con mayor profundidad. Y durante casi diez años, en efecto, he sido intensamente «entrenado» para encajar y aceptar lo que, a primera vista, puede parecer un escalofriante relato de la más pura ciencia ficción. Hoy sé que la historia que me dispongo a narrar es perfectamente posible. Pero, también lo sé, sólo unos pocos llegarán a aceptarla. No importa. También lo he dicho en público y en privado: los investigadores ovni estamos haciendo Historia. Investigamos y difundimos para el presente, sí, pero, sobre todo, para los historiadores y la sociedad del futuro.

Y desnudado mi corazón, proseguiré con los acontecimientos, procurando respetar el orden cronológico en que se registraron. Un orden, con su propio «orden» interno, que ratifica esa aparentemente audaz afirmación: «Ellos saben, controlan y dirigen.»

Ignacio Darnaude Rojas-Marcos, el investigador que «levantó la liebre». (Foto J. J. Benítez.)

¿Coincidencia? Lo dudo...

Todo en esta historia, insisto, parece mágicamente trabado. Mágicamente planificado. Mágicamente diseñado para que, «en su momento», un investigador, aparentemente por azar, se hiciera cargo del asunto. ¡Cuán ajeno me encontraba en aquel año de 1988 a lo que me reservaba el Destino! A primera vista, al iniciar la construcción de mi definitivo «cuartel general» en el sur de España, sólo estaba haciendo realidad un viejo y acariciado sueño. Pero —ahora lo sé—, en ese traslado se ocultaba «algo» más... Porque, ante mi sorpresa, «Ab-ba», mi nueva casa, sería levantada a doscientos metros escasos de la residencia de verano de uno de los protagonistas capitales del que podríamos denominar «caso Ricky».

¿Coincidencia? Lo dudo...

De los 87 268 kilómetros cuadrados de Andalucía, servidor había ido a «elegir» un remoto paraje en el que, «casualmente», se alzaba el chalet del ingeniero mencionado por Darnaude. De los siete millones largos de andaluces —«casualmente»—, uno en particular, sólo uno, el célebre ingeniero, iba a ser mi vecino... (1).

Y a partir de aquel año clave 1988, los sucesos se desencadenaron. Por razones de buena vecindad, Blanca, mi mujer, y yo terminamos conectando —igualmente por aparente «casualidad»— con dicho vecino. Por supuesto, en esas fechas servidor ignoraba quién era en realidad aquel ingeniero. Apenas sabía nada de él. Quizás lo justo en una incipiente y tímida amistad: se dedicaba a los negocios, era abierto, sin doblez, con un envidiable sentido del humor y, a pesar de sus sesenta años, poseía una excelente forma física y mental.

(1) Quizás en otra oportunidad me anime a relatar las curiosas «coincidencias» que confluyeron en ese año de 1988, así como en 1994, para que se hiciera realidad el añorado sueño de vivir en el sur.

Y llegó 1995. Y con nuestro definitivo traslado a «Ab-ba», las visitas a una y otra casa menudearon. Y fue en una de esas plácidas tertulias cuando, en el «momento justo», surgió la sorpresa. Como ya es habitual en mí —pura deformación profesional—, en una de aquellas conversaciones le interrogué sobre uno de mis temas favoritos: los ovnis.

El ingeniero sonrió. Y percibí que se tomaba el asunto muy en serio.

—Sí, los he visto —comentó, señalando hacia el mar—. Aquí mismo y en compañía de otras personas...

Le vi dudar. Y al poco, adoptando cierta precaución, lanzó una frase que me puso en guardia.

—Pero tengo una historia mejor...

E invocando nuestra discreción pasó a relatar —muy por encima— la increíble aventura con Ricky.

A los dos minutos, conforme avanzaba en la exposición, me quedé pegado al asiento. Pero no dije nada. Aquella historia me resultaba familiar. Y al regresar a «Ab-ba» me apresuré a consultar los archivos. No me había equivocado. Estaba frente al suceso y al protagonista descritos por Ignacio Darnaude en julio de 1986. ¡Qué «casualidad»!

Y durante meses —hasta octubre de 1995— alterné otras investigaciones con una serie de interrogatorios previos en los que, honradamente, traté de pillar en algún renuncio al paciente y siempre cordial ingeniero. En total, sostuve seis largas conversaciones. Cuatro de ellas grabadas. Y siguiendo una elemental táctica psicológica procuré que cada uno de los interrogatorios se desarrollara lo suficientemente distanciado del anterior como para que, en caso de fabulación, el supuesto testigo cayera irremisiblemente en contradicción. Pero, ante mi desconcierto, las sucesivas versiones fueron siempre impecables, exactas, rigurosamente iguales. En ningún momento acerté a atraparle en mentira alguna. Y una punzante duda me acosó sin contemplaciones.

¿Estaba ante una historia real? Durante mucho tiempo, a pesar de la solidez del relato del ingeniero, me negué a creerlo. Era demasiado fantástico...

Pero una «fuerza» extraña e inflexible fue tirando de mí hasta que, finalmente, me embarqué en la investigación. Sin duda —lo adelanto ya—, una de las más difíciles, complejas, laboriosas y delicadas en las que me he visto envuelto. Una investigación que, por su naturaleza, no he sido capaz de cerrar. Lo reconozco humildemente. Aunque, pensándolo mejor, ¿no he sido capaz o no he querido?

Pero ya es hora de pasar a la historia propiamente dicha. Buceando en aquellos interrogatorios procuraré hacer una reconstrucción general de la misma, exponiendo —de momento— algunos de los hechos y circunstancias claves. El resto de los detalles, en beneficio de una mejor comprensión, irá apareciendo paulatinamente.

La verdad es que en aquel período de conversaciones previas no todo fue bien. A pesar de los esfuerzos de mi amigo, las fechas del «incidente» aparecían borradas en su memoria. Y por más empeño que puse, que pusimos, por más referencias que buscamos, lo único que terminé sacando en claro es que la breve convivencia con Ricky había tenido lugar «después de la muerte de Franco». No era mucho, pero no me desanimé. Ahora, a los dos años de iniciada la investigación, intuyo que esa laguna mental también encerraba su «porqué». De una forma sutil, el lapsus me obligaría a desplegar toda la «artillería pesada», poniendo a prueba, una vez más, lo que, sin duda, distingue al auténtico investigador: la tenacidad, la constancia y la paciencia.

—Ten en cuenta —se cansó de repetir el ingeniero a lo largo de aquellos interrogatorios— que mi relación con ella fue un simple «ligue». Nada serio. Algo puramente circunstancial. Yo estaba divorciado hace muchos años y, sencillamente, aquella extranjera era espectacular...

De hecho, así me consta, al margen de unas valiosísimas fotografías tomadas por mi amigo, jamás guardó un solo recuerdo de su aventura amorosa. Ni papeles, ni dirección, ni nombre... Y éste, precisamente, fue el segundo gran obstáculo en la investigación. Aunque parezca increíble, el ingeniero no recordaba el nombre ni el apellido de la norteamericana.

—Para eso soy un desastre —reconoció una y otra vez—. Además, el nombre era raro...

—¿Y de dónde sacaste lo de Ricky?

—Fue la primera vez que la vi. Unos obreros me habían hablado de ella, de una forastera muy guapa que paseaba solitaria por el pueblo. Se alojaba en unos apartamentos de una amiga mía y, en cuanto tuve ocasión, me interesé por dicha extranjera. Marta, la dueña de los apartamentos, me confirmó la noticia. Era norteamericana, «muy rara», de una belleza que llamaba la atención y, en efecto, se hallaba sola. Total, que le pedí que me la presentara. Y así fue. A los pocos días, en esta misma casa, mientras jugaba a las cartas con unos amigos, apareció Marta con una de sus hijas pequeñas y la bella extranjera. Y recuerdo que puse a la niña sobre mis rodillas y le pedí que eligiera las cartas. Aquello, al parecer, molestó a la norteamericana y me acusó de «estar corrompiendo a un niño». Cuando le pregunté por qué se limitó a responder que «no debía enseñar juegos de azar a los niños porque eso perturbaba su desarrollo mental». Aquella brusquedad, aquel genio, aquel carácter fuerte —no sé por qué— me recordaron al protagonista de una película: el sargento Ricky. Y se quedó con el apodo. Desde entonces, siempre la llamé así. Y a ella le hizo gracia.

—Pero ¿nunca supiste su verdadero nombre?

—Sí, me lo dijeron... Pero no consigo recordarlo. Como te he dicho, era raro...

—Bien, ¿y qué ocurrió?

—Esa misma tarde hice un aparte con ella. Le expliqué que regresaría el siguiente fin de semana y que, si le parecía bien, podía venir a mi casa. La verdad es que me quedé prendado...

—¿Cómo era físicamente?

—Rondaba los treinta años. Alta, espigada, cabello largo y negro. Ojos azules, profundos y preciosos. Cara de niña y una figura aparentemente frágil y deslumbrante.

Y al viernes siguiente, entrada ya la tarde, llegó caminando por la playa. Y poco faltó para que se malograra la cita. Yo me encontraba en la planta baja y no la oí llamar. Ricky entró por la parte de atrás de la casa y se dirigió directamente al piso superior. Menos mal que la vi cuando se dirigía de nuevo a la playa... (1).

Y ahí empecé a cortejarla. Salimos a cenar y la aventura se prolongó por espacio de unos dos meses.

En ese tiempo, mi amigo, el ingeniero, empezó a notar «algo» extraño. Al parecer, el comportamiento de su «novia» no resultaba muy normal...

—Al principio, si te soy sincero, pensé que era una «gringa» loca. Una extravagante. Sólo tomaba leche y verduras. Mucha leche. Y con la leche, todo un surtido de pastillas. En su apartamento, en un maletín, guardaba más de veinte frascos con medicamentos. Pero no eran convencionales. En cada bote, de color negro, aparecía una etiqueta con algo así como una fórmula química. Ahora me arrepiento de no haberlos examinado con detenimiento.

»A la hora de las comidas siempre teníamos problemas. Cuando me veía devorar un filete la recriminación era fulminante: «Te estás suicidando, ¿lo sabes?»

Y añadía con una seguridad que me dejaba perplejo: «Tú tienes un organismo que puede vivir doscientos veinte años. Cuando te comes eso, te estás quitando posibilidades de vida... ¡Estás loco!»

(1) La localidad en la que se encontraban dichos apartamentos —y a la que, desde ahora, me referiré como población «A»— dista unos cuatro kilómetros de la casa del ingeniero.

Ricky, la bella norteamericana.
Imagen tomada por el ingeniero.
(Gentileza de mi amigo.)

La supuesta alienígena, en una
de las excursiones por Andalucía.
(Gentileza del ingeniero.)

—Que fuera vegetariana no implica rareza...

—Es que había más, mucho más. Su comportamiento, en general, era esquivo. Salía a comprar su leche y se encerraba en el apartamento. Y allí escribía y escribía. Creo que llegué a ver alrededor de cuarenta o cincuenta pequeñas libretas de tapas negras, repletas de una escritura muy menuda. Cuando le pregunté qué hacía respondió que «lo apuntaba todo». La verdad es que su curiosidad era insaciable y sus preguntas muy extrañas.

—¿Por qué?

—Parecía una niña de doce años. De pronto se quedaba mirando a un pino y preguntaba qué edad tenía. «¿Por qué unas personas se dan la mano y otras se besan? ¿Qué sistema político tenéis en este país?...» Eran cuestiones absurdas. De un infantilismo tal que llegué a pensar que aquella mujer había vivido recluida durante mucho tiempo. Le fascinaba, por ejemplo, que la paseara en automóvil y que la llevara a los pueblos cercanos. Se quedaba absorta frente a un puesto de pescado. En cierta ocasión, al descubrir en mi casa unas cabezas de mero disecadas volvió a recriminarme, argumentando que «aquella costumbre era horrible».

»En Sevilla, durante una visita turística, se quedó asombrada al ver el gran número de botellas almacenadas en el supermercado de El Corte Inglés.

—¿Por qué dices que su comportamiento era esquivo?

—Era una observadora, pero a distancia. En los restaurantes, cuando salíamos a comer o a cenar, siempre elegía el rincón más apartado. Y se colocaba de espaldas a la pared, de forma que pudiera contemplar a los comensales.

Generalmente, yo venía a visitarla los fines de semana. Pues bien, el resto lo pasaba en su apartamento. Daba largos paseos al atardecer, pero no hablaba con nadie. Tampoco tomaba el sol. Como te digo, se encerraba y escribía.

—¿Llegaste a leer el contenido de esas libretas?

—Tampoco. Y fue una lástima. Yo le preguntaba qué era lo que escribía y contestaba: «Escribo todo lo que veo, todo lo que pienso...»

»El problema es que, como te decía, yo la consideraba una «loca». Y no la tomaba en serio.

Hasta que, cierto día, avanzada la relación, el ingeniero fue a descubrir «algo» que le intrigó.

—Francamente, me asusté. Al verla desnuda reparé en un gran boquete que presentaba en la parte posterior de su pierna derecha. Concretamente, en la región de los músculos gemelos. Era enorme. Casi se le veía el hueso. La verdad es que impresionaba. Cabía un puño. Y pregunté qué le había sucedido. Sus palabras me dejaron de piedra, pero llovía sobre mojado y no la creí.

»Respondió que, en realidad, era un ser extraterrestre, que había tomado el cuerpo de una mujer, fallecida en un accidente de autobús, en México.

»—¡Qué bien! —repliqué, pensando que me tomaba el pelo—. Así que eres una extraterrestre...

»Y Ricky, en tono grave, sin asomo de broma, explicó «que se había metido en el cadáver de una mujer que murió desangrada». Y añadió que, «entre los fallecidos en ese autocar, éste era el cuerpo menos dañado».

»Como comprenderás, le seguí la corriente, sospechando que no estaba bien de la cabeza. Pero, era tan hermosa que me dio lo mismo...

Durante horas, a lo largo de aquellos meses, insistí en el asunto del supuesto accidente. Pero el ingeniero —lógica consecuencia de su escepticismo— no pudo ampliar la información. Todo aquello se le antojó tan fantástico que no se preocupó de profundizar en la revelación de su amiga. Recordaba, a lo sumo, dos o tres detalles más.

—Me dijo que el autobús se despeñó y que la mujer desangrada permaneció varias horas atrapada bajo los hierros.

Eso fue todo. Por no saber, mi amigo no sabía ni la fecha ni el lugar del siniestro. Otro grave obstáculo a la hora de emprender la investigación. México es un país inmenso y, lamentablemente, cada año, los casos de «camionazos» —como allí denominan a los accidentes de autobús— se cuentan por decenas. Pero sigamos paso a paso...

—Y comprendí —puntualizó el ingeniero— por qué siempre utilizaba pantalones.

—Por cierto, ¿se maquillaba?

—Nunca. Era todo menos femenina. Jamás he visto una mujer que se cuide menos. No se perfumaba. No se pintaba. Y te diré más: carecía del sentido del pudor. Cuando entraba al retrete, jamás cerraba la puerta. Le daba igual.

En mi afán por reunir un máximo de documentación sobre la personalidad y costumbres de Ricky, me vi obligado, naturalmente, a interrogar al ingeniero sobre sus relaciones sexuales con la supuesta alienígena. Y poco a poco, mi amigo fue revelándome detalles que, posteriormente, resultarían altamente esclarecedores. Por ejemplo: Ricky era una mujer fría. Nunca experimentó un orgasmo. Se limitaba a complacer a su amante. Había aspectos sexuales que dominaba. En otros, en cambio, era una completa ignorante.

—Quizás lo que más me llamó la atención —redondeó mi amigo— fue su extraña forma de «disfrutar» del sexo. Cuando hacíamos el amor se tiraba de los cabellos. Al preguntarle por qué hacía aquello respondió que en el cuero cabelludo se halla una de las zonas erógenas de la mujer. Y pensé: «Está como una cabra.»

—¿Crees que se enamoró?

—No. Lo nuestro, como ya te mencioné, fue una relación superficial y distante.

—¿Te utilizó?

—Es posible. Pero, si lo hizo, fue con algún objetivo absurdo o que no termino de ver claro. Yo respondía a sus increíbles preguntas, la paseaba y, en definitiva, la ponía en contacto con «algo» que, al parecer, le interesaba mucho. Pero no hubo amor. Es más: tuve la sensación de que carecía de sentimientos.

Ricky, por supuesto, siguió insistiendo en su origen «no humano». Y le explicó a su amante que «ellos procedían de lo que nosotros llamamos la constelación de Orión. Concretamente, de un mundo que recibe el nombre de "Acrón"».

Y el ingeniero comenzó a dudar.

—Cuando me habló de «Acrón» consulté una enciclopedia. Y vi que la temperatura de ese lugar rondaba los seiscientos grados centígrados. ¡Ya te pillé!, me dije. Y al volver a verla, convencido de que todo era una broma, pregunté con cierta sorna: ¿y qué temperatura tenéis en vuestro mundo?

»«Setecientos grados», replicó al instante. Me quedé perplejo. Entonces, como lo más natural, añadió que «ellos vivían bajo la superficie, protegidos por una corteza calcárea». Como podrás suponer, yo no salía de mi asombro. Y me explicó que carecían de cielo.

—Supongo que no te interesaste por el verdadero aspecto físico de esos supuestos seres...

—Para nada. ¿Por qué hacerlo si no daba crédito a sus palabras? Ella continuaba asegurando que era extraterrestre y a mí, la verdad, por un oído me entraba y por otro me salía. La señora era guapísima y eso era lo único que importaba. Pero, poco a poco, fui presenciando actitudes que me confundieron. Por ejemplo: cuando se quedaba a dormir en mi casa, a las tantas de la madrugada la veía desaparecer de la cama y, casi desnuda, bajaba a la terraza y comenzaba a practicar una especie de extraña danza. Algo así como el «tandava» de Shivanataraja. Y así permanecía durante horas... A la mañana siguiente, al interrogarla sobre el porqué de tan singular comportamiento, Ricky respondía que «aquello» era una forma de ponerse en armonía con el cosmos.

Naturalmente, el cada vez más confuso ingeniero, medio en broma medio en serio, terminó preguntándole la razón de su «visita» a la Tierra.

—«He venido», me dijo, «para investigar».

»—¿Investigar?

»—Sí —añadió—, entre otras cosas, a un viejo maya que conserva la memoria genética y puede leer los jeroglíficos...

»Y me contó cómo, tras meterse en el cuerpo de la mujer, vivió un tiempo en México, investigando el asunto de los mayas. Allí, al parecer, tuvo otro novio. Un mexicano...

Ricky, en efecto, hablaba castellano, aunque —según el ingeniero— con un notable acento mexicano.

Al interesarme por el grado de inteligencia del extraño personaje, mi amigo fue rotundo:

—Brillante.

Y recurrió a un nuevo ejemplo.

—Yo presumo de ser un excelente jugador de ajedrez. Pues bien, en cierta ocasión le mostré un juego realmente diabólico: el «Otelo». Llevo practicándolo más de veinte años y jamás me ha ganado nadie. Le enseñé a jugar y en la primera partida, a los pocos minutos, me destrozó. Aquello me llegó al alma. ¿Cómo era posible?

»—Cuestión de genética —argumentó Ricky.

»Y volví a intentarlo. Pero fue una derrota tras otra.

»—Y ya nunca podrás ganarme... —remató la muy condenada. Y así fue.

La relación entre el ingeniero y la bella norteamericana se prolongaría, al parecer, por espacio de unos tres meses. Tampoco este vital dato aparecía con claridad en la memoria de mi amigo. Sólo recordaba que la visitaba cada fin de semana y que, de vez en cuando, hacían viajes cortos a lugares como Faro, en Portugal, Sevilla y Marbella. En esta última ciudad sucedió algo que el ingeniero, lógicamente, no ha podido olvidar...

—Acudimos a una cena con otros amigos. Recuerdo muy bien a dos de ellos: Tulio y Enrique. Y ahora verás por qué. La cuestión es que Tulio, millonario y algo prepotente, empezó a pontificar, afirmando que él se encontraba por encima del bien y del mal. Aquella actitud irritó a Ricky y, tras calificarlo de «imbécil», me hizo la siguiente confidencia:

»—Este amigo tuyo morirá pronto... Después Enrique y, por último, tú...

»Cuando le pregunté cómo podía saberlo se limitó a replicar «que veía el aura de las personas y que ése era el orden de las muertes».

»Algún tiempo después me llegó la noticia del fallecimiento de Tulio. Y Enrique, efectivamente, fue el segundo...

Tratando de buscar una explicación racional al anómalo comportamiento de Ricky, me interesé también por la posibilidad de que consumiera drogas. El ingeniero lo negó.

—Yo, al menos, en el tiempo que la conocí, jamás tuve esa impresión. Ni siquiera fumaba. En cuanto a beber, como te he repetido muchas veces, sólo tomaba leche. Hasta tal punto que, cuando la besaba, sabía a leche... Parecía que estaba besando a una vaca. Y te diré más: Ricky se mostraba abiertamente en contra de las drogas. Una noche fuimos a cenar y vimos a unos borrachos. Estaban cantando. Nunca he olvidado su comentario:

»—¿Cómo es posible que una droga pueda provocar esos sentimientos?

Y el romance continuó. Ricky jamás se retractó de sus desconcertantes afirmaciones y el ingeniero, por su parte, aunque sumido en la duda, prefirió ignorar el supuesto origen «no humano» de su amiga. En realidad, y en eso llevaba razón, la supuesta extraterrestre nunca aportó una prueba sólida e irrefutable. Pero llegó el último día...

—Salimos a cenar, como tantas otras noches. Y

fuimos a un pueblecito cercano. Y, como siempre, leche y verduras...

»Y a eso de la una de la madrugada decidimos regresar. La noche era oscura. Sin luna y bastante desapacible. Y a pocos kilómetros de la localidad «A», en una larga recta, aceleré. Yo conducía entonces un Citroën GS Palas.

»Ricky, a mi lado, continuaba tranquila y silenciosa. Pero de pronto la oí gemir. Y en décimas de segundo se encogió. Y colocándose en postura fetal me dio la espalda, deslizándose hacia el suelo del automóvil. Y los gemidos arreciaron.

»—¡Qué te pasa! —balbuceé asustado—. ¡Qué te pasa!...

»No respondió. Y siguió en el piso, hecha un ovillo y aterrorizada.

»Levanté el pie del acelerador y, en ese instante, una extraña luz me envolvió.

»Ricky gemía y gemía, cada vez con mayor desesperación.

»—¿Qué es esto? —exclamé desconcertado.

»¡Mis manos brillaban!... Mejor dicho, reflejaban una luz blanca y lechosa.

»—¡Esto qué es!...

»Y paré el coche. Y al abrir la puerta y echar pie a tierra, comprobé atónito que la luz procedía de lo alto. Era un gran foco, con una luz rarísima y muy potente. Me deslumbró. Jamás he visto cosa igual... Aquella luz era espesa, casi sólida... Iluminaba la totalidad del automóvil y parte de la carretera y el campo.

»Y en cuestión de segundos escuché un ruido. Algo parecido a un sordo y prolongado «toooong»... Y «aquello» desapareció tan súbitamente como había aparecido.

»Quedé paralizado. Y cuando reaccioné, me introduje de nuevo en el vehículo. Ricky continuaba encogida y en el fondo del piso. Sus gemidos eran más suaves y espaciados.

»—¡Dios santo!... ¡Ricky!... ¿Qué es todo esto?...

»Traté de calmarla y de calmarme.

»Y al fin, con voz temblorosa, sumida en un gran pánico, acertó a pronunciar una frase que jamás olvidaré:

»—Es una astronave..., y viene a buscarme.

»La interrogué.

»—¿Una astronave?...

»Pero la mujer, dominada por el miedo, ni siquiera parecía escucharme. Y repetía una y otra vez:

»—¡Llévame a casa!... ¡Llévame a casa!...

»Fue inútil. No logré sacarle una sola palabra más. Y con el susto en el cuerpo reanudé la marcha, dejándola en su apartamento. Yo continué hacia mi residencia, intentando ordenar los pensamientos. ¿Qué era todo aquello? ¿Qué había ocurrido? ¿Una astronave?

»Y esa noche comprendí que Ricky podía tener razón. Pero ya era demasiado tarde...

»A la mañana siguiente, cuando me personé en su apartamento, la bella norteamericana había desaparecido sin dejar rastro. Pregunté a la dueña, a la criada y a todo el mundo... Nadie sabía nada. Ricky, sencillamente, se había esfumado. Entramos en su apartamento. Su pequeña mochila y los maletines desaparecieron con ella. Pregunté en el pueblo. Nadie supo darme razón. Nadie la vio partir. En el apartamento, pagado al parecer por adelantado, no descubrimos señal alguna de desorden o de marcha precipitada. Todo aparecía normal. Por supuesto, Ricky no dejó nota alguna. Sólo la llave.

»Y jamás volví a verla. Jamás tuve noticias suyas... y lamento mi torpeza. Lamento no haberla creído. Hoy, quizás, sería más sabio...

Afortunadamente, el ingeniero conservaba una serie de valiosas fotografías de Ricky, tomada durante su breve romance. (Gentileza del ingeniero.)

«No era muy amante de las fotografías —comentó el ingeniero—, pero, inexplicablemente, me permitió tomar unas cuantas.» (Gentileza del ingeniero.)

Imagen captada en la casa del ingeniero. Junto a la norteamericana, Petru y Enrique. Este último fallecido. (Gentileza del ingeniero.)

El ingeniero —cuya identidad no estoy autorizado a revelar—, abrazando a Ricky. Con ellos, Petru y Enrique en las proximidades de la localidad «A». (Gentileza del ingeniero.)

Hasta aquí, en esencia, la historia del romance entre el ingeniero y la misteriosa Ricky y del no menos enigmático final. Y antes de proseguir me resisto a pasar por alto las reflexiones que provocaron en mí estos relatos. Y, como siempre, seré absolutamente sincero y transparente.

En primer lugar, de no haber sido por ese extraordinario «final», lo más probable es que Ricky hubiera seguido dormida en mis archivos. Fue la coherencia, la milimétrica exactitud, la aplastante sinceridad del ingeniero y su rotunda negativa a aparecer en este libro con su verdadera identidad lo que, en verdad, me movió a profundizar en semejante laberinto. La descripción de lo acaecido la última noche encaja perfectamente con lo que sabemos del fenómeno ovni. Un caso típico, me atrevo a remachar. Típico en lo referente a la nave, en la luz proyectada y en la aproximación a un automóvil. No ya tan «típico», por supuesto, en el resto de la historia.

En segundo lugar, la versión original —de primera mano— poco tenía que ver con lo detallado por Darnaude. La palabra «UMMO» jamás apareció en mis largas y múltiples conversaciones con el ingeniero (1). *En principio, como iremos viendo, el asunto es mucho más complejo y trascendental. Ignacio Darnaude tenía razón cuando, al final de su misiva, sugiere a los investigadores que se proceda a un minucioso y riguroso análisis de los hechos. Efectivamente, las sorpresas me dejarían sin aliento.*

(1) Los célebres «ummitas» —supuestos extraterrestres— descendieron a la Tierra en 1950, mezclándose, al parecer, con la raza humana. Llevo muchos años investigando este asunto y estoy en condiciones de asegurar que, en contra de lo que afirman algunos, el fenómeno es real. Lamentablemente, nadie lo ha investigado con un mínimo de rigor y seriedad. Es posible que en un futuro no muy lejano me decida a revelar cuanto he descubierto.

Por último, a título de hipótesis de trabajo, aceptando que todo fuera real, un río de interrogantes terminó ahogándome.

Si Ricky era uno de «ellos», ¿por qué sintió miedo? ¿Fue todo una magistral representación teatral? Desde hace mucho tiempo, los investigadores sospechamos que el fenómeno ovni podría encerrar un nítido objetivo de concienciación colectiva. Nada, por tanto, sería casual. Al contrario. Cada avistamiento, cada aterrizaje o cada encuentro cercano con los tripulantes de estas naves podría hallarse minuciosamente programado. De ser así, ¿fue el caso Ricky preparado para que «alguien», en el momento oportuno, se preocupara de investigarlo y difundirlo?

¿Por qué fue «escogido» un paraje tan remoto y apartado como la población «A»? En aquellas imprecisas fechas —entre 1975 y 1986— el lugar apenas contaba setecientos habitantes. Por supuesto, si todo obedecía a un plan, la zona era ideal: apartada de grandes núcleos urbanos, de carreteras nacionales, de aeropuertos, de medios de comunicación y, sobre todo, de investigadores...

¿Y por qué este ingeniero? ¿Quizás por la ubicación de su casa? ¿Por las características físicas y psíquicas del personaje? ¿Quizás porque, años más tarde, un investigador terminaría residiendo en el escenario de los hechos?

¿Y qué pensar del supuesto accidente de autobús? ¿Ocurrió realmente?

¿Existió la mujer desangrada?

¿Qué clase de civilización está en condiciones de resucitar cadáveres?

¿Cómo entender la súbita desaparición de Ricky? ¿Se la había llevado la astronave? Más aún: si la historia era auténtica, ¿cómo entró en España?

¿Era éste el único caso de «infiltrados» en la sociedad humana?

43

La verdad es que, en el mágico fenómeno ovni, ya no me sorprende nada..., y me sigue sorprendiendo todo.

Y a partir de 1995, con mi definitivo asentamiento en Andalucía, lenta y casi involuntariamente, fui implicándome en la investigación. Los casos de «transformación» —por llamarlos de alguna manera— me atraían especialmente. En 1980 tuve la oportunidad de indagar el primero. Y me desconcertó. Un guardia civil de tráfico, en las proximidades de Jerez de la Frontera, había sido testigo de excepción de unos hechos sorprendentes (1). En síntesis, nuestro hombre, tras perseguir con su moto a un objeto volante no identificado, comprobó atónito cómo la nave se «convertía» primero en un silencioso camión de mudanzas y, posteriormente, en dos lujosos automóviles, perfectamente orillados en la carretera de Trebujena. Y llegó a ver a los ocupantes del primer turismo, conversando, incluso, con el conductor. Aquellos «individuos» eran —o parecían— seres humanos normales y corrientes.

Años después, en septiembre de 1989, en la playa de Los Bateles, en Conil (Cádiz), cinco jóvenes de dicha localidad y una patrulla de la Guardia Civil fueron igualmente testigos de otro suceso de parecido corte (2). Dos extraños y gigantescos seres —sin rostro— se acostaron sobre la arena. Y en cuestión de segundos, tras intercambiarse una pequeña esfera azul, se alzaron y caminaron en dirección al pueblo. La sorpresa y el desconcierto de los testigos no tuvieron límite: aquellos seres habían modificado su aspecto físico. Ahora aparecían como un hombre y una mujer, vestidos con ropas normales. Y la pareja, como digo, penetró tranquilamente en Conil, inscribiéndo-

(1) El minucioso relato fue publicado en mi libro *La punta del iceberg* (pp. 129 y ss.).
(2) Amplia información sobre el particular en *La quinta columna* (pp. 258 y ss.).

44

Una luz lechosa, casi sólida, envolvió el automóvil del ingeniero. (Ilustración de J. J. Benítez.)

Monforte de Lemos (Galicia). De la esfera blanca «salió» un avión de pasajeros. (Ilustración de J. J. Benítez.)

se en un hotel. Las identidades —alemanas— resultaron falsas...

Curiosamente, cuatro años después del caso de Jerez, en julio de 1978, dos muchachas norteamericanas protagonizaban una historia muy similar. La información, procedente de Ignacio Darnaude, decía así:

«Conduciendo a lo largo de un tramo de carretera despejado y solitario, al sur de Wyoming, Mickie Eckert y su amiga, Kathy Eckard, de unos veinte años, fueron a vivir lo que el prestigioso investigador de ovnis Timothy Green Beckley ha denominado "el encuentro ovni más extraño que se ha visto jamás" (1).»

Las mujeres se dirigían hacia el este, hacia Nebraska, y se detuvieron en la orilla de la carretera para interesarse por lo que parecía un accidente. Dirigiendo las luces hacia el lugar en cuestión, se quedaron de piedra al ver tres objetos circulares que se hallaban suspendidos en el aire, a varios pies del suelo.

«Y de pronto, aquellos objetos se transformaron en dos coches deportivos. Y avanzaron hacia nosotras.»

Aterradas, las jóvenes saltaron a su automóvil, alejándose a gran velocidad. Pero, súbitamente, por detrás, brillaron unas luces. Eran dos camiones... Dos camiones que, al parecer, surgieron de la nada.

Las mujeres optaron entonces por dar la vuelta, dirigiéndose a Salt Lake City. Pero los misteriosos camiones hicieron lo propio, reanudando la persecución. Al cabo de muchas millas lograron distanciarse, entrando finalmente en la ciudad. Y respiraron aliviadas. Entraron en un gran almacén y terminaron riéndose de lo ocurrido. Pero, al regresar al aparcamiento, Mickie descubrió una pequeña luz, del tamaño de un balón de baloncesto, inmóvil sobre la zona. Se precipitaron de nuevo hacia el coche y huyeron. Y durante varios cientos de millas todo discurrió con

(1) El singular caso fue investigado, entre otros, por el referido Beckley y por John D. Herrera.

normalidad. Pero, al cruzar una silenciosa y pequeña localidad del centro de Wyoming, dos enormes objetos se situaron a la altura del turismo, acompañándolo. Mickie aceleró, pero el vehículo no respondía, como si una extraña fuerza lo manejara.

Finalmente, en un paraje solitario, el coche se detuvo misteriosamente. Y en ese instante, una bola de luz penetró en el interior del turismo, alcanzando a Kathy. Acto seguido, esfera y ovnis se desvanecieron.

Desconcertadas y muertas de miedo, las mujeres vieron aparecer entonces dos largas caravanas de camiones que circulaban en ambos sentidos. Y antes de que acertaran a reaccionar, se convirtieron en ovnis triangulares, provistos de sendas cúpulas y volando a seis pies del suelo. Y tras experimentar una sacudida, el coche fue elevado a unos seis metros de la carretera.

Pero la pesadilla no había terminado.

Al ser devueltas a tierra apareció frente a ellas otro automóvil. Kathy, sin imaginar lo que se les avecinaba, saltó del coche, corriendo hacia el conductor. Al poco, su compañera la vio regresar con el rostro demudado.

—¡Vuélvete! —le gritó a Mickie.

Y ésta descubrió la presencia de un enorme perro negro con los ojos incandescentes. Y en ese instante, en el interior del vehículo de las norteamericanas, sentado en el asiento trasero, apareció un extraño individuo. Las mujeres huyeron aterradas y coche, perro e individuo se extinguieron.

Y en el silencio de la noche surgió un ruido sordo y lejano.

«—Se nos pusieron los pelos de punta.

»Y un grupo de luces apareció en el horizonte. Y aquel ruido se hizo cada vez más intenso. Y de pronto, las luces se reunieron, transformándose en una gigantesca nave. Y una potentísima luz naranja nos cegó.

»—Era increíble —comentó Mickie—. La carretera se llenó de gente. Eran decenas, quizás cientos de personas, transportando tubos...»

Pero, súbitamente, todo se desvaneció. El coche se negó a arrancar y, al poco, se aproximó un vehículo. El conductor dijo que se dirigía a Chicago y se ofreció a trasladar a las confundidas y aterrorizadas mujeres.

«Nos detuvimos en un motel y alquilamos una habitación. Pero nada más cerrar la puerta las luces se apagaron y se encendió el televisor. Y una tenue iluminación se filtró por las paredes. Entonces comprendimos que no habíamos escapado.»

Tras una noche en vela, Mickie y Kathy telefonearon a la policía. Y al acompañarlas al paraje donde había quedado el coche, todo aparecía cambiado: la barandilla de protección de la carretera era diferente, así como las señales y la totalidad del entorno. En un campo cercano fueron encontrados los restos de una vaca y de una oveja. De la primera sólo quedaba el esqueleto. La segunda apareció despellejada...

En este mismo año de 1997, investigando la reciente oleada ovni sobre Galicia en compañía del excelente investigador de campo Marcelino Requejo, tuve oportunidad de conocer e interrogar a otro testigo de un no menos sorprendente caso de «transformación». En síntesis, el joven, vecino de Monforte de Lemos y cuya identidad no estoy autorizado a revelar, nos explicó lo siguiente:

«En agosto de 1995, en plenas fiestas patronales, acudí con mi novia al parque situado al pie del castillo. La noche era espléndida. Y poco antes de las doce, por el oeste, observamos una luz. Era como una pelota de tenis, con una especie de halo o bruma alrededor. El color era blanco. Un blanco mate, muy raro... Y fue aproximándose. Pero lo hacía con extrañas oscilaciones. Algo así como un movimiento en zigzag, pero en vertical... Y en silencio, sin ruido alguno, terminó por situarse casi sobre nuestras cabezas.

»Nos quedamos mudos...

»Y, de pronto, no sé cómo explicarlo, aquella esfera luminosa se "aniquiló"... Y al mismo tiempo (?) vimos aparecer un avión de pasajeros... ¡Fue asombroso!... Era un avión normal, con sus luces y con el sonido típico... Un sonido que llegaba en oleadas, como en los aparatos de hélice.

»Estimamos su altitud en unos tres mil metros, aproximadamente. Y el "avión", al "salir" (?) de la esfera, cambió de rumbo, desapareciendo hacia el sur.»

Cuando sugerimos la posibilidad de una confusión —es decir, que un ovni y un avión de pasajeros hubieran coincidido en el tiempo y en el espacio— el testigo movió la cabeza negativamente. Y añadió: «El cielo estaba despejado y, en esos momentos, no vimos avión alguno. La aproximación de la esfera blanca duró alrededor de tres minutos. En ese tiempo, de haber coincidido con un tráfico normal, lo habríamos detectado.

»Lo que ya no sé concretar es si dicha esfera se convirtió en el aparato o si éste "salió" de la bola luminosa... Todo fue instantáneo. La "pelota" de luz desapareció y, en su lugar, insisto, surgió el avión... Y lo hizo cuando aquélla se hallaba inmóvil.»

En otras palabras —según el testigo—, el supuesto «avión» comenzó a volar ¡en el aire y partiendo de velocidad cero!

Evidentemente, si todo esto es cierto —y no dudo de la credibilidad de las personas interrogadas—, nos encontramos frente a una «tecnología» (?) que puede llevarnos miles, quizás millones, de años de ventaja. En consecuencia, a la vista de lo narrado, ¿por qué rechazar a priori la historia del ingeniero? En cierto modo, el caso Ricky podía ser considerado igualmente como un fenómeno de «transformación».

Y en octubre del referido año de 1995, como decía, puse manos a la obra. Al principio, sinceramente, con muy escaso entusiasmo. El panorama —como ya apunté— no era para lanzar cohetes.

¿Qué tenía en realidad? ¿Por dónde podía arrancar?

Mi objetivo en aquellos momentos se centró en Ricky. Entendí que era una de las claves. Si conseguía llegar hasta ella, quizás lograse despejar la incógnita. Pero ¿cómo hacerlo?

El ingeniero no recordaba su nombre y, mucho menos, su apellido. No disponía de dirección o teléfono. Para colmo de males, las fechas del suceso navegaban en una oscura laguna de once años...

En definitiva, salvo la colección de fotografías, nada de nada.

Naturalmente, estas imágenes —algunas en color— fueron exploradas hasta el agotamiento. Pero tampoco aportaron gran cosa. En el revés no figuraban fechas o anotaciones de ningún tipo. Y me aferré a lo único disponible: las personas que aparecían en dichas fotos y las que, como el ingeniero, podían haber establecido algún contacto o relación con la norteamericana.

Uno de los amigos —Enrique, fallecido de infarto— fue obviamente descartado. Y pedí al ingeniero que localizara a Petru. Al parecer, la única superviviente.

Al mismo tiempo emprendí la búsqueda de Marta, la dueña de los apartamentos en los que se alojó Ricky, de sus hijos y del ama de llaves que —según el ingeniero— también alcanzaron a conocer a la supuesta alienígena.

Nuevo jarro de agua fría...

Marta residía desde hacía años en Estados Unidos. En cuanto a los hijos, todos se hallaban ausentes. Victoria, ama de llaves y responsable de dichos apartamentos durante las largas ausencias de la propietaria, me recibió inicialmente con recelo. Por supuesto, salvo el ingeniero, nadie supo de mis verdaderas intenciones. En principio —y así se lo expuse a Victoria— se trataba de localizar a una norteamericana. Pero, como digo, el ama de llaves me esquivó. Recordaba, sí, a la bella joven que había mantenido el romance con el ingeniero. Eso fue todo. Probablemente con razón, no quiso comprometerse a facilitar dato alguno mientras no fuera expresamente autorizada por Marta. Y aunque el ingeniero intervino, mediando en mi favor, se mostró inflexible.

Y durante un tiempo, ante la imposibilidad física de avanzar, opté por embarcarme en otras investigaciones, manteniendo la de Ricky «al ralentí». «Algo» me decía que las piezas irían encajando..., «en su momento».

Y aproveché las breves estancias en «Ab-ba» para reanudar las conversaciones con mi desmemoriado amigo y establecer unos primeros contactos con Marta. Y las llamadas telefónicas a USA fueron dando fruto. La dueña se mostró encantada ante mi solicitud de colaboración. También recordaba a Ricky, aunque vagamente. Sus recuerdos eran tan difusos que fue imposible sacar a flote el verdadero nombre de la extranjera. Tuve que resignarme.

En la Semana Santa del año siguiente (1996), Marta visitaría la población «A» y, quién sabe, quizás entonces se obraría el «milagro».

Francamente, no salía de mi asombro. ¿Cómo era posible que nadie, absolutamente nadie, recordara la identidad de Ricky? Ahora comprendo y sonrío. Cada investigación debe guardar un ritmo, un suspense y una determinada dificultad, en «beneficio», sobre todo, del propio investigador.

Y el 12 de abril de 1996, al fin, pude conocer a Marta y a sus hijas. Y durante varios días, en sucesivos interrogatorios, traté de indagar y de establecer un mínimo de orden en aquella pesadilla.

Lamentablemente, ni Ana, ni Alina, las hijas, supieron aclarar lo que más me obsesionaba en aquellos momentos. Ninguna sabía el verdadero nombre de la misteriosa forastera. La primera, nacida en 1968, era una niña cuando Ricky visitó el lugar. La se-

51

gunda, nacida en 1975, podía ser casi un bebé. De hecho, sus recuerdos eran muy borrosos.

En cuanto al ama de llaves, informada puntualmente por la dueña sobre mis inofensivas intenciones, se prestó a colaborar aunque inicialmente tampoco fue de gran ayuda.

—Era una chica muy triste —aclaró Victoria—. Salía poco. Siempre estaba sola...

En cierta ocasión, la anciana criada entró en el apartamento de Ricky, pero no observó nada extraño.

—Todo aparecía perfectamente ordenado...

Para Victoria, en definitiva, sólo fue una turista más, aunque algo «rara» y retraída. Y como si de una maldición se tratara, la identidad de la norteamericana siguió en el aire. Por más vueltas que le dieron, ni Marta ni sus hijas ni tampoco el ama de llaves lograron poner en pie el irritante nombre.

Con las fechas corrimos la misma y pésima suerte. No hubo forma de centrar ni siquiera el año. Para aquellas mujeres, el romance del ingeniero con Ricky careció de importancia. Y, lógicamente, al ignorar el supuesto origen «no humano» de la inquilina y lo ocurrido en la carretera la última noche, el paso de la «gringa» por los apartamentos quedó rápidamente difuminado.

Sin embargo, no todo fue fracaso en aquellas conversaciones. De pronto, en una de ellas, Ana aportó un esperanzador rayo de luz.

Ricky no había llegado sola a la población «A»...

El hallazgo, después de tantos meses de inútiles tanteos, me hizo vibrar.

Y Ana habló de un médico, también norteamericano, que, al parecer, acompañó a la escurridiza Ricky durante los primeros días de su estancia en los apartamentos de su madre.

—Dijo llamarse Spain. Era muy simpático. Sólo hablaba inglés. Y creo recordar que estudió en la Universidad de Madison...

Marta, la dueña de los apartamentos donde se alojó Ricky. (Foto J. J. Benítez.)

Ana, la hija de Marta, que me puso tras la pista del misterioso acompañante de Ricky. (Foto J. J. Benítez.)

Victoria, que también conoció a la bella y extraña norteamericana. (Foto J. J. Benítez.)

Traté de que afinara. Pero eran muchos años y la joven no pudo satisfacer mi rabiosa curiosidad.

—No muy alto. Con gafas. Pelo castaño y rizado... Más o menos de la misma edad que Ricky. Quizás algo mayor...

La oportuna información fue ratificada por Marta y Victoria que, en efecto, recordaron súbitamente al tal Spain. Pero ninguna de las dos pudo ir más allá en sus recuerdos de la valiosa aportación de Ana.

Creían recordar, eso sí, que el no menos enigmático compañero de Ricky abandonó los apartamentos y la población «A» mucho antes que la bella norteamericana. Pero tampoco estaban muy seguras.

Respecto al medio de locomoción utilizado por la pareja para llegar hasta el lugar, ni idea. Lo que sí estaba claro es que no disponían de coche ni de motocicleta.

Y con la flamante pista entre las manos abordé otro asunto crucial: el libro de registro de huéspedes. Si el supuesto médico ingresó con Ricky en los apartamentos, cabía la posibilidad de que su apellido —Spain— figurase en alguna de las páginas.

Marta interrogó a Victoria y ésta, a su vez, se encogió de hombros.

—¡Quién sabe dónde pueden estar esos libros!... Han pasado muchos años...

La respuesta del ama de llaves volvió a sumirme en la decepción. Pero reaccioné. Si era menester —apunté con un entusiasmo contagioso—, y contando con la autorización de Marta, yo mismo ayudaría en la búsqueda. Sinceramente, estaba dispuesto a poner la casa patas arriba. Lo que yo no sabía en esos momentos es que, en aquellas lejanas fechas, la obligatoriedad de presentar las fichas de cada cliente en la policía o en la Guardia Civil era algo muy elástico y relativo. Poco después, al consultar en el cuartel de la Benemérita al que pertenecía la población «A», el teniente dejó las cosas claras:

—En esos años, muchos apartamentos eran poco menos que ilegales. Las entradas de huéspedes se llevaban en plan compadre... Raras veces disponían de un registro... Y dudo que lo conserven.

Éste, efectivamente, era el caso de los apartamentos de Marta. Pero me aferré a la frágil esperanza como un náufrago a una tabla. E insistí, intentando convencerles de lo que ya sabían. De existir esos libros, quizás, en alguna parte, pudiera aparecer el nombre, la dirección, un teléfono o el número de pasaporte del providencial Spain.

Pero la búsqueda, al parecer, era tan laboriosa que mi súplica debió de sonar a chino. Y por espacio de varios meses, la paciente ama de llaves me vio llamar a la puerta de los apartamentos, siempre con la misma pregunta y con idéntico anhelo.

—No..., los libros no han aparecido.

Y sistemáticamente, Victoria prometía continuar en la aparentemente imposible «caza y captura» de los dichosos registros.

Es curioso. De no haber sido por aquella casi absurda tenacidad, lo más probable es que esta investigación hubiera quedado abortada o gravemente demorada. Pero «ellos» saben...

Y simultáneamente a estos fallidos abordajes decidí abrir una segunda línea de investigación que me permitiera llegar a Spain. Blanca siguió aquellos pasos con preocupación. El tema Ricky se había convertido en un desafío personal. No hablaba de otra cosa, no pensaba en nada más... Todos mis esfuerzos y mi corto conocimiento fueron hipotecados en pro de lo que, sin duda, se estaba convirtiendo en una obsesión: encontrar a Ricky. Y mi mujer, conociéndome como me conoce, se mantuvo a una prudente distancia, sabiendo que, en mi caso, a mayor dificultad, mayor coraje...

Y encomendé unas primeras gestiones de búsqueda a un matrimonio amigo de Estados Unidos. Y

Lona y Tom Woods, de Wisconsin, recibieron el arduo encargo con entusiasmo. No era mucho lo que pude ofrecerles: un apellido, una profesión y una universidad en la que, al parecer, había cursado los estudios de Medicina. Pero seguí confiando en mi buena estrella...

Por supuesto, al saber del tal Spain, me faltó tiempo para visitar de nuevo al ingeniero. Y sí, el hecho le «sonaba»... pero ahí concluyó el asunto.

—Ahora que lo mencionas —se debatió entre las brumas de los recuerdos—, sí me hablaron de ese individuo... Pero nunca lo conocí. Cuando empecé a salir con Ricky, ya se había marchado...

El ingeniero no supo aclarar si estaba ante un familiar, un novio o un amigo. Es más: jamás habló con Ricky de este personaje. Y me vi asaltado por esa inevitable compañera de viaje: la duda. Otra más...

Si la norteamericana era lo que decía ser, ¿qué papel jugaba en todo aquello el enigmático compañero? ¿Se trataba de otro supuesto alienígena? ¿Cómo y por qué había desaparecido? ¿Por qué dejó sola a Ricky?

Tuve que poner freno a las especulaciones. Así no iba a ninguna parte.

Y Marta regresó a Estados Unidos, prometiendo que me mantendría al tanto de cualquier nueva pista. Quizás su ex marido, ahora retirado en USA y que regentó los apartamentos durante años, pudiera recordar algún otro detalle sobre la pareja en cuestión.

Y antes de partir, la dueña me sorprendió con una revelación que —no sé por qué— también me resisto a pasar por alto. Quizás no tenga relación con el caso. Quizás sí...

La cuestión es que, hablando de otros temas, como suele ser muy habitual en mis conversaciones, el fenómeno de los «no identificados» terminó por hacer acto de presencia. Y Marta contó algo que me dejó intranquilo.

—Fue una madrugada. Yo estaba dando el pecho

Lona y Tom Woods, el providencial matrimonio de Wisconsin que me auxili
en la difícil búsqueda de los Spain. (Foto Satcha Benítez

al más pequeño de mis hijos... Entonces vivíamos aquí, en los apartamentos... Recuerdo que estaba sentada frente a la ventana. Y de pronto, por la colina situada junto al pueblo, apareció una extraña, potente y silenciosa luz...

El hecho tendría lugar en el verano de 1970. Y digo que las palabras de Marta me dejaron intranquilo porque, insisto, de ser cierta la historia de Ricky, era verosímil que estos seres hubieran «preparado el terreno», llevando a cabo un exhaustivo examen del lugar y de las personas que, directa o indirectamente, podían entrar en contacto con los «infiltrados». Sé que la teoría es aventurada, pero, en la impresionante casuística ovni, sólo lo fantástico es real...

Y me pregunto: ¿qué hacía ese objeto frente a los apartamentos que, años después, ocuparían Ricky y Spain?

Y forzado a un nuevo compás de espera, me lancé por enésima vez a las carreteras, intentando alejarme de Ricky. No lo conseguí. Las imágenes de la norteamericana se mezclaban con las otras investigaciones, despertándome, incluso, en la madrugada. Aquello no era normal. Jamás un tema ovni —suponiendo que lo fuera— se había introducido en mi mente con tanta violencia. ¿Qué estaba pasando? Parecía como si una «fuerza» invisible me empujara sin piedad hacia Ricky.

Y mi resistencia, efectivamente, duró poco.

El 11 de junio, encontrándome en Barcelona, recibía una llamada que me situó de nuevo en el ojo del huracán de la embrollada investigación.

Era Lona, mi querida amiga de Wisconsin. El matrimonio, ante mi sorpresa, había localizado a dos Spain que, al parecer, coincidían con los datos facilitados por Ana. Posteriormente, en una larga carta, tras detallar las múltiples gestiones desplegadas y que nunca podré agradecerles suficientemente, Tom y

Lona Woods pasaban a informarme de las posibles direcciones de ambos. Uno de los Spain residía en el este de Estados Unidos. El otro, en el norte. En total, según sus averiguaciones, el número de Spain existentes en USA se aproximaba al centenar. El problema es que los dos figuraban como médicos. ¿Cuál de ellos era el acompañante de Ricky?

Y empecé a contemplar la posibilidad de viajar a Norteamérica y de interrogarlos personalmente. Pero ¿qué podía decirles? ¿Les preguntaba por su hipotético origen extraterrestre? ¿Cómo contarles la historia de su atractiva compatriota?

No, aquello era de locos. Y traté de serenarme. Tenía que buscar otra fórmula. Tenía que empezar por el principio. ¿Cuál de los Spain había visitado la población «A»? Una vez concretada esta importante premisa, ya se me ocurriría algo...

Y como primera medida redacté sendas cartas en inglés, con idéntico texto. Las misivas rezaban textualmente:

«Estimado señor:

»Supongo que esta carta le sorprenderá. Soy escritor. Resido en el pequeño pueblo costero de... y el motivo de dirigirme a usted es el siguiente: preparo un libro sobre dicho pueblo y estoy entrevistando a numerosos extranjeros que residen en él o que lo han visitado en alguna ocasión. Pues bien, conversando con los lugareños, varias personas me hablaron de... Spain, un médico norteamericano que visitó... hacia la década de los años setenta. Estas personas elogiaron a dicho médico y, sinceramente, me gustaría localizarlo y preguntarle sus impresiones sobre dicho pueblo. Después de consultar a varios centros sólo he podido obtener el nombre y dirección de dos Spain médicos. Uno de ellos, usted. Pero tengo dudas. ¿Es usted el que visitó... en dichas fechas?

»Le quedaría muy agradecido si pudiera aclararme dicho punto. En caso afirmativo, si le parece oportuno, le enviaría un pequeño cuestionario o me pondría en contacto con usted.

»Disculpe las molestias. Y un millón de gracias por adelantado.»

Espero que los cielos, y los respectivos Spain, sepan perdonar esta pequeña mentira. Pero, sinceramente, no me atreví a presentarme con la verdad. Todavía no...

Y en esas mismas fechas —junio de 1996—, el ingeniero, al fin, me colocaba tras la pista de Petru, la amiga que aparecía en las fotografías, en compañía del fallecido Enrique y de Ricky. Días más tarde, de regreso de unas pesquisas por Extremadura, me detuve en Sevilla, sosteniendo una larga entrevista con la amable y sorprendida Petru.

La aportación de esta testigo en aquellos difíciles momentos resultaría de suma importancia. Y no porque supiera el nombre de la norteamericana —de nuevo la maldición— sino por su precisión a la hora de fijar fechas. Al contemplar las fotos en las que aparecía con Enrique, Petru me proporcionó un dato que centraba la época en la que Ricky sostuvo el romance con el ingeniero. Supongo que debió de percibir mi alegría.

Enrique fue operado de una grave dolencia «hacia 1980». Pues bien, en opinión de Petru, aquellas imágenes fueron tomadas por el ingeniero en un fin de semana, «poco antes o poco después de dicha intervención quirúrgica».

¡1980!

No podía creerlo... A pesar de la imprecisión, aquello era todo un triunfo. ¡Dios santo!, con qué poco puede elevarse el ánimo del investigador...

Hacia 1980, en efecto, Ana, la niña que se sentó en las rodillas del ingeniero cuando jugaba a las cartas, podía contar unos once o doce años. En principio, encajaba. Ahora tenía que perfilar ese «poco antes o poco después».

Respecto a Ricky, Petru no supo qué decirme. Sólo la conoció ese fin de semana y no hubo nada que llamara su atención.

—En todo caso —matizó—, sus ojos... Eran muy azules y hermosos.

Y, pletórico, fui a reunirme de nuevo con el ingeniero. Esta vez sí tuve suerte. Al mencionar la fecha de la operación, mi amigo, examinando las fotografías, asintió en silencio. Y añadió convencido:

—Aquella visita a mi casa fue posterior a la operación de Enrique... Lo recuerdo porque todavía estaba delicado.

Posterior a 1980... Pero ¿cuándo? El dato era vital para intentar ordenar el rompecabezas. El problema es que las vías de acceso a dicha fecha empezaban a agotarse. Y el instinto me empujó nuevamente hacia Victoria.

—¿Los libros?... Imposible... Probablemente los tiró Tom, el entonces marido de la señora...

Y de la euforia, en minutos, pasé a la desesperación. El escopetazo del ama de llaves me dejó inservible. Sin fuerzas y sin ganas de proseguir.

Blanca lo advirtió y, al contarle lo sucedido, su fino olfato la hizo exclamar:

—No te fíes... Estoy segura que ni siquiera se ha molestado en buscar.

Y remató, tratando de compensar:

—Además, te quedan los Spain...

Cierto, pero aquellos libros, de existir, podían ahorrarme tiempo y esfuerzo.

Y como si todo estuviera meticulosa y finamente planificado, justo en aquellos días llegaron hasta nosotros unos rumores que le daban la razón a mi mujer y explicaban (?) el refractario comportamiento de la anciana ama de llaves. Por razones ajenas a esta investigación, Victoria, al parecer, no nos miraba con buena cara. ¿Motivo?: nuestra amistad con el contratista que había levantado «Ab-

ba». Este señor, vecino, como Victoria, de la población «A», se hallaba enemistado con la guardesa de los apartamentos. Y mire usted por dónde, Blanca y yo vinimos a sufrir las consecuencias de ese contencioso...

Es curioso cómo, a veces, una investigación puede truncarse o peligrar por razones que nada tienen que ver con la referida investigación.

Pero, a juzgar por lo ocurrido en las semanas siguientes, «todo se hallaba medido y bien medido».

A raíz de una serie de desperfectos detectados en nuestra casa —fruto de la negligencia o de algo peor—, la amistad con el contratista terminó enfriándose. Y la noticia, lógicamente, circuló por el pequeño pueblo.

Mano de santo. A partir de ese instante, la actitud de Victoria experimentó un notable cambio. Y al volver a verla me desconcertó. Súbitamente (?) —y me guardé muy mucho de preguntar por qué— «cabía la posibilidad de que los libros de registro se hallaran todavía en los apartamentos».

¡Santo Dios!...

Y ahora me pregunto: ¿qué habría sucedido si esos defectos de construcción, en lugar de aparecer «causalmente» en esas fechas, hubiesen sido detectados al año siguiente o, sencillamente, nunca?

¿Casualidad? Lo dudo...

La cuestión es que de la noche a la mañana, merced a la buena disposición del ama de llaves, servidor recuperaría el castigado ánimo.

Los libros estaban en la casa. La intuición jamás engaña. Pero «algo» (?) me decía igualmente que siguiera conservando la paciencia. Tarde o temprano aparecerían. Mejor dicho, «en su momento». Y es que, en esta desconcertante aventura, aún tenían que suceder «algunas cosas»... Unos hechos de especial significación en el conjunto de la historia.

Pero procuraré no quebrar el orden cronológico de los acontecimientos. Sólo así podremos adentrarnos con la cabeza fría en el sutil e increíble «fondo» del caso Ricky.

La tensa espera, sin embargo, pasó factura...

La falta de noticias de los Spain y la premiosa búsqueda de los libros de registro me intranquilizaron. Y el nerviosismo —peligroso enemigo del investigador— estuvo a punto de arruinar todo el proceso.

Estaba decidido: saltaría a Estados Unidos. La montaña iría a Mahoma...

Blanca me pidió calma. No era el momento. Ni siquiera conocía la identidad de Ricky. Y me propuso una tregua. En agosto —«causalmente»— debía viajar a USA para preparar el «máster» de mi hijo Satcha. Si para entonces no había respuesta, podría lanzarme a la búsqueda de los Spain. Y acertó, naturalmente...

Y el Destino (?), implacable, activó la siguiente fase de la «operación».

¿Casualidad? Lo dudo...

Una noche sonó el teléfono. Era Manuel Delgado, gran experto en Egipto. Preparaba un nuevo viaje al mítico país y nos pidió que le acompañáramos.

Aquel mes de julio de 1996, como venía diciendo, fue quizás el más crítico. A pesar de las sensatas y tranquilizadoras palabras de mi mujer, mi mente no dejaba de funcionar. Pasaba las horas construyendo y derribando hipótesis, contemplando las fotografías de la supuesta alienígena y visitando los apartamentos un día sí y al otro también. Y la imaginación se desbordó, sumiéndome en peregrinas especulaciones...

«Si Ricky no era humana y se había "introducido" (?) en el cuerpo de la mujer accidentada, ¿qué suerte corrió el cadáver? ¿Fue sepultado?... No, eso no era posible... ¿Y qué podía ocurrir si terminaba encontrando a Ricky?... ¿Y qué decir de su familia?... ¿Estaba enterada de la hipotética suplantación de personalidad?... ¿Cómo reaccionarían si les mostraba las fotos de su hija "viva"?... Porque la verdadera Ricky, la primera, tenía que haber sido declarada oficialmente muerta... ¿O no?...»

Estas y otras muchas conjeturas terminaron arrastrándome a un preocupante estado de ansiedad. Y Blanca, ágil y con gran tino, cortó de raíz, aceptando la invitación de Manolo Delgado. Y por primera vez en años nos dispusimos a disfrutar de quince días de vacaciones. Creo recordar que acepté a regañadientes. Pero, en el fondo, reconocí que llevaba razón. Mi obsesión por Ricky aconsejaba un fulminante distanciamiento del caso.

Y el 16 de julio, martes, a las dieciséis horas, quince minutos y cincuenta segundos, un MS-888 de la compañía Egypt Air despegaba de Madrid-Barajas, rumbo a El Cairo. Pocas horas antes —a las doce—, en una pequeña localidad de Jaén, tenía lugar un suceso que enredaría aún más el confuso asunto de la bella norteamericana. Pero de lo ocurrido en Los Villares no tuve conocimiento hasta nuestro retorno a España. ¡Y menos mal...!

La excursión, en compañía de viejos y entrañables amigos, se presentó prometedora. Lo que no podía imaginar en aquellos instantes es que el grupo, integrado por sesenta y cuatro personas, iba a ser testigo de una serie de «fenómenos» y de un «hallazgo», a cual más extraño. Unos «acontecimientos» que, si no estoy equivocado, guardaban una estrecha relación con Ricky. Para ser exactos, con los «seres» que movían los hilos de ese monumental y descarado «teatro».

Ocurrió la misma noche de nuestra llegada al hotel Mena House, en El Cairo. Pero, obviamente, nadie lo supo. Ni siquiera Blanca. Fue «algo» muy íntimo.

Hacia las dos de esa madrugada —todavía no sé muy bien por qué— aparecí en la terraza de la habitación. En un primer momento lo atribuí al calor: veintisiete grados centígrados. Ahora ya no estoy tan seguro...

Al fondo, entre la bruma y la oscuridad, se recortaba una de las pirámides. Y mis ojos y mi corazón se deslizaron sin querer (?) hacia aquel firmamento vivo, blanco y pulsante. Y muy a mi pesar, la familiar imagen de Ricky se instaló entre las estrellas. Y cansado, no tuve fuerzas para desterrarla. Y un súbito pensamiento, implacable y arrollador, me inundó. Traté de disolverlo. Imposible. Y siguió torturándome...

«Esto es una locura...»

Fue inútil. Los argumentos se desmoronaban frente a la repentina, granítica y, aparentemente, ridícula idea. Hoy, todavía, me sigo preguntando: ¿de dónde llegó aquella «idea»? ¿Fue realmente mía?

«¿Y qué pierdo con plantearlo?... Nadie tiene por qué saberlo.»

Y tímidamente, alzando la vista, busqué la constelación de Orión. E hice mío aquel «pensamiento» (?), probablemente catapultado desde muy lejos:

«Si estoy en el buen camino, si el caso Ricky es auténtico, si la hipótesis de los "infiltrados" tiene alguna base, "ellos" me darán una señal.»

Y formulada la singular petición, una benéfica placidez secó los restos de tensión.

Sospecho que, para el lector no avisado, esta actitud puede resultar chocante e, incluso, mover a una cierta y burlona sonrisa. Es lógico. Para mí, en cambio, después de veinticinco años de brega con el fenómeno de los «no identificados», la postura es casi natural. En ese dilatado período de tiempo he visto, escuchado y sentido tantos sucesos anómalos que no dispongo de otra explicación. Efectivamente —y lo confieso sin rubor—, esos «seres» saben, vigilan y controlan. Sé que la afirmación no es científica, pero no todo es ciencia en el complejo alambique del espíritu humano. Y añado: afortunadamente. También la intuición circula por esos circuitos. ¡Y con qué fuerza!

Pues bien, ese sexto sentido, de la mano de la experiencia, me dice que todo está «programado». Esas civilizaciones «no humanas» saben quiénes somos, qué hacemos y por qué nos movemos. Más aún: en muchos casos, «ellos» son los que «diseñan» nuestra línea de conducta y nuestros —supuestamente— libres movimientos. Pero este convencimiento personal podría arrastrarnos muy lejos y no es ése mi propósito.

Lo cierto es que, fiel a mis convicciones, aquella madrugada del 17 de julio formulé la mencionada petición. Pero, humano a fin de cuentas, cometí un error. Eso creo, al menos...

En lugar de esperar la señal —la que fuera— me adelanté a los acontecimientos, estableciendo un rígido y particular «santo y seña»:

«Dos luces en el cielo... Una al encuentro de la otra y en rumbo de colisión... Y al reunirse, un fogonazo.»

Torpe de mí... ¿Cuándo aprenderé?

Y en mi estúpida soberbia me atreví a fijar un plazo inexorable para la materialización de dicha «respuesta». La señal debería producirse durante mi estancia en Egipto.

Ni que decir tiene que a partir de ese 17 de julio mis ojos vivieron más pendientes del cielo que de los tesoros y maravillas egipcios. Pero nadie lo notó.

Aquel miércoles, y el jueves, 18, todo discurrió con normalidad. Es decir, sin novedad respecto a mi secreto «pacto». Eso fue lo que supuse...

Tras las visitas a la meseta de Gizeh y al obelisco inacabado de Asuán permanecí largo tiempo pendiente del firmamento. Segundo y lamentable error. Inconscientemente, asocié la señal con la noche.

Blanca, extrañada, percibió algo. Pero supo respetar aquel enigmático aislamiento. Y no preguntó... de momento.

No sé explicarlo, pero sabía que aquellos «seres» estaban cerca. Muy cerca... Y los hechos, como iremos viendo, me darían la razón.

Viernes, 19.

Siguiendo el programa, el grupo se dirigió a los templos de Abu Simbel. Jornada intensa. Asistimos al espectacular despegue del sol en el desierto, llenamos los bolsillos de meteoritos, contemplamos la colosal obra de Ramsés II y, al atardecer, navegamos por el río Nilo, desembarcando en la isla de File.

En mi cuaderno de campo, entre dibujos y anotaciones de todo tipo, puede leerse:

«... Negativo. Otro día "en blanco". La señal sigue sin producirse... ¿Me habré equivocado?...»

Sí y no.

Aparentemente, sólo aparentemente, las «luces en rumbo de colisión» no habían hecho acto de presencia. Y continué esperando.

El 20 de julio, sábado, ingresamos en el *Oberoi Shehrayar*, uno de los buques que recorre el Nilo.

Y ocurrió «algo» que llamó la atención de algunos de los expedicionarios. No muchos. Sin embargo, considerando el «asunto» como fortuito, guardaron silencio.

Visita a la isla de Elefantina y a la cantera de Sehel.

Y en mi cuaderno otra anotación negativa:

«...¡Ojo!, siguen sin aparecer...»

Domingo, 21.

Primer sobresalto.

Recorrimos Kom Ombo y a las 15.30 horas el grupo se reunió en el salón del barco. Aquella era una costumbre casi diaria. Al finalizar la jornada, generalmente al anochecer, aprovechábamos para conversar e intercambiar anécdotas y experiencias. En esta ocasión, la presencia del doctor Jiménez del Oso, recién incorporado a la expedición, alteró parcialmente los hábitos. Y la tertulia de la noche fue adelantada. Ahora, con la beneficiosa perspectiva que proporciona el tiempo, hasta ese pequeño detalle me parece «mágico». Y me explico. Lo que iba a suceder en aquel salón exigía un máximo de testigos. Más aún: resultaba vital que estuviera presente la práctica totalidad de los viajeros. Y nada mejor para lograrlo que organizar un amigable y relajado coloquio con una de las personalidades más carismáticas del mundo del misterio. Y Fernando Jiménez del Oso, con su tradicional bondad, se prestó encantado a la rueda de preguntas.

¿Casualidad? Lo dudo...

Dudo que el «impacto» hubiese sido el mismo de haberse registrado en otras circunstancias. Todo, insisto, parecía «atado y bien atado»...

Y en ello estábamos cuando, de pronto, a las dieciséis horas, Emilio Bourgón prendió la mecha, alertándonos. Y se hizo un silencio sepulcral. Y todos, instintivamente, consultamos nuestros respectivos relojes.

¿Cómo era posible?

El anuncio de Emilio sólo fue el detonante. Su reloj —mejor dicho, su calendario— no señalaba el día 21. Marcaba el 20. Y, extrañado, formuló la pregunta clave:

—¿Alguien más había notado una anomalía similar?

Y estalló el escándalo.

El de Emilio no era el único retrasado. Y los que advirtieron la extraña alteración el día anterior se atrevieron a manifestarlo.

En total, en un primer recuento, contabilizamos ¡trece relojes con los calendarios desplazados!

¿Qué demonios estaba sucediendo?

La mayoría indicaba el 19, viernes. Otros, como el de Bourgón, permanecían «detenidos» en el 20 y algunos, incluso, en el jueves, 18. El de Antonio Cañizares, en cambio, había saltado al 22. El de Blanca, mi mujer, aparecía anclado en el 19, el día de la visita a Abu Simbel (1).

Naturalmente, ahí concluyó el sosegado coloquio. Y entre todos, tratando de no perder la calma, analizamos la masiva «epidemia de calendarios locos», en un vano empeño por hallar una explicación lógica y racional. Por supuesto, fracasamos.

---

(1) Según mis anotaciones, las personas que sufrieron algún tipo de anomalía en sus relojes fueron las siguientes: David Sentinella, Ana Morgado, Javier Fernández, Mónica Pereira, María Díez, Francisco José Domínguez, Vina Harjani, Antonio Cañizares, Emilio Bourgón, Manuel Delgado, Esperanza Casas, Sandra González y Blanca Rodríguez.

En muchos de los relojes —como era el caso de Blanca, con un Ellesse—, el salto del calendario «hacia adelante» podía estar justificado por una incorrecta manipulación de la corona. Lo contrario, en cambio, era inviable. Sin embargo, curiosamente, salvo el reloj de Cañizares, el resto aparecía «congelado» en unas fechas «inadmisibles». Si estábamos a domingo, 21, ¿cómo explicar que los calendarios señalasen 18, 19 y 20? Los respectivos engranajes no admitían un retroceso de esta naturaleza. Ni siquiera por error a la hora de manipular dichas coronas.

En los electrónicos, el problema se complicaba aún más. El de Emilio, por citar uno de ellos, exigía un mínimo de cinco operaciones para conseguir que los dígitos del calendario pudieran retroceder veinticuatro horas.

¿Una broma?

La sugerencia fue rechazada de plano. ¿Con qué fin?

El supuesto bromista, además, debería de haber contado con el apoyo de otros doce cómplices. Y aun así, insisto, en los relojes no electrónicos sólo habría podido ir «hacia adelante». Nunca hacia atrás.

Pero ¿qué digo «doce cómplices»? En realidad, el número de relojes alterados fue de ¡quince! Porque, a los pocos días, otros dos miembros del grupo me mostraban sus respectivos e igualmente «enloquecidos» relojes. El de Pilar Cabota se hallaba detenido en el sábado, día 20. En cuanto a Hilde Alemán, su reloj —sin calendario— aparecía descompuesto. Sencillamente, parado. Lo más intrigante es que esta última pasajera guardaba su reloj en una mochila desde el miércoles, 17. En otras palabras: había permanecido en las habitaciones de los hoteles, con el equipaje.

Y tuve un presentimiento. El miércoles, 17, como se recordará, fue, justa y «causalmente», el día de mi singular «pacto»...

En definitiva, si los calendarios no podían retroceder y nadie manipuló los relojes electrónicos, sólo cabía pensar que «algo o alguien» los detuvo. ¿Qué otra explicación teníamos?

De haberse tratado únicamente de uno o dos relojes, el asunto, probablemente, habría pasado desapercibido. Pero quince...

Y alguien, finalmente, puso el dedo en la llaga, sugiriendo una hipótesis que aleteaba ya en las mentes de algunos:

«Una fuerza desconocida tenía que haber influido en las maquinarias o, cuando menos, en los mecanismos de arrastre de los dígitos.»

Y de esa posibilidad —casi de forma automática— se pasó a «algo» muy familiar para este confundido investigador:

¡Ovnis!

Como saben los estudiosos y seguidores del fenómeno de los «no identificados», en ocasiones, la proximidad de estas naves altera multitud de aparatos. En especial, motores de explosión e instrumentos eléctricos o electrónicos. No conocemos la razón, pero bien pudiera deberse a los potentes campos electromagnéticos generados por dichos objetos.

Y las dudas siguieron encadenándose.

¿Ovnis?

¿Eran los responsables de aquel desaguisado?

Pero ¿cuándo? ¿Cuándo podían haber influido sobre los relojes? ¿Se habían acercado al grupo en El Cairo? ¿Quizás en las excursiones realizadas hasta ese momento?

Por supuesto, nadie vio nada. Una noticia semejante se habría propagado como la pólvora...

¿Ovnis «invisibles»?

No sería la primera vez... Estas naves —como está archidemostrado a través de radares y películas— disfrutan de una tecnología tan inalcanzable para nosotros que pueden sobrevolar cualquier punto sin que el ojo humano se percate de ello. Los instrumentos, en cambio, sí están capacitados para «percibir» esa presencia. ¿Era éste el caso de los quince relojes «enloquecidos»?

Y una imparable emoción fue conquistándome.

Mis sospechas parecían confirmarse. La intuición difícilmente se equivoca.

Algún tipo de nave —quién sabe cuántas— «seguía y controlaba» al grupo.

Pero ¿con qué finalidad? ¿Tenía aquel presentimiento algo que ver con mi «petición»?

Y ciertamente desconcertado, me refugié en el más absoluto mutismo. Y, como casi siempre, con mi habitual torpeza, no fui capaz de «leer entre líneas». Y seguí aferrado al dichoso «santo y seña», convencido de que la «demostración» no tardaría en producirse.

¡Pobre «miope»!

Y el Destino (?) continuó «tejiendo y destejiendo»...

Lunes y martes, sumido en el laberinto de los relojes, pasaron en un suspiro. Conforme profundizaba en el extrañísimo fenómeno, más claro se dibujaba en mi cerebro: «aquello» tenía que obedecer a una «maniobra» de mis «primos»...

El reloj de Hilde Alemán, parado desde el 17, miércoles, podía ser una de las claves. Pero, de ser así, ¿por qué no se manifestaban con más nitidez? ¿A qué aguardaban para concederme la ansiada «respuesta»? ¿Me estaban preparando para «algo» de mayor calado?

Sí y no...

Lo cierto es que, contra todo pronóstico, en aquellas tensas jornadas no detecté nada anormal. Y la «señal» siguió brillando por su ausencia. Y en mi afán por autoconvencerme de que el «pacto» se cumpliría fui a caer en una imagen que, en buena medida, apuntaló la esperanza: el Sinaí.

¡Estúpido de mí! ¿Cómo no me había dado cuenta?

Aquel macizo era el sitio idóneo. La montaña-ovni por excelencia —seguro— sería el escenario elegido. Allí se presentarían las «luces en rumbo de colisión»...

Y mi ánimo volvió a remontar. Y fuimos aproximándonos a la siguiente sorpresa. Mejor dicho, aproximándome...

Miércoles, 24.

A las 16.30, tras un frugal almuerzo en el hotel Mercure, en Luxor, la expedición se dirigió gozosa hacia el aeropuerto. Un vuelo de Egypt Air, contratado desde España para las dieciocho horas de ese día, nos trasladaría a la mítica península del Sinaí. El programa era simple, pero agotador. La llegada al pequeño pueblo de Sharm el Sheikh, al sur de la montaña de Dios, estaba prevista para las 19.25 (hora local). Cena en el hotel y, acto seguido, en autobús, los sesenta y cuatro expedicionarios marcharíamos hasta las inmediaciones del no menos legendario monasterio de Santa Catalina, al pie del Sinaí. Desde allí, aproximadamente a las dos de la madrugada del ya jueves, 25 de julio, ascensión a la cumbre donde, supuestamente, Moisés recibió las Tablas de la Ley.

El objetivo era ver amanecer y descender después, deteniéndonos en el citado monasterio. Finalmente, a la caída del sol, retorno al hotel —el Sonesta Beach Resort—, en el referido Sharm el Sheikh.

Las altas temperaturas —cincuenta grados centígrados a la sombra— no hacían aconsejable una ascensión en pleno día.

Pero, como es bien sabido, el hombre propone y la «nave nodriza» dispone...

Recuerdo que mientras circulábamos en dirección al aeropuerto de Luxor, al repasar el apretado itinerario previsto para las próximas veinticuatro horas, le expuse a Blanca mi preocupación. La jornada era demoledora. Arrastrábamos ocho días intensísimos y el cansancio empezaba a hacer mella. Sumar ahora toda una noche en vela, una dura ascensión —casi 2 300 metros— hasta uno de los picos del macizo granítico, un retorno igualmente a pie y la posterior visita a Santa Catalina, se me antojó excesivo y peligroso. Y mi mujer compartió esa intranquilidad. Pero el grupo —uno de los más entrañables y mejor dispuestos que jamás he conocido— no hizo el menor comentario. Si había que sacrificarse, se sacrificarían.

Y mentalmente, en un intento de «suavizar» la soberana paliza que nos aguardaba, formulé un deseo:

Quizás «ellos» podían evitarlo... ¿No sería más lógico y saludable que la penosa ascensión tuviera lugar en la madrugada del día siguiente? Una noche de descanso nos vendría de perlas...

Y sabiendo que los deseos se cumplen (1) me mantuve atento. «Algo» sucedería. «Algo» vendría a descomponer el programa previsto.

No me equivoqué.

Sin embargo, lo que no supe entonces es que la perfecta «maniobra» encerraba también otra «interesante, sutil y trascendental intencionalidad».

Lo dicho: «ellos» saben y programan...

Según mi cuaderno de campo, no había transcurrido ni media hora desde nuestro arribo al aeropuerto. El equipaje fue facturado y, de pronto, con las tarjetas de embarque en las manos, uno de los guías corrió la voz:

«Cancelado»... El vuelo al Sinaí aparecía cancelado.

Incredulidad. Protestas...

«Inexplicable y misteriosamente» (?), el avión que debía llevarnos a Sharm el Sheikh... «no existía». Para ser preciso, alguien —al parecer, otro grupo—

(1) No es el momento para extenderme en una explicación de por qué creo que los sueños se cumplen inexorablemente. Si el lector está interesado en la «fórmula», le recomiendo dos libritos «muy especiales»: *Mágica fe* y *A 33 000 pies*.

NOTA DE LOS EDITORES: ¡Agradecidos...!

nos tomó la delantera, despegando esa misma mañana hacia Kuwait. Lisa y llanamente, nos «robaron» el avión.

Para los que conocen el funcionamiento (?) de algunos países árabes, esta dramática situación no es un hecho excepcional. Y los veteranos nos lo tomamos con filosofía. Y servidor sonrió por dentro, aplaudiendo la «fulminante rapidez» con que fue ejecutado mi deseo. Pero, obviamente, continué en silencio. Yo «sabía» que volaríamos al Sinaí... «en su momento».

Y el grupo —a excepción de los perplejos organizadores— se acomodó como buenamente pudo, improvisando tertulias, alguna que otra timba de cartas o descabezando un reparador sueño. Servidor, por su parte, se enfrascó en el cuaderno de «bitácora», anotando cuanto sucedía. Y Blanca, observando mi absoluta e incomprensible tranquilidad, me llamó de todo...

Gestiones. Nuevas conversaciones. Indignación. Más protestas. Amenazas...

Inútil. Todo parecía inútil. Y los responsables de la expedición llegaron a plantear la posibilidad de suprimir el acariciado salto al Sinaí. Regresaríamos a El Cairo.

Y yo continué escribiendo, seguro de lo que me dictaba la intuición...

Y, como decía, no me equivoqué.

«En su momento», la justificada bronca surtió efecto. Y a las nueve de la noche, la directora de la compañía aérea en Luxor se personaba en la terminal, tomando las riendas de la ardua negociación. Minutos más tarde, Egypt Air resolvía el problema: en dos horas, otro avión nos conduciría a Sharm el Sheikh.

Y proseguí con las anotaciones. Blanca me miró intrigada. Y repliqué con una pícara sonrisa.

Y tras siete horas de espera, a las veintitrés, el grupo —agotado y aburrido— despegaba de Luxor.

Naturalmente, la cruda realidad obligó a recapacitar a los organizadores del viaje. Y con gran alivio por parte de todos, la subida al Sinaí fue pospuesta a la noche del jueves al viernes. Eso significó un decisivo cambio en los planes y una inyección de moral a mis íntimas y secretas convicciones. «Decisivo cambio», sobre todo, para este investigador...

Nunca lo he dudado. Y ahora, mucho menos. Aquel inesperado vuelco (?) en el programa fue minuciosa y fríamente calculado por los mismos «seres» que alteraron los relojes. Y pronto, muy pronto, recibiría otra «confirmación». Quizás la más espectacular, aunque no llegaría a entenderla hasta semanas más tarde. Una «confirmación» en forma de «hallazgo» que lo resumía todo: su presencia y la respuesta a mi «petición».

Jueves, 25.

¿Cómo olvidarlo? Aquella jornada a orillas del mar Rojo ha supuesto mucho para este viejo y cansado trotamundos. ¿Quién podía imaginar lo que me reservaba el Destino (?) a partir de las dieciocho horas?

Esa noche dormimos a placer. La verdad es que lo necesitábamos. La partida desde el Sonesta Beach a la base del Sinaí quedó fijada para las veintidós horas. Tres horas de autobús, y hacia la una de la madrugada, aproximadamente, inicio de la temida ascensión. En otras palabras: casi como un regalo, los expedicionarios nos encontramos con todo un día libre. Y cada cual se las ingenió para sacarle el máximo partido.

Una de las opciones —elegida por la práctica totalidad del grupo— fue la playa. Las turquesas y cristalinas aguas del sur de la península egipcia eran irresistibles. Y Blanca y yo, en compañía de buena parte de los viajeros, nos sumergimos en las mismas, dando gracias a los cielos por tanta bondad.

Y poco antes de las dieciocho horas, pensando ya en los preparativos del inminente viaje, decidimos zambullirnos por última vez. En esta ocasión lo hicimos con un elemental equipo de buceo. El fondo marino, sembrado de coral y preñado de innumerables bancos de peces tropicales, era un espectáculo que no podíamos ignorar.

Recuerdo que me costó lo mío. Blanca siente terror a las profundidades y jamás había buceado. Y aceptó con una condición: que por nada del mundo me separase de ella.

Y, confiados, nos adentramos en la mar que se abre frente al hotel. Y durante algún tiempo todo discurrió perfectamente...

Mi mujer se desenvolvía con soltura y, en un intento de que ganara confianza, fui alejándome lenta y calculadamente. Al principio, sin perderla de vista. Después, al comprobar que aceptaba la situación y que seguía nadando relajada, descendí a mayor profundidad, desapareciendo de su entorno. Grave error...

Y disfruté como un niño. Exploré los bosques de coral rojo y negro. Me deslicé entre las barreras de arrecifes y jugué con las nubes de peces dorados. El azul, asaeteado por miles de luces, la armoniosa danza de las algas y la indescriptible paz de aquel mundo me llenaron de gratitud. Y como tengo por costumbre cada vez que practico una inmersión, me arrodillé en el fondo arenoso y di gracias al «Abuelo» por tanta belleza.

Necesitado de oxígeno, golpeé las aletas buscando la superficie. Y comprobé que me hallaba lejos de Blanca...

Pero ¿qué ocurría?

A un centenar de metros de la orilla, mi mujer agitaba los brazos haciéndome señales.

Me asusté.

Y nadé veloz, maldiciendo mi imprudencia. Pensé, incluso, en algún tiburón. Pero, conforme me aproximaba, rechacé la idea. Las aguas no eran tan profundas...

Y al llegar hasta ella, el corazón me dio un vuelco: lloraba desconsoladamente. Estaba asustada.

La zona, infectada de afilados corales, me hizo sospechar en un primer momento que quizás era aquélla la razón de su desasosiego. Probablemente, sin darse cuenta, había ido a parar al comprometido y peligroso corral coralífero.

Sí y no.

Traté de calmarla. Y la conduje a un lugar donde pudiéramos hacer pie. Fue allí donde creí comprender el porqué de su amargo llanto. De la pierna derecha manaba una escandalosa mancha de sangre.

Sí y no.

Y a duras penas, entre hipos y sollozos, me hizo ver que, en efecto, acababa de arañarse con una de las columnas de coral. Pero no era ésa la verdadera razón de su desconsuelo...

Examiné el corte y, tras verificar que no revestía mayor gravedad, le sonreí, intentando apaciguarla. Las lágrimas, sin embargo, no cesaron.

Y mostrando la mano derecha intentó decirme algo. Temblaba, sí, pero lo atribuí a la larga permanencia en el agua y al susto.

—¡El anillo!... —exclamó al fin con un hilo de voz.

Y caí en la cuenta. En el dedo «corazón» no aparecía el anillo de oro que le había regalado dos años antes, en su cumpleaños.

—¡Lo he perdido!...

Su llanto me llegó al alma. Aquello sí justificaba su conmoción. Yo sabía del intenso aprecio que sentía por dicho regalo. Un cariño tal que la empujaba a colocárselo sólo en muy determinadas circunstancias. Por ejemplo, en viajes especiales. Y me extiendo en estos pormenores porque ahora, con la ventaja del tiempo y la distancia, veo y comprendo la sutileza de los «seres» que nos acompañaron. Blanca portaba en aquellos instantes un total de cuatro anillos. Tres en la mano izquierda —de menor valor sentimental— y un cuarto en la diestra: el grueso aro que acababa de perder. Su querido anillo.

¿Casualidad? Lo dudo...

Y buscando la forma de serenarla pregunté cómo y dónde había ocurrido.

Al parecer, al sentir el roce con el coral, se incorporó, descubriendo con angustia el aparatoso flujo de sangre. E instintivamente deslizó la mano derecha hacia la herida. Fue en ese instante (?) cuando —inexplicablemente— el mencionado aro se escurrió del dedo, hundiéndose entre piedras, corales y arena. Blanca no lo vio caer, pero, en uno de los movimientos, se percató de la pérdida. Y supuso que había escapado del dedo. Estas matizaciones —y el lector sabrá perdonar mi excesiva minuciosidad— son importantes ahora, cuando, atónito, hago recuento de lo que sucedió y de lo que «descubriría» dos meses más tarde...

Y digo que el anillo se escurrió «inexplicablemente» porque —así me consta— siempre encajó en el dedo sin holgura. Lógicamente, de haber sido consciente de una posible pérdida, jamás se hubiera atrevido a llevarlo en el momento del buceo. Más aún: después de media hora en el agua —según sus propias palabras—, seguía perfectamente ajustado, sin indicio de inestabilidad. Exactamente igual que el resto de las sortijas, que —«causalmente»— no experimentaron alteración alguna.

Estas reflexiones, insisto, nacieron con posterioridad a los hechos y como consecuencia de la «sorpresa» que me aguardaba. Quiero decir con ello que el lamentable extravío (?) fue, cuando menos, «sospechoso». Blanca no perdió los anillos que le importaban menos. Curiosamente, desapareció el que más apreciaba... ¿Por qué? Muy simple. De haberse tratado de las otras sortijas, lo más probable es que servidor no se hubiera molestado siquiera en buscarlas. Y era vital que me sumergiera de

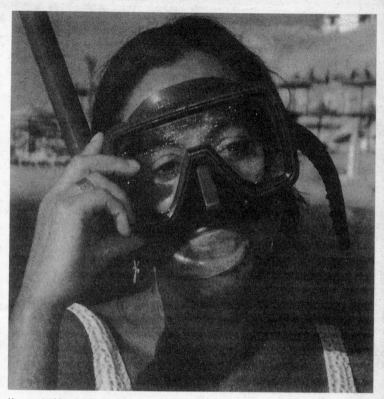

Una oportunísima imagen de Blanca
en Sharm el Sheikh, instantes antes
de empezar a bucear. En su mano derecha
el anillo de oro desaparecido misteriosamente
en el mar Rojo. (Foto J. J. Benítez.)

En la mano izquierda de Blanca, los tres
anillos de menor valor sentimental que,
curiosamente, siguieron en su lugar durante
la inmersión. (Foto J. J. Benítez.)

nuevo... Pero estoy cayendo en la tentación de ade-
lantarme a los acontecimientos.

Respecto al escenario del incidente, Blanca no pudo precisar. Señaló una vaga zona circular de unos treinta o cuarenta metros de diámetro y añadió:

—Por allí...

Me eché a temblar.

Sin embargo, por más que insistí, no hubo manera de ubicar el punto exacto. Lamentablemente, movida por el susto y el dolor, terminó alejándose del lugar crítico, perdiendo así toda posibilidad de memorizar una marca, un indicio, que facilitase la búsqueda. En resumen: no disponía de una sola referencia válida. Su única y repetitiva cantinela era aquel desolador «por allí»...

Y en ésas estábamos cuando —tampoco sé cómo ni de dónde— apareció a nuestro lado un joven buceador.

Francamente, en aquellos momentos de nerviosismo, no reparé en su rostro. Y otro tanto le ocurrió a Blanca.

Y en inglés, delicadamente, pero con firmeza, sugirió a la desolada mujer que lo acompañara a la orilla.

Y ocurrió «algo» que no he logrado explicar. La presencia de aquel individuo me tranquilizó.

Y le dejé hacer.

Lo lógico —y estas deducciones son igualmente a posteriori— es que yo mismo la hubiera conducido hasta la playa. La herida exigía ciertos cuidados mínimos.

Pues no.

Sin saber por qué, permanecí inmóvil y los vi alejarse. Y, súbitamente, «sentí» la necesidad imperiosa de sumergirme de nuevo y emprender el rastreo del fondo.

Y ahora me pregunto una y otra vez:

¿De dónde salió aquel buceador?

Recuerdo que en aquellos momentos, las aguas en las que buceábamos se hallaban desiertas. La mayor parte del grupo y de los clientes del hotel se habían ido retirando.

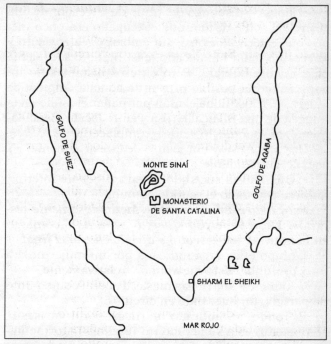

Situación de Sharm el Sheikh, escenario del enigmático «hallazgo» de J. J. Benítez.

¿Cómo supo lo que nos ocurría?

Ni siquiera se interesó por la herida...

¿Por qué, desde el principio, se empeñó en sacarla del mar? ¿A qué venía tanta insistencia? ¿Por qué no preguntó? Es más: ¿por qué su atención se centró en Blanca, ignorándome?

¿Casualidad? Lo dudo...

Y empujado, como digo, por una especie de «fuerza» implacable ajusté las gafas, dirigiéndome hacia el impreciso... «por allí».

Y sostuve una lucha interna que tampoco he sido capaz de clarificar. Por un lado, el sentido común y la experiencia —dispongo del título de buceador de una «estrella»— me decían que el empeño era poco menos que estéril. Por otro, sin embargo, «algo» sutil y férreo me tenía hipotecado, casi hipnotizado: debía bajar, debía buscar... Pero en esos instantes no fui consciente del posible origen de aquella enigmática «fuerza». Y justifiqué el afán por hallar el anillo en la imagen de una Blanca llorosa y entristecida. Sencillamente, me conmovió y quise complacerla.

Hoy ya no estoy tan seguro de este argumento... Y sigo preguntándome:

«¿Qué habría sucedido si, en mi debate interior, hubiese triunfado el sentido común?»

Pero todo estaba «escrito». Meticulosamente «escrito». Y esa poderosa «fuerza» se hundió conmigo en la mar... Y me «escoltó y dirigió» hasta el final.

La hipotética área marcada por mi mujer no era muy profunda. Esto me animó... relativamente.

Y tomando una de las masas de coral como punto de partida, fui buceando en círculos.

El fondo, alfombrado de rocas, coral y cascajo, se presentó esta vez como un territorio atormentado y burlón. Y el desánimo bajó también a las profundidades.

Aquello era imposible...

Tropezar con el pequeño aro hubiera sido un milagro y, como dice Dios en *A 33 000 pies*, ni Él cree en los milagros...

Pero, inexplicablemente (?), aquella «fuerza» —rotunda y sin concesiones— siguió tirando de aquel perplejo submarinista. Y continué explorando y repasando cada hueco, cada piedra, cada mata de algas a mi alcance.

Y el tiempo, como sospechaba, fue quemándose inútil e inexorablemente.

Las regulares salidas al exterior me proporcionaron un discreto coraje. Blanca, en la orilla, permanecía atenta y expectante. No podía, no quería defraudarla. Aquel anillo era un tesoro. Tenía que dar con él.

Y una y otra vez regresé al fondo, esperando descubrir un revelador destello dorado.

Y hoy me asombro ante semejante ardor y tenacidad. En circunstancias «normales», un rastreo de quince minutos habría sido más que suficiente para desestimar y abandonar el ridículo empeño. Pero las «circunstancias», evidentemente, no eran «normales»... «Algo» o «alguien» parecía especialmente interesado en que permaneciera en el agua.

Y continué hasta las siete. Probablemente, el momento «programado».

Tras una hora de infructuoso trabajo, rendido y con síntomas de frío, tomé finalmente la decisión de suspender la búsqueda. Y consideré la preciada joya definitivamente perdida.

Con una amarga sensación de fracaso me dirigí a la orilla.

Y sucedió «algo» igualmente poco común...

En lugar de nadar en superficie —que hubiera sido lo correcto— opté por aproximarme buceando prácticamente pegado al fondo. ¿Fue un intento inconsciente de apurar la estancia en el agua? Nunca lo he sabido.

Fui avanzando lenta y suavemente sobre las cada vez más cercanas agujas de coral.

A decir verdad, aquél no fue un comportamiento ortodoxo. Bucear a tan escasa profundidad, con la permanente amenaza de los cuchillos coralíferos, era una temeridad. Además, ¿por qué hacerlo? La supuesta zona de búsqueda había quedado atrás. Aquello no tenía sentido. ¿Por qué no hice lo habitual? ¿Por qué prescindí de nadar en superficie? ¿Por qué no me incorporé al llegar a un metro o metro y medio de profundidad?

La «explicación» estaba al caer...

Y, de pronto, con apenas cuarenta centímetros de

agua, sorteando los afilados perfiles y sujetándome a ellos para equilibrar el embate de la corriente, «algo» llamó mi atención. Fue como un flash en los ojos...

En un breve paño arenoso, a dos cuartas de las gafas, brillaba un objeto semienterrado.

Estaba prácticamente encima. De haberme desviado unos centímetros, quizás no lo habría visto...

Pero, como digo, así tenía que ser.

Me aferré a los espolones de coral. Aunque tímido, el oleaje reunía la fuerza suficiente como para desplazarme y romperme contra las agujas.

Lo contemplé incrédulo.

Y un segundo destello me gritó que «sí», que «aquello» era real, que no estaba soñando.

No podía creerlo...

Y me apresuré a capturarlo, rescatándolo del fondo con delicadeza.

¡Increíble!

Como pude, nervioso e inseguro, me puse en pie. Y extendiendo la palma de la mano lo examiné atónito.

Y un tercer destello penetró hasta el corazón.

Debo ser sincero. En aquel instante, en aquel preciso instante, otro «loco pensamiento» (?) bajó del cielo. Pero —¡estúpido racionalista!— lo rechacé a la misma velocidad con que llegó.

¡Demasiado fantástico!

Aun así, recuerdo que alcé los ojos hacia el purísimo azul. Pero allí, obviamente, no había nada... ¿O sí?

Blanca, presintiendo algo, dio unos pasos hacia el agua. Y se extrañó ante mi absoluta inmovilidad.

—Por un momento creí que lo tenías... —explicó después.

La brillantez y limpieza —sin señales de corrosión— contribuyó no poco a mi desconcierto. Puede sonar a absurdo, pero parecía como si «alguien» acabara de depositarlo intencionadamente entre los corales.

Y aquel «pensamiento imposible» (?) regresó con violencia. Pero, como digo, resultaba tan desproporcionado para mi corto entendimiento que lo expulsé de nuevo.

«Aquí tienes la prueba... Ésta es la "respuesta" a tu petición.»

Me negué a aceptarlo.

Olvidando el desaparecido anillo de oro, fui a reunirme con la ansiosa mujer.

Le sonreí y, en silencio, tomando su mano derecha, ajusté el «hallazgo» en el dedo «corazón».

Y volví a sobresaltarme.

¡Le estaba perfecto!

Blanca lo exploró y me miró sin comprender. Y encogiéndome de hombros respondí con una segunda y enigmática sonrisa.

Efectivamente, «aquello» era increíble...

Después de una hora de inútil (?) búsqueda, en lugar de encontrar el aro de oro, había ido a «tropezar» (?)... ¡con un anillo de plata!

Tras escuchar el relato de la pequeña odisea, Blanca, tan confusa como yo, exclamó:

—¡Esto no es normal!

La pieza presentaba a su alrededor, a modo de adorno, una sencilla y funcional secuencia de dibujos, perforada en el metal precioso. En total, nueve puntos o círculos (?) y otras líneas o barras (?) verticales, intercaladas entre aquéllos y a la misma distancia. Y todo ello encerrado o limitado entre dos finas rayas paralelas.

En el interior, con el auxilio de una lupa, descubrimos una «R» inglesa igualmente grabada y circunscrita en un círculo. A su derecha podía leerse un número: «925.» A escasos milímetros, en el mismo ecuador de esa zona interna, un minúsculo espacio ahuecado —un rectángulo— en el que la acumulación de polvo y otras sustancias no permitía ver nada.

Naturalmente, los primeros movimientos se centraron en la localización del posible propietario. Fue en vano. Nadie supo darnos razón. Nadie había perdido el misterioso anillo de plata.

¿Cómo era posible?

La impecable brillantez, sin asomo de deterioro, hacía pensar en una pérdida muy reciente. En esas aguas, sometidas a una intensísima insolación, cualquier objeto de plata se oscurecería rápidamente. Por otro lado, hallándose como se hallaba en la arena, resultaba extraño que no hubiese sido engullido. Las corrientes y el incesante desplazamiento del fondo marino tendrían que haberlo enterrado en cuestión de horas...

Evidentemente, todo parecía apuntar a un extravío producido quizás aquella misma mañana o, como mucho, el día anterior. Sin embargo, el aviso no causó efecto. Nadie lo reclamó.

Y entre Blanca y yo se dio una curiosa situación.

Lejos de consolarla, el «regalo» la sumió en una tristeza más densa. De alguna manera, aquel anillo vino a recordarle permanentemente la irreparable pérdida de su querido aro de oro. Lo entendí. Lo que ya no era tan normal es que, en mi caso, el «recién llegado» pudiera eclipsar el malestar provocado por dicho extravío. Sin embargo, así fue. No consigo explicarlo, pero, por alguna «razón» que intuía, me sentí compensado. No pensaba, lógicamente, en el valor crematístico del «hallazgo», muy inferior al del anillo de oro. Era un sentimiento. Algo íntimo que, en mi confusión, aparecía estrechamente asociado a la «señal» que había solicitado nada más pisar Egipto. Pero esa intuición (?) no sería ratificada durante aquellos días. Eso llegaría «en su momento». Concretamente, en septiembre de aquel mismo año...

El asunto, finalmente, para la mayoría de los que tuvieron noticia de él, quedó relegado a lo que aparentemente era: una espectacular e insólita casualidad.

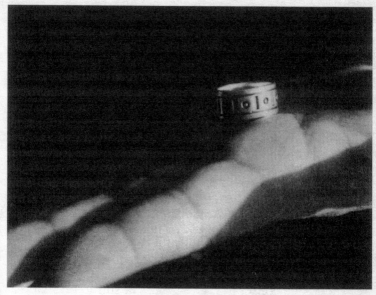

El enigmático anillo de plata encontrado por J. J. Benítez en aguas del mar Rojo, frente a Sharm el Sheikh. (Foto Blanca Rodríguez.)

En el interior del anillo de plata, uno de los contrastes: una «R» circunscrita en un círculo. A su lado, la ley: «925». (Foto Manuel Colón.)

¿Casualidad? Lo dudo...

No dije nada.

¿Qué podía decir? ¿Que hace mucho tiempo que no creo en el azar? ¿Que todo aquello formaba parte de un delicado y complejo entramado? ¿Quién me habría creído?

Ni yo mismo estaba seguro al ciento por ciento...

Además, los que me rodeaban en aquel inolvidable viaje —incluida Blanca— ignoraban la primera parte de esta desconcertante historia. Nada sabían de mi «petición». No estaban al tanto de mi «pacto» con aquellos «seres»: una «señal» que confirmara la bondad del caso Ricky.

E hice lo único que podía hacer: dejar que los acontecimientos prosiguieran su curso.

Y siguieron, claro está. ¡Y de qué forma!

¡El Sinaí!

Al descender del autobús, en las proximidades del milenario monasterio de Santa Catalina, un familiar cosquilleo en el estómago me previno. «Algo» iba a ocurrir...

Momentáneamente, olvidé el singular incidente en las aguas del mar Rojo.

Obsesionado todavía con el posible avistamiento de las «luces en rumbo de colisión», el arranque de aquella madrugada del viernes, 26 de julio, me resucitó.

«Esta vez sí. Esta vez no fallarán...»

Como dije, la montaña de Dios era el lugar apropiado. ¿Qué mejor escenario para una «señal» de esta naturaleza?

Sí, allí, en aquella impenetrable oscuridad, se produciría la ansiada respuesta.

Y como un nuevo Moisés, ataqué pletórico las primeras rampas.

¡Estúpido engreído!

1 hora y 15 minutos.

El grupo, alegre y descansado, se lo tomó con calma. Por delante quedaba una dura pendiente que debía conducirnos a 2 300 metros de altitud. No había prisa. El único objetivo era llegar. Alcanzar la cima y contemplar el amanecer. Algo que, probablemente, también hizo Moisés.

Me estremecí.

El firmamento parecía especialmente pintado para aquella ocasión. Jamás vi tantas estrellas asomadas a la noche. Y era lógico. Aquélla no iba a ser una noche más... Aquélla era mi noche.

¡Pobre ingenuo!

El ser humano necesita de vez en cuando una dosis de humildad. Yo estaba a punto de recibirla...

«Esta vez sí. Esta vez aparecerán.»

Y motorizado por estos pensamientos me introduje en el camino propiamente dicho... y en la decepción.

La vía de ascenso al Sinaí —imaginada como algo romántico, sereno y silencioso— era en realidad lo más parecido a la Quinta Avenida de Nueva York. Desde el primer instante me vi sofocado por un intenso trasiego de hombres y camellos, un continuo aparecer y desaparecer de linternas, un vocerío de gentes de mil raleas y una legión de chillones, gesticulantes y pegajosos vendedores de lo divino y de lo humano.

¿Mítico y sagrado Sinaí?

Quizás en los libros y en las películas...

2 horas.

La mochila y el sudor dicen «aquí estoy yo». Nueva mirada al cielo. Todo sigue en calma.

«Esta vez sí... Lo presiento... Esta vez aparecerán...»

Los expedicionarios acusan el esfuerzo. Empezamos a distanciarnos. Los veteranos y los más «vivos» no lo dudan, y alquilan los servicios de los incansables camelleros árabes. Prosiguen el avance en las oscilantes e incómodas monturas. Y un olor acre y un enjambre de moscas se van con ellos.

Blanca resiste bien, aunque necesita tomar aliento cada cien o doscientos pasos.

La pendiente caracolea y se va encabritando.

A pesar de la linterna, lo abrupto del sendero me obliga a mantener la atención en las piedras. Afortunadamente, la cerrada oscuridad ha borrado los precipicios que, sin duda, nos acompañan a derecha e izquierda.

Espío la negrura. Y las estrellas me observan con curiosidad. Debo ser el único que las interroga cada cinco o diez minutos.

Me animo.

«Quedan cuatro horas para el amanecer... Aún hay tiempo.»

¡Oh Dios!, lo que faltaba...

En uno de los recodos se levanta un «chiringuito». Té, agua, coca-cola, más baratijas, más vendedores de fósiles, más camellos, más moscas...

Está decidido. No me importan las altas temperaturas. La próxima vez subiré de día..., y en solitario.

Imposible saber dónde está el grupo. Me adelanta una cuerda de dóciles e inevitables japoneses. ¿Y qué pintan éstos en el Sinaí?

Debo empezar a controlarme. No es bueno pensar...

Blanca solicita un nuevo respiro. La paliza pasa factura: los músculos se agarrotan. Cojea. Creo que ha sufrido alguna rotura fibrilar.

2 horas y 30 minutos.

Enésima exploración de los cielos. Recorro las constelaciones con los prismáticos. Calma absoluta. Las «luces» siguen sin aparecer.

«¿Quizás en la cumbre?... Claro, eso sería lo natural...»

Trato de no obsesionarme. Lo importante es llegar.

Animo a mi mujer. Pero su media sonrisa queda congelada por el dolor.

Me siento ridículo. Ella sufriendo y yo pendiente de unos supuestos «seres» y de una no menos supuesta «aparición» al estilo bíblico.

¿Cuándo aprenderé?

El Sinaí se pone definitivamente en pie. La pendiente se empina sin piedad. Las rodillas tiemblan. Estoy empapado en sudor. Un poco más...

Blanca, pálida, se deja caer en el filo de la senda.

3 horas.

Nadie habla. La montaña es un inmenso y angustioso jadeo.

Busco con irritación entre el fulgor de los luceros.

«... Dos luces en rumbo de colisión...»

Pero ¿dónde están? ¿A qué esperan?

Blanca se apoya en mi brazo. Y continúa despacio, renqueando, pero sin una sola protesta. ¡Es admirable!

La negrura es tan espesa que no consigo distinguir la cima.

¿Cuánto falta?

Por un momento pienso en desprenderme de la mochila. El dolor traspasa la espalda.

No debo pensar... Sólo caminar. Sólo caminar. Sólo caminar...

Y el corazón protesta y con razón.

Más beduinos. Conocen el lugar a la perfección y nos asaltan en los recodos estratégicos.

¡Increíble! Venden pilas, linternas, agua azucarada y hasta «perritos calientes»...

Me pongo a pensar en Moisés.

«Imposible... A sus ochenta años no hubiera podido subir... La Biblia es una estafa... Ya no sé ni lo que digo... No debo pensar... Pero tampoco debo pensar... que no debo pensar.

»¿Me estoy volviendo loco?

»No... Seguramente ya lo estaba antes de pisar el Sinaí.»

3 horas y 30 minutos.

¿Dónde están los guías y los organizadores? Han desaparecido. Esto es un desastre... Si alguien sufre un paro cardíaco, aquí se queda... Protestaré...

«¿Dos luces en rumbo de colisión?... ¡Y una mierda!»

Ya no sé qué es más demoledor: el cansancio o la decepción. Decepción por lo que me rodea y, sobre todo, por mi ingenuidad.

Y yo mismo me sorprendo. ¡Cuán frágil es el ánimo humano! En minutos he pasado del entusiasmo al reproche.

Rectifico. Y pido perdón a los organizadores y a los cielos.

«La "señal" llegará... Tiene que llegar.»

Y miro y no miro al firmamento. Y espero y no espero...

«...Y al final, un fogonazo.»

El sudor irrita los ojos. Me ahogo.

«¡Maldito tabaco!... Tengo que dejar de fumar...»

Sí, ánimo... Un último esfuerzo.

Pero Blanca no me oye. Es una autómata, como la mayor parte de los expedicionarios.

«Por cierto, ¿dónde están?...»

Agua. Necesito agua. Las cantimploras están secas.

«¡Malditos beduinos!... Cuando tienen que aparecer... desaparecen. ¿Y qué culpa tienen los beduinos? De haberlo sabido, no me habría enrolado en esta aventura... ¿O sí?»

Los pensamientos se atropellan. Imagino entonces al sapientísimo doctor Jiménez del Oso, cómodamente instalado en su cama del hotel, en Sharm el Sheikh.

«¡Maldita sea!... He dicho que no debo pensar...»

4 horas.

Blanca llora en silencio. No puede continuar. El

dolor la acorrala. Me detengo. Busco agua. La animo... Me siento atrapado e impotente.

—Ahora no... Ahora no debemos abandonar... Estamos cerca.

—¿Seguro?

Y le miento.

—Ya veo la cumbre.

¿La cumbre? La verdad es que sólo acierto a distinguir un lejano bosque de haces luminosos. Y calculo el
tiempo invertido. ¡Dios santo!... Aún falta una hora...

Guardo los números e improviso.

—Estamos casi...

Blanca no lo cree, pero, consciente de la situación,
me sigue, llorosa e inválida.

Es curioso. Ya no busco la «señal». Ya no me interesa. Sólo imploro. Pido a los cielos poder llegar... Llegar...

4 horas y 30 minutos.

¡Al fin las escaleras!

Pero los últimos cientos de metros —toscamente
labrados y empedrados por los antiguos monjes de
Santa Catalina—, lejos de aliviar el ascenso, son un
suplicio extra. La inclinación del camino es tan brutal que las rodillas crujen y se niegan a funcionar. Y
las piernas —lo que queda de ellas—, más que caminar se arrastran en la conquista de cada peldaño.

Prácticamente tiro de mi mujer.

¡La cumbre!... Ahora sí. Ya la distingo...

A lo lejos, recortándose sobre el blanco eléctrico
de las estrellas, creo ver una masa informe y unas tí-
midas luces amarillas.

¿O son alucinaciones?

La lengua chasquea. Nueva y obligada parada. E
inspiro hasta inhalar el monte entero.

—No puedo... aquí me quedo.

Resoplo como una ballena. Incapaz de articular palabra alguna, dejándome guiar por el instinto, arrastro
a mi mujer sin contemplaciones.

¡Pobre Blanca!

4 horas y 40 minutos.

Me detengo súbitamente.

—¿Qué ha sido eso...?

Lo he visto por el oeste.

«¡La "señal"!»

Blanca no acierta a comprender, pero agradece el respiro.

—¡Los prismáticos!

Busco. Busco con desesperación.

«¡Lo sabía... lo sabía!»

Y me pierdo una y otra vez en la maraña de estrellas.

«¿Dónde?... ¿Dónde están?... Juraría que era una luz...»

El sudor, chorreando por la frente, me hace comprender. Algunas estrellas se «mueven», sí, pero a causa de la irritación en los ojos. El resto lo pone la imaginación y el intenso deseo de que aparezcan...

Sin embargo, no me rindo.

¡Es asombroso!

El «susto» me devuelve la esperanza.

«En la cumbre... Sí, en la cumbre... Estamos al final... Éste es el momento...»

4 horas y 50 minutos.

Y casi a gatas, bombeando fuerzas de ningún sitio, coronamos la cima.

Blanca, exhausta, se desmorona.

Y yo, arrodillado, beso el Sinaí, dejando escapar el alma.

En un postrer anhelo me agarro a los cielos, pendiente tan sólo de mi «objetivo».

Pero los minutos se van. Y con ellos, la noche y la endeble esperanza.

«Negativo...»

El corazón se resiste a aceptar lo que, con toda razón, proclama el cerebro.

Y con rabia, empapado del frío del fracaso, «leo» en las estrellas. Y «leo» el cinismo y la burla.

Uno de los momentos del descenso
por el macizo del Sinaí. (Foto J. J. Benítez.)

J. J. Benítez en la cumbre del Sinaí.
(Foto Blanca.)

«Negativo...»

La pretendida «señal», en efecto, sólo ha sido una ilusión.

Y a la íntima y secreta decepción —nadie supo de este en apariencia infantil «juego»— se une un horror final. La sagrada cumbre es todo menos solemnidad y recogimiento.

Nuevos chiringuitos, nuevos y más ardientes vendedores, cientos de agotados peregrinos y unos ridículos metros cuadrados donde descansar.

Aquello parece un mal sueño.

Mi podómetro marca ¡5 521 pasos! ¿Y semejante esfuerzo para esto?

6 horas y 10 minutos.

El sol avisa. Y descubre lo único que ha merecido la pena en esta jornada casi eterna: la grandiosidad —en rojo y ámbar— del interminable, epiléptico y austero macizo.

Lo saludo con melancolía.

Una vez más, me he precipitado. «Ellos» no han acudido a la cita... ¿O sí?

Y me consuelo como puedo.

«Quizás no era necesario. Quizás el esclarecimiento del caso Ricky depende únicamente de mi sagacidad... Quizás una "señal", en estos momentos de la investigación, sea jugar con ventaja...»

¡Cuánto me queda por aprender!

¿Precipitado? ¿En verdad estoy equivocado?

Sí y no...

Como es habitual, este torpe investigador no caería en la cuenta de lo sucedido en Egipto hasta mucho después.

Sinceramente, no tengo arreglo...

Aquel descenso fue uno de los capítulos más amargos de esta desconcertante e irrepetible historia.

Me sentía ridículo. Defraudado. Abandonado...

Pero nadie lo percibió.

Y cargado de dolor busqué la soledad de mi habitación, en Sharm el Sheikh.

Blanca, supongo, asoció aquella tristeza al duro castigo recibido en el Sinaí.

En el fondo encajé y agradecí la cura de humildad.

Pero las sorpresas y decepciones no habían hecho más que empezar.

Sábado, 27 de julio de 1996.

A las cinco de la madrugada, a bordo del vuelo 266 de Egypt Air con destino a El Cairo, estuve a punto de abrir mi atormentado corazón. Pero, lo confieso, un espantoso sentido del ridículo me frenó. E hice mal. Debería de habérselo contado a Blanca.

Las últimas jornadas en Egipto discurrieron sin apenas «novedades» (?).

Reconozco que las visitas a las pirámides, en la meseta de Gizeh, Menfis, Saqqara y el Serapeum aliviaron y reconfortaron en parte el malparado ánimo. Había puesto tal ilusión en aquella «señal» que el aparente fracaso no me permitió ver con claridad en muchos días...

Y esta vez, el autómata fui yo.

Domingo, 28.

Nueva sorpresa.

Camino de Keops, Kefrén y Mikerinos, Nieves Pérez, otra compañera de viaje, fue a mostrarme su reloj. Con la lógica extrañeza, explicó cómo acababa de detectar una insólita anomalía. Justo en la reciente madrugada, hacia la medianoche, la maquinaria falló y se detuvo. A los noventa minutos, igualmente sin explicación aparente, echó a andar de nuevo.

A esas horas —según reza mi cuaderno de campo— me hallaba en el hotel Mena House, en la terraza de la habitación, rumiando el «porqué» de la fallida cita con aquellos «seres». Leo textualmente:

«...24 horas (en la soledad de la terraza de la habitación 262). ¿Por qué he fallado? ¿Por qué han fallado? ¿Por qué no se ha producido la "cita"? ¿O sí?

»1 hora: cansado, me retiro a dormir... Y, sin embargo, "sé" que están aquí...»

Nieves, por supuesto, se alojaba en el mismo hotel. Curiosa y casualmente, el lugar donde, diez días antes, se había generado el insólito «pacto»...

Con aquél, según mis cuentas, eran dieciséis los relojes afectados... por no se sabía «qué».

Pero, entonces, la noticia me dejó frío. Tomé nota y asunto zanjado. Como digo, me sentía dolido y terminé resbalando hacia un escepticismo tan poco aconsejable como la postura sostenida hasta aquel amanecer, en la cumbre del Sinaí.

No quiero justificarme, pero era comprensible. Soy humano, aunque mi mujer piense lo contrario...

Lunes, 29.

Final del viaje y una sabrosa «guinda» en la agenda. Aquella noche, si la policía egipcia no cambiaba de opinión (léase dólares), el grupo podría penetrar en las entrañas de la Gran Pirámide y disfrutar del mágico recinto sin el agobio de los cientos de turistas que la visitan a diario.

Hora prevista: las doce. Condición obligada: veintisiete dólares USA por cabeza.

Y de nuevo la sorpresa...

Leo en el cuaderno de «bitácora»:

«...Durante el recorrido por los túneles del fascinante Serapeum —siendo las dieciséis horas— una familiar y vieja "sensación" (?) me asalta junto a uno de los gigantescos y supuestos "sarcófagos"...

»Esta noche, en la Gran Pirámide... Esta noche, el "fogonazo" en el cielo...»

Y junto a la anotación, añado:

«¡Y una leche!...»

Aquel extraño «pensamiento» (?) regresó en los túneles del Serapeum. En la foto de J. J. Benítez, Blanca, su mujer, junto a uno de los veinticuatro gigantescos y supuestos «sarcófagos». (Sólo la tapa, pesa diecinueve toneladas.)

Aquella última noche en Egipto, «alguien» sobrevoló la Esfinge y las pirámides… (Foto J. J. Benítez.)

Naturalmente, quemado hasta los cimientos, no presté mayor consideración al súbito «pensamiento» (?). Pero, «enfermo» del dato, quedó registrado.

¿Otra broma del subconsciente?

Y convencido de que así era olvidé el supuesto «aviso». Es más: poco faltó para que renunciáramos a la mencionada excursión nocturna a la imponente Keops. Blanca sufre de claustrofobia y no estimé oportuno que descendiera por las angostas y asfixiantes galerías de la pirámide. En cuanto a mí, el haber bajado a las diferentes cámaras en otras oportunidades, restó interés a lo proyectado.

Y en un primer momento decidimos permanecer en el hotel y ocuparnos del siempre engorroso equipaje.

Pero el Destino (?) —cómo no— tenía otros planes...

En los últimos minutos, durante la cena, aquel «algo» tan difícil de explicar —mitad «fuerza» invisible (?), mitad intuición (?), mitad presentimiento (?)— golpeó mi mente, acosándome.

«Tenía que ir... Tenía que estar presente en aquella templada y serena madrugada...»

Pero ¿por qué?

Ya había renunciado a la «señal»...

Blanca, con el finísimo sexto sentido que caracteriza a las mujeres, percibió mi inquietud. Y se las ingenió para —dulcemente— justificar nuestra presencia en la meseta de Gizeh.

«Era la última noche. Merecía la pena sentarse al pie del coloso y despedirse así del bello Egipto. No entraríamos. Sencillamente, fumaríamos un cigarrillo a la luz de la luna y dejaríamos volar la imaginación y los sentimientos...»

Le sonreí agradecido.

¿Qué haría yo sin esta maravillosa mujer?

Nos unimos al ilusionado grupo.

Fue tal y como lo planeamos... pero mejor.

Los responsables egipcios aceptaron, previo pago

de mil quinientas libras por abrir la pirámide. Otras cincuenta por persona y un «extra» de quinientos para la policía. Los expedicionarios se perdieron entre las hiladas de piedra. Y Blanca y yo, sentados cerca de la boca de entrada, nos dejamos llevar.

¡Qué razón tiene el «Abuelo» cuando recomienda en A 33 000 pies: «invierte cada minuto como si fuera un millón de dólares y "pierde" un millón de dólares en cada minuto»!

Eso hicimos. Invertir cada instante en el silencio, en la contemplación de la titánica obra, en la lenta y majestuosa procesión del firmamento y, sobre todo, en el repaso de nuestras propias vidas.

Pero, a pesar del consolidado escepticismo, de vez en cuando, al recorrer con la vista los blancos perfiles de Keops, un trueno en forma de «voz» me esperaba en el vértice:

«¡Estamos aquí!»

Y un escalofrío ponía en pie los sentimientos. Pero lo hacía sin brusquedad. Esta vez no me visitó la desesperación. Tampoco la intranquilidad o el nerviosismo.

Aquella «voz» —o lo que fuera— llegó siempre con suavidad. Casi con ternura.

Y repliqué del mismo modo.

Ojos y corazón subieron despacio a las estrellas y, aunque no vi nada, regresaron en paz.

¿Estaban allí?

Ahora sé que sí, pero, en aquellos 'eliciosos momentos, poco importaba...

Sé lo que digo. Estoy seguro de que esos «seres» —una vez más— navegaban sobre nuestras cabezas. Y estoy convencido por un doble motivo. Primero —y quizás el más importante— porque lo presentí. Segundo, porque, al regresar a España, lo constaté físicamente.

La mágica noche concluyó a las tres en punto, tras una gozosa y relajada charla con Carmen Bautista, la

bióloga del grupo, y Pepe Rodríguez, su marido, el te-
nor que puso voz —¡y qué voz!— a un viaje difícil de
superar.

¡Lástima!...

De haber continuado media hora más al pie de
Keops, la noche habría sido redonda.

Pero, como digo, todo está «escrito». Meticulosamente escrito...

¿Qué puedo pensar? ¿Qué pensaría usted?

Hoy, 16 de julio de 1997, un año después del viaje a Egipto, mientras escribo estas apresuradas líneas, vuelvo a sonreír por dentro. Definitivamente, la intuición jamás traiciona.

Pero sigamos en 1996 y que el lector juzgue por sí mismo.

¿Qué ocurrió a nuestro regreso?

Si tuviera que calificarlo, no sabría cómo. ¿Genial? ¿Fantástico? ¿Increíble?...

Lo cierto es que aguardaban dos sorpresas y otras tantas decepciones. ¿O fueron tres sorpresas?

Yo diría que sí, aunque la tercera —de gran tonelaje— no se materializaría hasta septiembre. Pero «ellos», sabiamente, me «advirtieron» en agosto...

Todo empezó con una llamada telefónica.

«¿Fotos? ¿Qué fotos?... No, no sabía nada.»

Manolo Delgado, consumado fotógrafo, tan sorprendido como yo, fue al grano:

—¡Ovnis! En las fotografías de Egipto aparecen ovnis...

¿Ovnis?

La noticia me dejó perplejo.

Pero así era. Al revelar las películas, los propietarios descubrieron con asombro cómo en algunas de las imágenes se apreciaban objetos volantes no identificados que, por supuesto, como fue dicho, nadie vio durante el viaje.

Me costó creerlo.

Mi buen amigo, escéptico donde los haya, se adelantó a la pregunta clave:

—Está comprobado... El examen en laboratorio no deja lugar a dudas.

Y las posteriores pesquisas le darían la razón. «Aquello» no era un fraude, ni tampoco un fallo en el proceso de revelado.

Lisa y llanamente, al tomar las típicas fotografías de paisajes y monumentos, alguien había captado «algo» más. «Algo» físico, sólido y con volumen, pero invisible al ojo humano. «Algo» capaz de volar y de quedar estacionario sobre las cabezas de unos viajeros, totalmente ajenos a esa «otra realidad».

¿Ajenos? Rectifico. A decir verdad, a partir del incidente de los relojes, algunos empezamos a sospechar... «que no estábamos solos».

Los dos afortunados expedicionarios que consiguieron plasmar dichas imágenes —puede que no fueran los únicos (1)— eran la inglesa Lucy Lovick y el valenciano Eduardo Cañizares. Ambos, como digo, al repasar las colecciones de fotos, se extrañaron de la presencia de unos objetos «que nunca estuvieron allí». Obviamente, de haberlos visualizado, no se habrían contentado con un solo disparo...

Dos de los ovnis se habían «colado» en las tomas efectuadas en la excursión a Abu Simbel, en la mañana del 19 de julio. El de Lucy —un disco azul—, «posaba» descaradamente sobre el templo de Ramsés II. El del joven Cañizares «se dejaba ver» en la lejanía, probablemente en la vertical del lago Nasser, «coincidiendo» (?) con una instantánea en la que aparece la madre del fotógrafo.

La segunda tanda, conseguida por el mismo y no

(1) Desde aquí hago un llamamiento a los sesenta y cuatro integrantes de aquel viaje, invitándolos a que revisen de nuevo sus fotografías. Puede que ahora reparen en «algo» que les pasó desapercibido la primera vez... (De nada.)

menos perplejo Cañizares, correspondía a la última noche, la del lunes, 29, cuando el grupo se adentró en la Gran Pirámide. En esta ocasión, Eduardo, como otros expedicionarios, se «entretuvo» haciendo diferentes fotografías del cielo —era casi luna llena— y de la radiante Keops. Ni que decir tiene que ni él ni nadie acertó a detectar nada anormal sobre la meseta de Gizeh.

Miento.

Yo sí escuché, sí sentí «algo»... Pero lo archivé a título íntimo y personal. Y no fue comentado.

Pero hubo más...

Al poco de nuestro retorno a España, para redondear esta primera sorpresa, llegaba a mi poder una carta de otra compañera de aventuras en Egipto: Magdalena Godoy. En ella revelaba un hecho que confirmó las viejas sospechas y que me hizo sonreír de nuevo.

Aquella noche del 29 de julio, hacia las tres y media, justo a los treinta minutos de la partida de Blanca y de este investigador, Magdalena y Antonio Hernando, otro de los expedicionarios, decidieron salir del interior de Keops y dar un paseo por los alrededores. Pues bien, en esos instantes, un extraño «fenómeno» (?) los dejó boquiabiertos. Sobre la vertical de la Gran Pirámide se registró un gran «fogonazo»... Puede que varios.

Unos silenciosos y potentes «fogonazos»...

Y rememoré el singular «pacto»:

«Dos luces en rumbo de colisión... y al final, al reunirse, un fogonazo.»

¿Era aquélla la «señal» convenida y que había esperado inútilmente?

Si lo fue, nunca lo supe...

Y ahora, en la frialdad de la distancia, me veo asaltado por una «idea» (?) que no debo ni quiero silenciar.

«¿No era mejor así? ¿No resultaba más objetivo e imparcial que el "fogonazo" fuera presenciado por otras personas? De haber sido yo el único testigo, la "manifestación" podría haber quedado minimizada y sujeta a las lógicas suspicacias.»

¿«Sutilezas» de mis «primos»? Cosas más increíbles había visto... y me quedaban por ver.

Por supuesto, el río de sucesos me empujó (?) a revisar nuestras propias fotos. Y durante dos días, con la inestimable colaboración de Blanca, provistos de lupas, exploramos cada milímetro cuadrado de las casi cuatrocientas imágenes captadas en Egipto.

¡Sorpresa «extra»!

Ante nuestro asombro, en media docena aparecía igualmente una «colección» de enigmáticos y desconocidos (?) objetos volantes.

Y sonreí de nuevo.

¿Qué puedo pensar? ¿Qué pensaría usted?

La intuición, evidentemente, no traiciona.

Las fotografías en cuestión correspondían a muy distintas excursiones, repartidas a lo largo de todo el viaje: meseta de Gizeh, río Nilo, Abu Simbel, Valle de los Reyes... ¡y el Sinaí!

Y tuve que reconocer mi error. «Ellos» sí estuvieron cerca durante la desoladora jornada en la Montaña de Dios... Pero ¡torpe de mí! no supe confiar en lo más importante: el corazón.

Y sometidas al correspondiente y riguroso análisis, los expertos coincidieron:

«No eran manchas propias del revelado. Tampoco reflejos ópticos o defectos del negativo.»

Sencillamente... «no sabían». Ninguno supo explicarlo.

Servidor, en cambio, se arriesgó...

«Aquello», como lo captado por Lucy y Eduardo, podían ser ovnis. Ovnis «invisibles». ¿Para qué andarme con rodeos? «Aquello», para mí, eran naves «no humanas» que «escoltaron» al grupo. Y no un día o dos...

El «porqué» era otra cuestión.

A la vista de estas fotografías, del no menos irritante enigma de los relojes, de los «fogonazos» sobre la pirámide de Keops y de lo que me gritaba la intuición, no tuve más remedio que recapitular.

Aquel viaje, en efecto, fue y encerró mucho más que unas espléndidas y benéficas vacaciones.

¿Qué ocurrió nada más pisar El Cairo?

En la madrugada del 17, este investigador solicitaba una «prueba». «Algo» que confirmara la bondad del caso Ricky. ¿Se trataba de una historia verídica?

Y esa misma noche, los relojes empezaron a fallar. ¿Casualidad? Lo dudo...

Y en las siguientes jornadas, convencido de que la «señal» se produciría, no dejé de inspeccionar los cielos.

Y en esas excursiones, los ovnis nos acompañaron. Y fueron fotografiados... «sin querer» (?).

¿Casualidad? Lo dudo...

Y en plena tensión, sintiendo como nunca la «presencia» de aquellos «seres», alcanzamos el domingo, 21.

Y el «fallo» (?) colectivo de los relojes se hizo público. «Algo» estaba pasando. No era normal que dieciocho relojes se vieran alterados a la vez (1).

¿Casualidad? Lo dudo...

Y el 24, miércoles, preocupado por el agotamiento general, formulo un deseo:

(1) El pasado 9 de julio (1997), a las quince horas, recibía en «Ab-ba» la grata llamada de mi buen amigo Ramoncín, cantante, compositor, poeta, escritor y, sobre todo, mejor persona. Rememoramos el inolvidable viaje a Egipto y —¡oh sorpresa!— me confirma que a él también le fallaron sus dos relojes y la cámara de vídeo. Palabras textuales: «... Curiosamente, mi cámara sufrió de espasmos y muertes súbitas rarísimas, de las que posteriormente se recuperaba como si nada. También un reloj Swacht, de esos que no fallan ni a martillazos, cambió constantemente de fecha y hora y, por último, un magnífico Longines automático se paró por las buenas y sólo volvió a funcionar nada más llegar a Madrid... No es un contacto en la primera, ni en la cuarta fase, pero a mí me mola que pasara...»

¿Casualidad? Lo dudo...

«*Que se aplace la comprometida ascensión al Sinaí.*»

Y en media hora (!), inexplicablemente (?), el vuelo resultaría cancelado.

¿Casualidad? Lo dudo...

Y al día siguiente, merced a ese aplazamiento, disfrutamos de unas horas libres. Y de forma no menos extraña, Blanca pierde (?) su querido anillo de oro. Y este perplejo buceador terminaría «tropezando» (?)... ¡con otro aro de plata!

¿Casualidad? Lo dudo...

Y en esos instantes, un súbito «pensamiento» (?) parece descender del cielo:

«Aquí tienes la prueba... Ésta es la "respuesta" a tu petición.»

¿Casualidad? Lo dudo...

Y ante nuestro desconcierto... «nadie sabe nada, nadie ha extraviado el anillo».

¿Casualidad? Lo dudo...

Finalmente —y puede que esté olvidando otras «coincidencias»— una «idea» (?) me sacude en los túneles del Serapeum:

«Esta noche, en la Gran Pirámide... Esta noche, el "fogonazo" en el cielo...»

Y en la madrugada del 29 al 30 de julio, dos de los expedicionarios observan atónitos una serie de «fogonazos» sobre la majestuosa Keops.

¿Casualidad? Lo dudo...

Como decía el Maestro, «quien tenga oídos... que oiga».

Y en aquel laberinto —lo confieso— quedó en el aire una densa duda. ¿Otra? No, posiblemente, la «gran duda».

¡El misterioso anillo de plata!

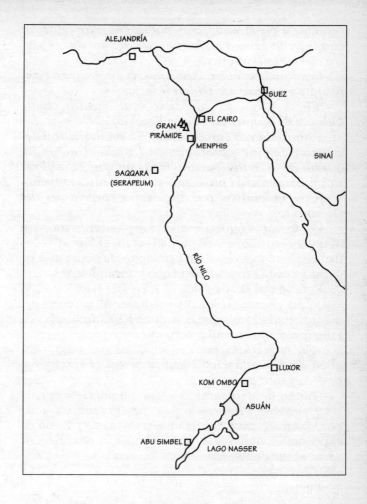

Tentado estuve de aparcar temporalmente el caso Ricky y dedicarme de lleno, primero, a la localización del platero que lo había fabricado. Después, a la búsqueda del legítimo dueño... si es que existía.

En aquellas fechas —agosto de 1996— fui incapaz de definirlo, pero «algo» me decía que el aro rescatado en el mar Rojo podía guardar relación con la bella gringa o, quizás, con alguna de las piezas del rompecabezas.

Era una brumosa, casi imperceptible, pero continua y goteante seguridad interior.

Sin embargo, fui apartado «sutilmente». Apartado... «de momento». Todo llegaría...

Y ahora lo veo con claridad. La monumental decepción que me aguardaba en Estados Unidos requería de «ciertos mecanismos» que me equilibraran y animaran a proseguir en este arduo empeño.

¡Qué magnífico trabajo de «orfebrería» el del Destino (?)!

Como un «toque de atención» —destinado, sin duda, a recordarme, en su momento, el férreo «control» de estos «seres»—, a principios de aquel mes de agosto, recibía una llamada que nunca olvidaré.

Esta vez, el «aviso» llegó a través de Iker Jiménez, un joven y prometedor investigador. Al parecer, había intentado localizarme durante los últimos días de julio, pero, obviamente, no pudo ser.

«No sé por qué, pero, al saber de este caso —explicó sin percatarse del alcance de sus propias palabras—, pensé en ti...» (!!).

(En septiembre, ambos lo comprenderíamos.)

Y el noble y esforzado Iker me dio cuenta —muy por encima— de un avistamiento ovni registrado en el pequeño pueblo de Los Villares, en la provincia de Jaén, al sur de España.

«Otro más...», pensé.

Pues no...

Con su habitual entusiasmo, el investigador me hizo ver que aquel «encuentro cercano» tenía algo especial.

¡Y ya lo creo que lo tenía!...

Pero, afortunadamente, no entró en detalles. Y se limitó a esbozarlo:

«Un vecino ha sido testigo, en las afueras de la población y a plena luz, del cuasi-aterrizaje de una nave y de la salida al exterior de tres tripulantes...»

El suceso se registraría a las doce del 16 de julio. «Causalmente», el día de nuestra partida hacia El Cairo. Pero servidor no caería en la cuenta de la «coincidencia» hasta semanas después, cuando ocurrió lo que ocurrió...

Y tal como tengo por costumbre, tomé nota, asegurándole que me ocuparía del asunto «a la mayor brevedad».

Y ahí quedó la cosa.

Como digo, «providencialmente» (?), el bueno de Iker no hizo alusión a «algo» que fue observado por el anciano testigo en la cúpula del ovni.

Y es que —insisto— todo parecía «atado y bien atado»...

Ésta, en definitiva, fue la sorpresa «extra» —de gran tonelaje— que no cuajaría hasta el referido mes de septiembre. Una sorpresa de la que, sinceramente, no me he recuperado.

Y al tomar de nuevo las riendas del caso Ricky me vi asaltado —en este orden— por dos decepciones y otra esperanzadora e inesperada sorpresa.

Veamos...

Naturalmente, nada más pisar «Ab-ba» me faltó tiempo para acudir a la oficina de Correos.

¡Maldición! ¡Los Spain no habían respondido!

Muy bien. Estaba decidido. Yo iría a su encuentro...

E inicié los preparativos para el salto a USA. Si era menester «peinaría» todo el territorio norteamericano. ¡Qué digo, Estados Unidos!... ¡Los buscaría en el fin del mundo!

Y los encontraría... Y saldría de dudas... Y sabría quién era el enigmático compañero de la supuesta alienígena...

Blanca, conociendo mi tozudez, se resignó, dando por hecho que terminaría localizando al médico que visitó la población «A»... «no se sabía cuándo».

La segunda decepción —casi simultánea— actuaría como «motor auxiliar», propulsando con más fuerza la iniciativa de hallar a los Spain.

Al verme de nuevo, Victoria, el ama de llaves, sacudió la cabeza negativamente.

«Nada de nada...»

Los rebeldes libros de registro de huéspedes seguían sin aparecer.

Y no dudé de su palabra. Sabía que los buscaba. Otra cuestión es que existieran.

Y opté por renunciar a la valiosa, pero hipotética pista. No podía cruzarme de brazos y esperar eternamente. Tenía que actuar. Tenía que dar con los Spain, mi último cartucho...

¡Pobre e incorregible caga-prisas! ¿Cuándo me entrará en la cabeza que todo llega... «en su momento»?

El 8 de agosto, efectivamente, «algo» empezó a «moverse» en este manicomio...

Ana, la hija de Marta, propietaria de los apartamentos, regresó de Estados Unidos. Y al entrevistarla por enésima vez, supongo que conmovida ante la infructuosa tenacidad de aquel investigador, prometió ocuparse personalmente de los refractarios libros.

Me sentí animado, aunque la esperanza se me antojó débil y remota.

¿Qué más podía hacer?

E hice, naturalmente, lo que no debía...

Fui entonces a caer en otro peligroso error: me dejé dominar por los nervios.

Y conforme fue aproximándose la fecha de partida —fijada para el 22 de agosto, jueves— me volví insoportable.

Parecía un principiante...

Ni yo mismo acertaba a justificar aquellos infantiles y continuos conflictos.

Fue penoso...

Después de veinticuatro años de lucha, de las más

duras e inimaginables situaciones, me comportaba como un novato...

¿Qué escondía aquel caso? ¿Qué intuía? ¿Por qué había logrado desmantelarme?

¿Desmantelarme? No, mucho peor...

Me estaba transformando.

Temblaba sin razón. Pasaba las horas muertas frente a la mar, trenzando y deshaciendo planes, suponiendo y dejando de suponer, imaginando, forzando las revoluciones de la mente y, en definitiva, agotándome.

Fui un ausente, aunque todo me molestaba.

Nelly, mi hermana, Joaquín Otazu, mi cuñado, y Blanca, que padecieron aquel calvario, no daban crédito a lo que veían.

Ellos, obviamente, nunca supieron... Y espero que puedan perdonarme.

En los últimos días, la crisis se agudizó. Y del nerviosismo y la confusión derivé al miedo.

Y hoy lo entiendo...

Fue algo irracional: un profundo sentimiento de pánico frente a lo desconocido, frente a Ricky...

Y llegué a sopesar —muy seriamente— la posibilidad de renunciar.

«Quizás no estoy preparado —repetía como un robot—. Quizás es demasiado para mí... ¡Dios!... ¿A qué me enfrento realmente?»

Si la historia era verídica, ¿qué clase de civilización se hallaba detrás?... ¿Podía ser peligroso?... ¿No estaba llegando demasiado lejos en la investigación del fenómeno ovni?...

Blanca, una vez más, supo resistir. Y fue bálsamo y sentido común. Y, como pudo, intentó devolverme el equilibrio. Y aunque no tuve el valor de confesar la raíz de tanta angustia, ella lo percibió. Y trató de poner las cosas en su sitio con una traumática y profética frase:

—Si el caso es cierto, difícilmente llegarás al final...

Hoy lo sé. Blanca tenía razón. Pero, a pesar de todo, continué y continuaré...

Y el Destino (?) fue misericordioso...

Dos días antes del viaje —¿de nuevo la «causalidad»?— «tropecé» (?) con Ana. Nos disponíamos a cenar en un restaurante de la población «A», en compañía de un matrimonio amigo, Beatriz y José María Borrell, cuando, de pronto, «alguien» agitó los hilos de esta desconcertante historia.

Fue un «escopetazo»...

El miedo y la tenebrosa confusión que me gobernaban se disolvieron en un segundo.

¡Mano de santo!

Ana, evidentemente complacida, con una pícara sonrisa, anunció —como si tal cosa— «que acababan de encontrar algo»...

Me quedé mudo. Petrificado.

Finalmente, balbuceé:

—¿Algo?... ¿Qué?

Pero la joven, con prisas, se introdujo en su automóvil, desapareciendo y dejándome en suspenso.

Y un burlón «mañana, a las cuatro y media, en mi casa» me remató.

No reaccioné.

«¿Qué es ese misterioso "algo"? ¿Los libros? ¿Información sobre Spain?»

No recuerdo bien si cené. Lo que sí es cierto es que apenas dormí.

¡Qué alambicado y teatral puede ser el Destino (?)!

¿Qué estaba pasando? ¿Por qué ahora, a cuarenta y ocho horas del viaje a USA, el caso Ricky echaba a caminar nuevamente?

Y lo presentí. Intuí un golpe de timón en el rumbo de la investigación.

No me equivoqué.

Al día siguiente, 21 de agosto de 1996, miércoles, con media hora de adelanto —¡quién podía soportar aquel suplicio!—, pulsaba el timbre de los apartamentos.

116

Y la Providencia me hizo su particular «regalo» de Navidad (1). *Mejor dicho, «eso» llegaría poco después. Antes, para no perder la costumbre, el Destino (?) jugaría conmigo...*

Y una Victoria triunfante fue a depositar en mis pecadoras manos un venerable y polvoriento cuaderno de tapas negras.

Pero no dijo nada.

La interrogué ansioso.

Inútil.

Mantuvo la sonrisa y aconsejó que lo revisara.

—Ha sido un milagro... —sentenció convencida.

Le estampé dos sonoros besos.

Pero no tuve paciencia. Y en el interior del coche —supongo que ante la divertida y socarrona mirada del Destino (?)— lo hojeé nerviosa y apresuradamente.

Imposible. Hecho un manojo de nervios, miré, pero no vi.

––¡Calma! —me ordené, en un intento de cortar aquel caos mental.

Y despacio, como si me fuera en ello la vida, empecé por el principio. Y fui leyendo los cientos de nombres, direcciones, teléfonos, números de documentos nacionales de identidad y de pasaportes que aparecían manuscritos en las amarillentas cincuenta páginas.

«¿Pero qué se supone que debo buscar? No conozco la identidad de Ricky... ¿El nombre de Spain?... Sí, eso sería un "bingo"... ¿Y si la pareja se inscribió con el apellido de la mujer?... En ese caso estoy perdido...»

Comprobé con entusiasmo que, junto al registro de cada huésped, figuraba también la correspondiente fecha de entrada y, en ocasiones, la de salida del apartamento.

(1) No se trata de un error. Creo que servidor es el único mortal que celebra la Navidad dos veces al año. Una, como todo el mundo, en diciembre. Otra, el 21 de agosto. Y es que, como se explica en *Caballo de Troya*, estoy convencido de que ésa fue la verdadera fecha del nacimiento de mi admirado y querido Jesús de Nazaret.

«¡Spain!... Sí, tiene que constar... ¿Spain?... "España" no es un apellido común entre los norteamericanos... ¡Qué extraño!... ¿Un "España" visitando España?...»

Pero estas reflexiones morirían en segundos ante un decepcionante «descubrimiento».

Al principio no reparé en ello. Sin embargo, conforme fui dominándome, la triste realidad se impuso. Y me hundí en la desolación.

«¡No puede ser!... ¡Esto es cruel!»

Salté al centro del cuaderno. Lo mismo...

«¡Maldita sea!...»

Y otro tanto sucedió con el resto de las hojas.

El libro mostraba toda una relación de individuos, nacionales y extranjeros, que, en efecto, se alojaron en aquellos apartamentos, pero en unas fechas muy alejadas del año clave: 1980.

«¡Cruel..., sí! Esta vez, el Destino (?) se ha pasado...»

Y comprendí que me hallaba nuevamente «a cero».

Aun así, como un paciente franciscano, volví a empezar...

«¡Spain!... Por favor, ¡aparece!»

Fue en vano. El apellido de marras no constaba... ni por equivocación.

Y desalentado, desistí.

Eran casi las 18.30.

Tentado estuve de llamar a la casa de Ana y preguntar.

«¿Qué era lo que decían haber encontrado?»

Lamentablemente (?), en lugar de seguir ese «impulso» (?), arranqué el automóvil, dirigiéndome hacia «Ab-ba».

«Quizás no lo he revisado con suficiente minuciosidad», me consolé a medias.

Sí, tenía que intentarlo de nuevo...

Y el Destino (?) pisó el acelerador.

Nada más traspasar la cancela, Blanca, excitada, me salió al paso.

—¡Ha llamado Victoria!... ¡Ha encontrado algo! ¡Tienes que volver!

Estimando que se refería al cuaderno de tapas negras, se lo mostré, agregando en un tono agridulce:

—Lo sé... Aquí está.

Y mi mujer, nerviosa, me interrumpió.

—¡No!... ¡Acaba de telefonear!... ¡Hay algo más!

Consulté el reloj. Eran las 18.30...

¡La hora del «regalo» de Navidad!

Y confuso e intrigado retorné a la población «A». No entendía nada de nada...

Esta vez fue Ana quien me recibió. Al instante descubrí entre sus manos un cuaderno. Un humilde bloc de cubierta roja, más grande que el anterior.

Y creí ver en él al Destino (?), sonriendo como un cómplice.

Lo mantenía abierto por una de las páginas cuadriculadas. Y la expresión de felicidad de la mujer lo dijo todo.

Y fue a entregármelo, señalando la parte inferior de la providencial hoja.

Y en silencio, más que leer, devoré aquellas ocho líneas, igualmente manuscritas.

Supongo que palidecí.

Victoria me ofreció una silla. Y temblando, temiendo que todo fuera un sueño, las interrogué con la mirada.

Ana asintió segura y divertida. Y creo que fueron conscientes de lo decisivo del «hallazgo». La investigación, en efecto, acababa de estrenar un nuevo y prometedor capítulo.

Y mi primer pensamiento fue para el «Abuelo».

«¡Gracias, Señor!...»

¡Allí estaba!

Y lo leí por tercera vez. Y por cuarta...

¡Bingo!

Y regresé empapado por una lluvia de ideas, de planes...

«Ahora, todo es distinto... Puedo comerme el mundo...»

¡Pobre ingenuo!

El Destino (?) no había dicho su última palabra...

Y Blanca, al leer, palideció igualmente.

—¡No es posible!... —exclamó incrédula.

—¡Lo es!... —repliqué radiante.

Concluida la lectura, fue este aturdido investigador quien recibió un sonoro beso. Y Blanca preguntó con sorna:

—¿De verdad eres humano? ¿No serás tú uno de ellos?

Naturalmente, la dejé en la duda.

Y me enfrasqué en el «hallazgo». Era mucho lo que quedaba por verificar, mucho por planificar... y, lamentablemente, carecía de tiempo. Al día siguiente, de madrugada, emprenderíamos un largo viaje. Un viaje que, gracias a aquel cuaderno de anillas, parecía más claro y definido.

Claro y definido porque —¡al fin!— tenía en mi poder dos importantes informaciones:

¡Las auténticas identidades de Spain y de Ricky!

En la primera línea del registro, con buena caligrafía, aparecían el nombre y apellido del compañero de la supuesta alienígena. Debajo, en la segunda, tercera y cuarta, una dirección y un número de teléfono.

¡La calle y la ciudad de uno de los Spain, previamente localizado por Lona y Tom Woods! Concretamente, el que residía en el norte de USA.

¡Bingo!

Y en el quinto renglón —escrito por la misma mano—, el nombre y apellido de una mujer.

Deduje que sólo podían pertenecer a Ricky. Ana y Victoria que, como fue dicho, habían olvidado aquel nombre, lo reconocieron al punto.

¡Segundo bingo!

Y en las tres líneas finales, otra dirección, el número de un pasaporte y los nombres de una gran metrópoli norteamericana y del estado correspondiente.

El «regalo» de Navidad fue espléndido...

«¡Merdi vienne... "Abuelo"!» (1).

La informal «ficha de policía» —de régimen interno y que delataba la estancia de la pareja en la población «A»— se hallaba completada por una no menos decisiva información.

A la derecha de ambas identidades, separados por sendas rayas verticales, podían leerse unas palabras y unos números.

En un primer examen lo interpreté como el nombre de una calle y unas fechas.

El grupo superior, encarado al registro de Spain, decía textualmente:

«Prim 10.

»15/11-28/11 = 14 noches.»

La referencia inferior —frente a los datos de Ricky— rezaba así:

«Prim 12.

»Dic. 2/81.»

¡Tercer bingo!

¡1981!

Petru y el ingeniero estaban en lo cierto. Aquél era el año en el que la supuesta alienígena y su acompañante «aparecieron» (?) en la población «A».

Pero no todo resultaba tan claro...

¿Qué significaba aquel «Dic. 2» (2 de diciembre)? ¿Era el día de la súbita e inexplicable «desaparición» (?) de la hermosa joven?

La lógica me dijo que no.

Si la pareja ingresó en los apartamentos el 15 de noviembre y el romance tuvo lugar tras la marcha del médico —es decir, a partir del 29 de ese mismo mes—,

(1) Expresión utilizada por Dios en *A 33000 pies*. Sin traducción.

el «2 de diciembre» no encajaba en la repentina partida. Demasiado próximo... Como ya se ha dicho, aunque el ingeniero no recordaba las fechas, estimó, eso sí, que la relación se prolongó, al menos, por espacio de tres meses. La «desaparición» de Ricky, por tanto, tuvo que producirse en los primeros meses de 1982.

Y deduje que aquel «Dic. 2» quizás significaba un cambio de apartamento.

Por razones desconocidas, al quedarse sola, Ricky se mudó al número 12 de la misma calle Prim. Y lo hizo aquel «2 de diciembre». Y así fue reseñado en el «libro de huéspedes».

Lamentablemente, la persona encargada de estos apuntes no parecía haber dejado constancia del día de salida de la «gringa». Por más vueltas que le di al bloc, no fui capaz de encontrar el precioso dato.

Tampoco Ana y Victoria, a quienes volví a interrogar esa misma noche, supieron despejar la incógnita. Ni siquiera sabían quién pudo formalizar dicho registro. La letra, dijeron, podía pertenecer a Marta o, quizás, a Tom, su marido.

Y las viejas dudas florecieron...

«Si Ricky se "esfumó" sin que nadie la viera, ¿quién pagó la cuenta?... ¿O fue abonada por adelantado?... En ese supuesto, ¿conocía o conocían la fecha exacta de la partida?... Que yo supiera, Ricky nunca habló de ello... Y era extraño. Un turista siempre planifica su regreso. Más si cabe cuando la vuelta —supuestamente a Estados Unidos— debía realizarse en avión... ¿Se marchó sin pagar? Según Marta, no... Entonces ¿estaba todo minuciosamente planeado?...»

Sea como fuere, lo único claro, de momento, es que el tal Spain había permanecido catorce jornadas en la población «A». Para ser rigurosos, catorce noches...

En definitiva, debía entrevistar de nuevo a la dueña de los apartamentos. Pero Marta se hallaba en Estados Unidos. Y me resigné. Allí la localizaría. Allí trataría de resolver estas pequeñas-grandes cuestiones.

Tampoco tuve fortuna con el ingeniero. A pesar de mis esfuerzos, no conseguí ubicarlo. Y aunque estaba casi seguro de la identidad de Ricky, me habría gustado despejar todas las dudas y, de paso, darle la buena nueva.

Sin embargo, me sentía satisfecho. En horas, el Destino (?) puso a mi alcance mucho más de lo reunido en un año de pesquisas. Y curiosa y sospechosamente, en la víspera del gran viaje...

¿Casualidad? Lo dudo...

Y antes de proseguir, entiendo que el lector merece una explicación.

¿Por qué no he revelado la identidad de Ricky? ¿Por qué he silenciado las direcciones y ciudades en las que vivían el médico y la mujer en 1981?

Lo he meditado largamente.

Y aunque algo quedó dicho en una de las notas a pie de página, insistiré en ello. El asunto —como iremos viendo— no es tan simple.

Sencillamente, dada la naturaleza del caso, no lo he considerado prudente. Y me baso en dos razones. Quizás en tres...

Primera.

Si la historia es falsa, si todo responde a una confusión o a una fabulación, ¿qué derecho me asiste para comprometer a Ricky y a su compañero?

Si esto es un engaño, sólo serían unos turistas...

Verse implicados en un suceso ovni podría hacerles gracia... o no.

Segunda.

Si los hechos son verídicos —como así creo—, ¿por qué entregar a estas «personas» (?) a la voracidad de las gentes y, lo que es peor, a las garras de muy determinados Servicios de Inteligencia?

Los investigadores medianamente informados estamos al cabo de la calle del «especial interés» demostrado en estos temas por organismos como la CIA y el FBI, entre otros. Sabemos con qué «ardor» persiguen a estas naves y a los posibles «infiltrados»...

En consecuencia, cuantas menos facilidades, mucho mejor... «para todos»...

Pero hay más. Y esta tercera razón pertenece a un terreno estrictamente personal.

Si Ricky es lo que parece ser —y lo iría descubriendo con cuentagotas—, no seré yo quien lastime esos «planes»...

Una cosa es la investigación —que debe ser practicada con rigor y hasta límites razonables— y otra muy distinta la denuncia.

Para colmo —casi involuntariamente (?)—, servidor terminaría formando parte de esta asombrosa historia...

Y una anormal e inexplicable (?) simpatía hacia Ricky fue creciendo en mi corazón...

Al final de la primera parte de las pesquisas comprobaría con recelo cómo el investigador se convertía casi en «protector» (?).

Quizás, por eso, al alcanzar un determinado punto en el proceso de investigación, no tuve más remedio que «detenerme» (?) y reflexionar.

¿Seguía siendo imparcial? ¿No me estaba situando en el lado de los posibles «infiltrados»? ¿En qué clase de «juego» me había enrolado? ¿Me sentía utilizado?

Pero esta delicada situación surgiría algún tiempo después. Ahora debo ceñirme a los acontecimientos, tal y como se registraron.

Y cierro el paréntesis.

La aventura continuaba. No tardó en «complicarse»...

124

Amparo, madre de Eduardo Cañizares, en Abu Simbel, con el lago Nasser a su espalda.
Al fondo, a la derecha, un objeto que nadie vio. En el recuadro, el ovni ampliado.
En dicha ampliación puede observarse cómo el desenfoque de la nave y de las montañas
es el mismo. La mayor nitidez en proa que en popa hace sospechar que el objeto
se desplazaba de derecha a izquierda. (Gentileza de la familia Cañizares.)

Ovni en movimiento sobre la Gran Pirámide, captado por el joven Cañizares
en la madrugada del 29 al 30 de julio de 1996. Por supuesto, nadie vio el objeto
ni sus extrañas evoluciones. (Gentileza de Eduardo Cañizares.)

Otro luminoso ovni fotografiado
a la derecha de Keops.
(Gentileza de Eduardo Cañizares.)

Eduardo Cañizares,
durante el inolvidable viaje
a Egipto. (Gentileza
de E. Cañizares.)

Un disco azul, invisible a los ojos humanos, sobre Abu Simbel. En esos instantes —hacia las nueve de la mañana del 19 de julio de 1996—, el sol se encontraba a espaldas del fotógrafo. (Gentileza de Lucy Lovick.)

Ampliación del ovni fotografiado —sin querer— por Lucy Lovick. Obsérvese el perfil, perfectamente nítido y definido. El misterioso objeto se recorta por delante de las nubes. (Gentileza de Lucy Jane Lovick.)

Lucy Jane Lovick, autora de la fotografía de un ovni «invisible» sobre el templo de Ramsés II, en Abu Simbel. (Gentileza de Lucy Lovick.)

Magdalena Godoy observó una serie de extraños «fogonazos» sobre Keops. Pero ni ella ni Antonio Hernando supieron explicarlos... (Gentileza de Magdalena Godoy.)

Antonio Hernando, testigo de los «fogonazos» sobre la Gran Pirámide. (Foto J. J. Benítez.)

Amanecer en el desierto libio,
rumbo a Abu Simbel.
En el recuadro, en la lejanía,
aparece otro extraño objeto
que nadie vio.
(Foto J. J. Benítez.)

Ampliación del misterioso
objeto captado
en el desierto libio.

USA

Jueves, 22 de agosto de 1996.

El vuelo de Delta (109 Y) despegó de Madrid-Barajas a las 14 horas, 31 minutos y 55 segundos, según mi cronómetro.

Y acaricié la fallida carta...

¿Por qué no la había echado al correo?

El aparato ascendió al nivel de crucero (33 000 pies) en poco más de catorce minutos.

«¿Otra vez los viejos miedos?»

Temperatura exterior: 56 grados centígrados bajo cero. Viento en cara: 98 kilómetros por hora.

«¿O fue la intuición?»

Distancia y tiempo de vuelo estimados a Atlanta —primera escala—, 4 322 millas y ocho horas y treinta minutos, respectivamente.

«¡Y sin poder fumar!... ¡Malditos "gringos" inquisidores!»

No supe responder...

Sencillamente, en el último minuto, «algo»! me impulsó (?) a no hacerlo.

Y la breve nota, dirigida a Ricky, me acompañó a USA.

En ella, como hiciera con los Spain, le notificaba que era periodista y que preparaba un libro sobre la población «A», solicitando su colaboración.

¿Quise abonar el terreno?... ¿Adelantarme al Destino (?)?

¡Pobre tonto! ¿Cuándo aprenderé?

«Quizás es mejor así...»

Y continué escribiendo en el inseparable cuaderno de campo...

«Nunca me gustaron las mentiras... Quizás pueda explicárselo en persona... ¿En persona?»

Y fui a perderme en otra grave inquietud. Una zozobra que no me soltaría en todo el vuelo.

¿En persona?... Primero tenía que localizarla... Sí, disponía de una dirección, pero ¡de 1981!...

Quince años eran muchos... Podía haber muerto... (?).

¿Por segunda vez?

¡Qué tonterías estaba pensando!

Podía vivir en otra dirección... En otra ciudad... En otro país... En otra región del universo...

«¡Y dale con las estupideces!... ¿O no son tales?...»

Y Blanca, intuyendo mi intranquilidad, me cogió la mano, suplicando calma.

Imposible...

«¿Cómo me las arreglaré para dar con ella?...»

En Daytona, primera etapa del viaje, no conocía prácticamente a nadie. Era la segunda o tercera vez que la visitaba...

«¿Recurrir a la policía?... ¡Ni hablar!...»

Y dejando el problema en manos del Destino (?) —algo ocurriría o se me ocurriría—, me dediqué a examinar la segunda cara del dilema.

«Bien, supongamos, que es mucho suponer, que la localizo... ¿Cómo entrar en materia?... ¿Qué decirle?... ¿Le expongo la verdad sin rodeos? Mejor dicho, la supuesta verdad... Lo más probable es que me mande a hacer gárgaras... ¿O quizás no? ¿Cómo reaccionaría una persona normal si alguien le pregunta en serio: "¿Es usted extraterrestre? Dígame: ¿Se metió en el cadáver de un ser humano? ¿Cómo lo hizo? ¿Por qué?"...

»"¿Es cierto que vivió un romance con un ingeniero español?"

»"¿Reconoce usted que un ovni se colocó sobre el automóvil en el que viajaban?"

»"¿Por qué y cómo 'desapareció' sin dejar rastro?"

»"¿Podría mostrarme la herida de su pierna derecha?"...

»Lo dicho: puede darme con las puertas en las narices. Y con razón...

»Es más: si Ricky es y no es humana, lo lógico es que lo niegue todo.

»¡Vaya panorama!»

Y la zozobra fue retorciéndose. Y el sentido común alzó de nuevo la voz, recriminándome aquella aparente «locura». Y fue inevitable: terminé cayendo en una mezcla de escepticismo, impotencia, reproche continuado y tímido «sí» al caso Ricky.

«¿Y si todo fuera un espejismo?... ¿Habré sido víctima de un engaño?... ¿Será el ingeniero un agente de la CIA?...

»Imposible... ¡Es comunista!...

»Además de ser un montaje, al segundo o tercer interrogatorio habría entrado en contradicción...

»¿Y si es un experto?

»No, el ingeniero sólo sabe de negocios, mujeres y cocina...

»¡Dios mío!..... ¿Qué hago yo en este avión?...»

Atlanta.

17 horas (local).

Escala técnica.

¿Otra casualidad? Lo dudo...

Y el Destino (?) dio una vuelta de tuerca...

Mientras aguardábamos el siguiente embarque, alguien se aproximó a Blanca. Y se identificó como Carmen. Volaba también desde Madrid. Era una española, residente en Daytona.

Al parecer —¡qué casualidad!—, reconoció a mi mujer por unas fotos que había visto tiempo atrás. Unas imágenes que le mostró Leire, la hija mayor de Blanca, durante una estancia de estudios en la men-

cionada ciudad de Florida. Leire y el hijo de Carmen
—de nuevo la «casualidad» (?)— eran amigos...

—¡Qué casualidad! —exclamaron al unísono las
mujeres, lógicamente desconcertadas.

¿Casualidad?

Y servidor, intuyendo «algo», se puso en guardia.
Pero, obviamente, guardé silencio.

Y el Destino (?), como digo, prosiguió su paciente
y minuciosa «obra»...

Horas después, al tomar tierra en Daytona, cono-
ceríamos a la familia de Carmen al completo. Y allí,
en el aeropuerto, en el «momento justo», apareció Andrés Goyanes, el hijo de la providencial pasajera. Una
pieza decisiva en el imparable «engranaje» de esta, en
apariencia —sólo en apariencia—, «loca» historia...

Y me pregunto:

*«¿Qué hubiera sucedido de haber emprendido el
viaje en otra fecha?... ¿Por qué volamos "justamente" con aquella compañía norteamericana?... ¿Era
"normal" que fuéramos a coincidir con esta española?...»*

*Desde un punto de vista estrictamente científi-
co, el cúmulo de parámetros necesario para que
Carmen y nosotros viajáramos en el mismo avión
era, sencillamente, astronómico...*

¿«Sutilezas» de mis «primos»?

Francamente, así lo creo. ¿Cómo entender si no lo
que ocurrió después?

Y de ese «causal» (?) encuentro surgiría una amistad que, en cuestión de horas, me proporcionaría
unos muy «especiales frutos»...

Andrés, experto en informática, hizo buenas mi-
gas con mi hijo Satcha, ingeniero en computadoras.
Y amén de facilitarnos los trámites para la puesta en
marcha del máster que debía cursar el joven Benítez,
aceptó encantado una insólita propuesta: ayudarme a
localizar «una aguja en un pajar»...

¿Por qué pensé en Andrés Goyanes?

Seguramente —¡menos mal!— obedecí a la intuición...

Aquél era el «instrumento». No debía darle más vueltas...

Y recordé divertido y perplejo —es difícil acostumbrarse al implacable «marcaje» del Destino (?)— lo anotado poco antes en el cuaderno de «bitácora»:

«... Algo ocurrirá o se me ocurrirá...»

Y así, misteriosamente, sin brusquedad, la investigación se encarriló por las excelentes —casi mágicas— vías de Internet.

Y a los dos días, las consultas empezaron a cuajar.

Los datos proporcionados por organismos como Búsqueda Profesional e Intensiva de Desaparecidos y Sociedad para la Investigación de lo Inexplicable, entre otros, fueron decisivos.

La localización de Ricky estaba en marcha.

Domingo, 25.

Para mi sorpresa, Andrés me facilitó una lista de apellidos, iguales al de la supuesta alienígena. Todos disponían de teléfono «no privado».

Lo extenso de la relación, sin embargo, me desalentó. El apellido en cuestión se hallaba repartido por toda la nación.

Paciencia. Ésa era la clave...

Y estrechamos el cerco.

Primero, una revisión minuciosa de los nombres y apellidos «gemelos» existentes en el estado que figuraba en mi agenda. Después, la misma operación, pero sobre la gran metrópoli.

Y respiramos aliviados...

Los que coincidían con los de la bella desconocida quedaron reducidos finalmente... ¡a ocho!

«¡Ya es nuestro!»

Pero no...

Como una maldición, la calle que me servía de referencia, y que constaba en el bloc de anillas, no acompañaba a ninguno de estos ocho usuarios.

Imaginé lo peor...

«Quince años es mucho tiempo... ¿Estamos equivocados?... Quizás estos apellidos no guardan relación con el que busco... Quizás Ricky vive ahora en otro lugar... Pero ¿dónde?...»

Y pensé en actuar sin contemplaciones, tirando por la «calle de en medio»:

«Iré marcando cada uno de los números...»

Mi fiel y buena estrella no me abandonaría.

«Seguramente, al descolgar, "aparecerá" (?) la protagonista de esta historia...»

En el fondo, ni yo lo creí. Pero había que hacer algo...

Presentía que estaba cerca. Muy cerca...

¡Ya lo creo que lo estaba!...

Pero todo tiene «su momento» y su proceso previo...

Andrés, sin perder la calma, sugirió otra alternativa... más racional.

Solicitó al ordenador la relación de individuos y razones sociales o comerciales establecidos en la calle que obraba en mi poder y en la que, supuestamente, residió Ricky en 1981.

Y los temores se confirmaron.

Quince años no eran una broma...

Al revisar el centenar de usuarios comprendimos que estábamos como al principio: Ricky no figuraba en dicha dirección.

Y me eché a temblar...

Y ahora... ¿qué? Nuestro «objetivo», en efecto, podía estar viviendo en cualquier punto del país... o del extranjero.

Sin embargo, no me rendí. Y esa «fuerza» desconocida (?) que surge en los momentos decisivos me envolvió, levantándome por encima del aparente fracaso.

«Empecemos de nuevo...»

Quizás habíamos descuidado algún «detalle».

Pero ¿cuál?

Y de pronto, al estudiar por enésima vez la «ficha de policía», reparé en «algo» que, efectivamente, no tuvimos en cuenta.

No era gran cosa, pero...

Y al cotejarlo con la información que acompañaba a los ocho apellidos seleccionados creí ver una débil luz.

Andrés y yo nos miramos...

—Podría ser... —murmuró mi compañero sin alterarse.

Y la inesperada (?) pista redujo los «candidatos»... ¡a dos!

Y empecé a rezar.

Ese «algo» que había pasado inadvertido era el código postal que «alguien» —mágica y providencialmente— dejó escrito en el viejo «libro de huéspedes»...

Si la norteamericana seguía viviendo en la misma ciudad, aunque hubiera cambiado de domicilio, los primeros dígitos de dicho código tenían que ser idénticos.

Y el Destino (?) se destapó...

«Casualmente», de los dos usuarios cuyos códigos casi coincidían con el reseñado en 1981, sólo uno presentaba una inicial, exactamente igual a la del nombre de Ricky.

¿Casualidad? Lo dudo...

Eran las 14 horas.

Y aunque es una práctica corriente en USA, «aquello» me extrañó: el «finalista», el «gringo» seleccionado, no hacía constar su dirección. Tan sólo la ciudad, el estado y el salvador código...

¿Por qué me extrañó? No sabría explicarlo... Sin embargo, algún tiempo después, creí entender aquella sutil, pero nítida «sensación» (?).

Todo, en efecto, tenía su «porqué» en esta tortuosa y fascinante aventura...

Y llegó la hora de la verdad.

Teníamos un teléfono, una posibilidad...

¿Qué hacíamos?

¿Marcábamos sin más?

¿Y qué decir? ¿Cómo atacábamos el delicado asunto?

Se impuso entonces una cierta lógica (?).

Lo primero era lo primero...

«¿Se trata de Ricky? ¿Estamos realmente ante la "turista" que visitó España en 1981?

»Si la interlocutora (?) responde negativamente, ¿a qué seguir?...»

Andrés, que sólo conocía parte de este laberinto, no captó —creo— el miedo que empezaba a asfixiarme.

«¿Miedo? ¿A qué?»

Tampoco he sido capaz de aclararlo. Sin embargo, allí estaba, agarrotándome como en los peores momentos...

«¿Pánico a que sea la auténtica Ricky?... ¿A que niegue su estancia en la población "A"?... ¿O es miedo a la verdad?...»

Como digo, no supe o no quise explicarlo.

Y un tropel de ideas se unió al sigiloso terror, inutilizándome.

«Muy bien... Supongamos que hemos hecho "bingo"... Aceptemos que es Ricky... Digamos que sí, que confirma su visita al sur de España... Y luego, ¿qué?... ¿Cómo me las ingenio para que me reciba?... ¿Qué diablos le cuento?...

»No puedo alertarla, ni insinuar la verdadera razón de la llamada... No por teléfono...»

Y el instinto (?) trabajó con rapidez.

No puedo demasiadas alternativas...

Me decidí por la inofensiva mentira enviada a los Spain:

«Como escritor, necesito conocer sus impresiones sobre la referida población "A".»

¿Lograría persuadirla? ¿Se mostraría conforme? ¿Aceptaría de buen grado mi presencia?

Y descabalgado por la tensión, tuve que rogar a mi

compañero que «recibiera al toro» y que «le administrara los primeros capotazos de tanteo»...

Fue a marcar el número telefónico.

Aquellos diez dígitos me parecieron interminables...

Lo pactado previamente con Andrés era sencillo... en teoría: corroborar si estábamos ante la persona que nos interesaba.

Eso era vital. Prioritario.

Después, en caso de «bingo», yo tomaría el relevo...

Y todo dependería de mi habilidad y —¡cómo no!— del Destino (?).

Y confié...

Y me puse en manos de la «fuerza» (?) que siempre me acompaña...

Silencio.

Andrés, imperturbable, se ajustó las gafas.

E inspiré hondo.

Pero no logré zafarme de la angustia...

Silencio.

«¿Qué ocurre...?»

Y supuse que habíamos llamado en un mal momento.

«¿No hay nadie en la casa?»

Y con los nervios envarados, lo acosé con la mirada.

Silencio.

«¿Qué pasa?... ¡Oh Dios!... Por favor, ¡responde!»

De pronto, alzando la mano, solicitó calma.

«¿Calma?... ¡Ojalá!...»

Y observé cómo se concentraba, prestando atención a «algo»...

«¿Por qué no habla?»

Y el silencio en la habitación 212 del hotel Aku-Tiki se convirtió en plomo.

Andrés parpadeó. Parecía dudar.

Finalmente, saliéndome al encuentro, movió la cabeza... anunciando un «no».

«¿No?... ¿A qué?... ¿Por qué?... ¿Ha equivocado el número?»

Instantes después, al ver cómo colgaba el auricular, me vine abajo.

—¿Qué sucede? —estallé.

Pero mi amigo —ausente— no respondió.

—¡Andrés!

Y por toda respuesta, sin mirarme, presentó de nuevo la palma de la mano izquierda. Y agitándola suavemente demandó lo único que no tenía: calma.

—¡Maldita sea!...

Y repitió la operación, marcando el número que ambos conocíamos de memoria.

«¿Un error?... Sí, seguramente...»

Y me agarré al supuesto como un náufrago a una tabla.

Silencio.

Y otra vez aquella automática e inexplicable concentración.

«Pero ¿qué pasa?...»

Silencio.

Y el instinto (?) me previno.

«Algo no va bien...»

Andrés, frunciendo el entrecejo, confirmó el negro barrunto.

Contrariado, colgó el aparato.

Silencio.

Y me negué a preguntar.

«¿Para qué?... Ya conozco la contestación... Este teléfono nada tiene que ver con Ricky... Enésimo fracaso... ¡Y vuelta a empezar!»

Naturalmente, me precipité... una vez más. La intuición no había errado. Fui yo quien no supo interpretarla correctamente.

Andrés terminó encogiéndose de hombros, quebrando el doloroso silencio con dos palabras que me resucitaron... en parte:

—Un contestador.

Andrés Goyanes. ¿Otra casualidad en esta investigación? Lo dudo... (Foto J. J. Benítez

Y simplificó.

—En la cinta se escucha la voz de un hombre... cantando las cifras del teléfono.

Debió de notar mi confusión. Y remachó:

—No hay duda... Lo he confirmado en la segunda llamada.

—¿Un hombre? ¿Cantando?

Pero el amigo, lógicamente, no pudo satisfacer mi agitada curiosidad.

«Entonces, si el número era correcto, ¿qué ha sucedido?»

E imaginé lo peor.

«La inicial del nombre y el apellido corresponden a un varón.»

De ser así, adiós a la endeble esperanza...

«¿Y si fuera un familiar o un amigo? ¿Podía tratarse, incluso, del marido?... ¿Ricky casada?»

Y la angustia me arponeó el estómago.

Si «aquello» era otra «frivolidad» del Destino (?), sinceramente, no le veía la gracia...

«Y ahora ¿qué? ¿Dónde se supone que estamos?... ¿Al principio?... ¿Al final... o en ninguna parte?»

¡Dios bendito! ¡Y luego dicen que el pescado es caro...!

Discutimos.

El esforzado Goyanes —que llegó a tomar el reto como algo personal— defendía la idea de repetir la llamada y dejar un mensaje en el maldito contestador.

Recelé.

Eso significaba «avisar».

Si en verdad me hallaba en el buen camino, si aquél era el teléfono de Ricky y si la norteamericana era una supuesta alienígena, podía sospechar... y «desaparecer» (?) de nuevo.

Andrés, perplejo ante tanta imaginación (?), negó con la cabeza. Y me devolvió a la realidad.

—Sólo se trata de un mensaje... Algo aséptico...

Y aunque reconocí que llevaba razón, el instinto
—a mis espaldas— continuó susurrando:

«¡Ojo!... Ricky puede ser... y no ser humana...»

Pero venció la sensatez (?).

«¿Por qué doy por hecho que la mujer es una alienígena?... Eso está por comprobar.»

Y me uní a la razonable proposición.

Y al «otro lado», en la lejana metrópoli, quedó
grabado un sencillo, inocente y escueto recado:

«... Soy fulano de tal... Escritor... Vivo en España,
aunque ahora me encuentro en Estados Unidos...
Trato de localizar a... Volveré a llamar... Un saludo.»

Y encarnado el «cebo» optamos por dar tiempo al
tiempo...

16 horas.

La misma habitación e idéntico nerviosismo, aunque algo apaciguado por la decepción que llevaba
puesta.

«Probablemente, aquel número no era el de
Ricky...»

Y el Destino (?), brutal en ocasiones, actuó sin mi-
ramientos.

Esta vez casi no hubo silencio ni tensa espera...

«Aquello», sencillamente, nos pilló desprevenidos.

¡Dios santo!...

¿Cómo transmitirlo? ¿Cómo describir semejante
susto?

Y Andrés, con gesto cansino, pulsó los dígitos por
cuarta vez.

Y antes de que acertara a sentarme frente a él...
¡sorpresa!

—¡Buenos días!

El súbito e inesperado saludo de mi amigo me
convirtió en estatua.

Al parecer, alguien se había dado especial prisa en
atender la llamada. El timbre pudo repiquetear —con
suerte— un par de veces...

Fue extraño... Sí, muy extraño.

Y entonces lo pensé... Y ahora también:

«Parece como si estuvieran esperando... ¿Es que "sabían" que, tarde o temprano, acabaría llamando?»

¿Intuición? ¿Fue el «ángel» (?) que siempre camina de puntillas?

¿O es que el «plan» seguía su curso... inexorablemente?

Y Andrés, en inglés, formuló la pregunta capital.

—¿Es el teléfono de fulanita de tal...?

Y servidor, de piedra, sin habla y sin corazón, empecé a desmoronarme.

Silencio.

E incrédulo preguntó de nuevo.

—¿Es usted fulanita de tal...?

Me estremecí.

«¡Está dirigiéndose a una mujer!»

—¿Seguro? —insistió.

Silencio.

Y el corazón, sin previo aviso, se puso al galope...

Y comprendí.

«Si la respuesta al primer interrogante hubiera sido negativa, mi amigo no habría planteado el segundo...»

Y terco —maravillosamente terco—, quiso confirmar la identidad de su interlocutora por tercera vez.

—¿Hablo con...?

Silencio.

Y aunque el atropellado corazón gritaba «¡SÍ!», en mi mente —no sé por qué— apareció un despiadado y gigantesco «¡NO!».

«No... No... No soy Ricky...»

Pero todo se hallaba atado y bien atado...

Y levantando la mirada, sin terminar de creérselo, mi amigo me obsequió con una generosa y significativa sonrisa.

Y lo supe...

«¡Bingo!»

Y Andrés, afirmando con la cabeza, me desató.

«¡Bingo!»

¡Era ella!

Y estallé.

Y como un niño, sin medida ni control, alcé brazos y rostro hacia el techo cerrando y agitando los puños.

«¡Merdi vienne... "Abuelo"!... ¡Eres grande!... ¡El más grande!»

Y salté sobre la cama... Y bajé y volví a saltar...

«¡¡Es ella!!»

Y Andrés, como pudo, reanudó la conversación con Ricky.

«¡Oh, Dios!... ¡Es Ricky!»

Y de pronto, con la respiración desbocada, me di cuenta: era mi turno.

Tenía que serenarme.

Pero ¿cómo?... «Aquello» había sido mortal...

¡No podía creerlo!... ¿Cómo era posible?... ¡Acabábamos de encontrar a la «gringa»!...

Pero, ¿así?... ¿Sin más?... ¡A la primera!

No, «aquello» no era normal...

¿Casualidad? Lo dudo...

Y en aquellos críticos momentos, cegado por aquel «premio gordo», no supe valorar el notable esfuerzo previo. Aun así, continúo preguntándome:

«¿Meticulosa "planificación"?»

Y del inglés, Goyanes pasó al castellano.

Esquivando la impaciencia que brotaba a borbotones por todos los poros de este perplejo y desarmado investigador, ajustándose con frialdad a lo convenido, fue a presentarme, explicando el motivo de la llamada.

Silencio.

Y fui consciente de la gravedad del momento.

«¿Aceptará?»

Y Andrés, cargando el énfasis, me puso por las nubes...

Pero la mujer, inexplicablemente (?) —así lo detallaría mi amigo poco después—, cortó la exagerada columna de incienso, replicando breve y rotunda.

Y hoy sigo sin entenderlo... ¿O sí?

Y Andrés, perplejo, me cedió el auricular.

—Dice que muy bien —balbuceó.

Y al tratar de hablar, me perdí. Y enredado en los nervios sólo acerté a emitir unos torpes y severos monosílabos...

Y ocurrió «algo» desconcertante.

Como si pudiera leer dentro de mí, adivinando (?) la intensa emoción que me sujetaba, aquella voz —dulce, templada y segura— fue calmándome. Dirigiéndome. Animándome...

Y despacio, inexorablemente, me gobernó. Y lo hizo con sencillez. Como si me conociera de toda la vida y echando mano de los más simples recursos:

—Disculpe usted... A mí tampoco me gustan los contestadores. Me encanta España. Sea bienvenido a Estados Unidos... Estoy a su disposición... Dígame... Perdone mi mal español... ¿Quiere que hablemos en inglés? Naturalmente que voy a ayudarle... Tranquilo...

Sí... ¡asombroso!

Pero, como un estúpido, recuperado el talante, en lugar de ir a lo que importaba, me desvié con una pregunta innecesaria.

—Entonces ¿es usted Ricky?

Y la voz, con infinita paciencia, sin alterarse, respondió afirmativamente.

Y me senté. Y volví a levantarme...

Y, con los nervios, el auricular casi resbaló entre los dedos.

¡Dios bendito! ¿Cómo hacerlo? ¿Cómo decir que aquél fue, sin duda, uno de los instantes más intensos de esta fascinante aventura? ¿Cómo dibujar el temblor, la alegría, la sorpresa y la emoción al escuchar aquella voz?

Después de tanto tiempo, esfuerzo, angustia y dudas... ¡allí estaba!

Sencillamente, ¡allí estaba Ricky!

Y volví a tropezar en la misma estupidez...

—¿Seguro que es usted...?

Y mi amigo y Ricky rieron al unísono.

Y la risa de la mujer, transparente y contagiosa, me cautivó.

Y a partir de esos momentos, todo fue «sí».

«Sí» a mis deseos de entrevistarla.

«Sí» a prestar su colaboración en el supuesto libro.

«Sí» a visitarla en su casa.

«Sí» a lo que fuera necesario...

¡Increíble!

A decir verdad, una sospechosa cadena de «síes»...

No, «aquello» no era normal.

Y, perplejo, me pregunté entonces... y ahora:

«¿A qué obedece tanta cordialidad y tan rotundos síes? ¿Por qué no formula una sola pregunta? ¿Por qué no capto la menor señal de recelo?»

No, aquella actitud no era lógica.

Ricky, a fin de cuentas, no sabía nada de aquel extranjero, supuestamente escritor y supuestamente interesado en un remoto y humilde pueblo español...

¿O sí «sabía»?

«¿Por qué ha aceptado sin vacilación?... Y, sobre todo, ¿por qué no ha titubeado al exponerle que la entrevista debía ser personal ¡y en su domicilio!»

No, «aquello» no era lo acostumbrado entre los desconfiados «gringos»...

Y tuve... y tengo... un presentimiento (?):

«Ella lo sabe... "Ellos" lo saben...»

Y voy más allá:

«¿Me esperaba?... ¿Me están "dirigiendo"?... ¿Qué papel desempeña en realidad este ingenuo investigador en todo esto?»

Sé que estas impresiones (?) no son —o no parecen— científicas y racionales...

¡Pues a la mierda la ciencia!

Como ya se ha visto —e iremos viendo—, «sensaciones, intuiciones y presentimientos» (?) resul-

tarían tan sólidos y elocuentes como los hechos ob-
jetivos. Quizás más...

Y Ricky, siempre respetuosa y acogedora, me dejó hablar.

Pero, de pronto, cuando trataba de justificarme, enumerando las excelencias de la población «A», me interrumpió. Fue la única vez. Y lo hizo con un comentario que se deslizó veloz en mi subconsciente. Una alusión a un personaje que tenía olvidado...

¡Spain!

El médico —eso afirmó— la había advertido (!)...

¡Ricky estaba al tanto!... ¡Conocía mis intenciones de escribir un libro sobre la referida población «A»!

Según dijo, Spain se lo adelantó por teléfono nada más recibir mi carta.

Y en esos atropellados instantes no reaccioné.

¡Menos mal!

De haberlo hecho, quizás hubiera resbalado...

No obstante, nada más colgar, me vi martilleado por una insistente «idea» (?):

«¿Por qué al médico le faltó tiempo para entrar en comunicación con su compañera de andanzas?

»En la carta no la mencionaba...»

Y una vieja sospecha siguió echando raíces.

«¡Spain!...

»¿Puede ser uno de "ellos"?... ¿Cómo "desapareció" aquel 29 de noviembre de 1981? ¿Por qué abandonó a su compañera de apartamento? ¿O no fue así?... ¿Continuó "cerca" de ella?»

Y creí entender por qué la segunda misiva —destinada a la supuesta alienígena— nunca fue echada al correo...

«¿Qué necesidad había?... Ricky, como digo, estaba informada.»

Y guardé un prudente silencio, no prestando atención —aparentemente— al comentario de la norteamericana sobre el «diligente» Spain. Pero el «aviso» fue procesado de inmediato...

148

Y la intuición (?) le puso «voz»:

«¡Ojo!... ¡Peligro!»

Y hubiera deseado hacerle mil preguntas...

«¡Dios!... ¡La tengo al alcance de la mano!»

Y ella, cordial —excesivamente cordial (?)—, quizás habría respondido... ¿O no?

Pero «alguien» (?), con dedos de hierro, estranguló la tentación.

No había llegado la hora...

Y el corazón de la historia —la verdad sobre su hipotético origen «no humano»— quedó temporalmente congelado...

Y fue en esos postreros momentos, al intentar amarrar los detalles que debían conducirme a ella, cuando pronunció el único «no».

Un «no» suave, pero firme.

No sé bien por qué lo hice, pero, casi al final de la intensa charla, solicité su dirección. Aquello formaba parte de la logística, de los detalles previos a la ansiada reunión. Quizás fue consecuencia de la deformación profesional...

Si en el último instante se negaba a la entrevista, disponiendo de la dirección, siempre quedaba el recurso de presentarse en su casa... por sorpresa.

Una idea arriesgada, lo sé, pero que ya había dado sus frutos en otras peripecias...

Pero, como digo, se negó en redondo.

—Dejémoslo para más adelante.

Y aunque no lo entendí, acepté, claro está...

Y hoy me asalta otra duda:

¿Por qué se negó? ¿Por qué, sin embargo, días más tarde, aceptaría gustosa y sin reparos la petición de que escribiera dicha dirección, de su puño y letra, en mi cuaderno de campo?

¿«Sabía» lo que ocurriría meses después en el Yucatán? ¿Estaba enterada de la importancia de aquellas líneas manuscritas y de lo que podían revelar a los peritos grafólogos?

149

Obviamente, de haber aceptado, si yo hubiera tomado en esos momentos el nombre de la calle y el número de la vivienda, no habría sido lo mismo...

Y no puedo por menos que admirarme.

Pero estoy cayendo en el vicio de adelantar los acontecimientos...

Y la despedida fue igualmente... ¿cómo definirla? ¿Curiosa? ¿Desconcertante? ¿Anormal?...

—Queda en paz con el universo.

Sí, es posible que sólo fuera una fórmula. Pero ¿por qué consiguió que me estremeciera?

¡Qué extraña sensación!

Y al interrogar a Andrés, entre divertido y feliz, ratificó que, en efecto, la conversación no fue un sueño.

¡Dios mío! ¡Acababa de hablar con Ricky! ¡La había localizado!

Lo que parecía casi imposible se convirtió en realidad... y de la forma más simple y natural.

Tuve un recuerdo para el ingeniero. A él, quizás, le hubiese gustado estar en mi lugar...

Y Andrés se mostró conforme conmigo:

—El comportamiento de Ricky no es usual entre los esquinados «gringos».

Y durante un tiempo contrastamos opiniones.

No, «aquello» no era normal.

¿Por qué no preguntó? ¿Era admisible tanta facilidad?...

Servidor, después de todo, es un perfecto desconocido en USA.

¿Era habitual que una ciudadana norteamericana aceptara recibir en su casa a un extranjero al que no conoce?

¿Por qué el olvidado Spain la advirtió? ¿Seguían en contacto después de tantos años?

¡Spain!

¿Y por qué no culminar la jornada? ¿Por qué no llamarle también?

Dicho y hecho.

Y la «fortuna» (?), nuevamente de cara, nos sirvió al médico en bandeja...

¡Increíble!

Parecía como si se hubieran puesto de acuerdo...

La voz de Spain respondió al instante. Nada más marcar.

«¡Qué raro!», pensé.

¿Casualidad? Lo dudo...

Estábamos en agosto. En plenas vacaciones. Y, para colmo, en domingo...

No, «aquello» no era normal...

Y amabilísimo (!), reconoció haber recibido mi carta y haber visitado la población «A» en 1981.

Y el instinto (?) —no sé por qué— me previno.

Y silencié la reciente conversación con Ricky.

Aun así, Spain me sorprendió...

¡Qué curioso!

Si Ricky fue cordial... Spain mucho más.

Si Ricky parecía conocerme de toda la vida... Spain no le iba a la zaga.

Si Ricky no hizo preguntas... Spain tampoco.

Si Ricky dio facilidades... Spain las regaló en cada frase.

Si Ricky respondió a la llamada con especial celeridad... Spain exactamente igual.

Si Ricky prometió colaborar en el libro... Spain fue incluso más allá: podía contar con fotografías suyas.

¿No eran muchas coincidencias? ¿Qué estaba pasando? ¿Quién era realmente aquel médico?

Y lo más alarmante: ¿por qué el «solícito y bondadoso» Spain no mencionó a Ricky en ningún momento?

¡Qué curioso!

Si sabía de mi interés por los extranjeros que habían conocido el pueblecito español, y le faltó tiempo para advertir a su amiga de mis intenciones, ¿por qué no hizo alusión a su compañera? También era una fuente de información...

Pues no... ¡Ni palabra!

Y el instinto (?) volvió a disparar las alarmas...

«Aquí ocurre "algo" raro.»

Y le seguí el juego.

Y hoy, a finales de julio de 1997, tal y como imaginé, a pesar de las reiteradas promesas, continúo esperando fotos y comentarios...

Y sé que nunca llegarán.

¿Intuición?

Probablemente.

Y por un momento —casi al final de la charla— contemplé la posibilidad de viajar al norte y visitarlo. Pero «alguien» —quizás esa «fuerza» invisible, puntual e implacable— dijo «no».

«Tiempo habrá para investigar al segundo y no menos enigmático personaje.

»Ahora, Ricky tiene prioridad.»

Y aquella noche, al ordenar los acontecimientos del día, escribí en el cuaderno de campo:

«... He tenido suerte (?), pero el caso, lejos de esclarecerse, se ha oscurecido de repente...»

Y matizo:

¿Suerte?

No, el término no es riguroso. Más bien me inclino por lo de siempre: minuciosa «planificación»... por parte de «ellos».

Y en las horas que siguieron al «histórico» domingo, al examinar con lupa estos sucesos, fui convenciéndome... un poco más.

«¡Qué precisión!... ¡Qué control!»

Y ese convencimiento me arrastró a algo peor...

«¿Qué me reserva el Destino (?)?... ¿Qué me aguarda en la gran metrópoli?... ¿Quién es realmente Ricky?»

Y un familiar «fantasma» llamó a la puerta de nuevo...

«¡Ricky!»

Y no pude evitarlo...

«¿A qué clase de ser me enfrento?»

Y se instaló a sus anchas...

«¿Humano?»

Y fui retrocediendo y retrocediendo...

«¿Es uno de "ellos" con apariencia humana?»

Y luché, sí, pero la «fiera» era poderosa...

«Todo marcha mejor de lo esperado —repetía en un vano empeño por expulsarla—. Al tercer día de tu llegada a USA ya has logrado lo más difícil...»

Pero el oscuro «inquilino» se hizo carne y sangre...

«¡Oh, Dios! ¡Otra vez no!»

Y el miedo me derrotó...

«¡Sí... miedo!... ¡Ese "huésped" indeseable...!»

Y en las siguientes jornadas se hizo dueño.

El solo nombre de Ricky, su imagen, su voz o el recuerdo del obligado encuentro con ella, desencadenaban un cataclismo interior y un pánico destructor.

«¡Dios de los cielos!

»¿Cómo entenderlo después de tantos años?... ¿Después de haber interrogado a más de diez mil testigos ovni?»

Ése, quizás, era el problema...

«¿Testigo ovni... o mucho más? ¿Cómo clasificarla?... ¿Dónde se halla la raíz de este terror?»

Y la respuesta —demoledora— fue siempre la misma:

«Ricky no es un testigo más... ¡Ricky puede ser uno de "ellos"! ¡Uno de "ellos"! ¡Uno de "ellos"!»

En veinticinco años de investigación, jamás tuve la oportunidad —que yo sepa (?)— de ver a uno de estos «seres», de dialogar cara a cara con «ellos»...

Ahora, sin embargo, los indicios y la intuición (?) me decían que «sí», que estaba «muy cerca»...

«¡Uno de "ellos"!»

Y el presentimiento (?), como digo, engendró el miedo.

Pero no fue un pánico... ¿cómo definirlo?... aparatoso. No me desmanteló exteriormente, como sucediera en España, poco antes de la partida hacia USA.

Esta vez me consumió por dentro...

Y aunque creo que nadie lo percibió, el deterioro fue tal que terminé adoptando una firme y, a todas luces, lamentable decisión:

«Retrasé... indefinidamente... el viaje a la gran metrópoli.»

Y naturalmente, me justifiqué...

«No estoy preparado... Necesito más información. Primero debo investigar el supuesto accidente de autobús...»

Y otra «voz» (?), al mismo tiempo, denunció la verdad:

«No puedo, no quiero entrevistarme con esa "mujer" (?).»

Y entonces, y también ahora, me costó comprenderlo..., y aceptarlo.

Sé que no había justificación.

«¡Por supuesto que estoy preparado!»

La realidad era otra...

Sencillamente, me asusté.

¡Cuán engañosas son, a veces, las apariencias! No es cierto que la experiencia le vacune a uno contra todo...

Y Blanca, desconcertada, asistió a un demencial cambio de planes. En lugar de actuar con lógica —es decir, aprovechar la estancia en Estados Unidos para visitar a Ricky—, le anuncié nuestra próxima salida... ¡hacia México!

Pidió explicaciones, claro está...

Pero, deseando únicamente poner tierra de por medio, guardé silencio.

—¿Y qué hacemos con Ricky? Ha prometido recibirte.

Me refugié en la falsa excusa del autobús.

Y Blanca, obviamente, protestó. Y suplicó...

Pero el terror había ganado la partida.

Y me aferré ciegamente a la segunda etapa del viaje...

De acuerdo con lo planeado, una vez localizados Ricky y Spain, deberíamos entrar en el escenario de los hechos e investigar el supuesto e importantísimo accidente de autobús.

Y mi mujer, indignada, me recordó lo que ya sabía:

—Pero si ni siquiera conoces el año del suceso...

Y añadió a quemarropa:

—¡Ni el año ni el lugar! ¡Esa búsqueda, pedazo de idiota, te llevará meses!

¡Dios!... ¿Y cómo explicarle?... ¿Cómo confesar que todo era consecuencia del miedo?...

Bien sabía que el rastreo del «camionazo» era poco menos que imposible...

Y terco, incapaz de reconocer mi debilidad, me distancié de sus sensatos consejos, fijando la partida hacia el Distrito Federal para el sábado, 31 de agosto.

Y en buena medida... «descansé».

«¿Ricky?... No, no quiero saber nada de ella... de momento. Prefiero agotarme en las hemerotecas y en los archivos de la policía azteca a enfrentarme al viaje a la gran metrópoli...

»¡Dios bendito! ¡Cuánto daño y confusión puede provocar el miedo!»

Miércoles, 28.

Al reunirme con Marta, en el sur, la angustia se enfrió (?). Y el estruendo interior pareció ceder.

Pero sólo fue un espejismo...

Y fui a centrarme en algunos de los detalles que habían quedado descolgados en España. Sin embargo, las sucesivas entrevistas con la dueña de los apartamentos de la población «A» fueron menos provechosas de lo que esperaba.

Marta no dudó.

Al mostrarle las identidades y direcciones de Ricky y Spain, reseñadas en el libro de huéspedes, negó con aplomo.

No, aquélla no era su letra y tampoco la de su ex marido.

—¿Entonces...?

Pero no supo ir más allá.

Y en el aire flotó una hipótesis:

«La ficha en cuestión pudo ser cumplimentada por uno de los supuestos "turistas". Quizás por los dos...»

A Marta le pareció raro... Al menos, poco usual.

Y me explico.

En 1981, tanto ella como Tom hablaban y escribían inglés correctamente. Lo lógico, por tanto, como sucedía con el resto de los registros del célebre bloc de anillas, es que las ocho líneas hubieran sido escritas por los dueños...

Algún tiempo después, esta insignificante (?) «pieza» encajaría también en el «rompecabezas».

Y serviría para reafirmar lo dicho:

«Todo atado... y bien atado.»

Con el segundo detalle tampoco hubo problema.

Marta examinó la ficha de nuevo y explicó convencida:

—Está muy claro. Aquí lo dice... Spain, efectivamente, se alojó durante catorce noches en los apartamentos... Y el 29 de noviembre de 1981, al verse sola, probablemente por comodidad, Ricky decidió mudarse al número 12 de la calle Prim...

Y las sospechas iniciales se confirmaron.

En lo que ya no estuve de acuerdo fue en sus comentarios finales.

«¿Sola?... ¿Por comodidad?»

Francamente, lo dudé...

Pero, lógicamente, no dije nada.

Y la dueña, como ya señaló en su momento, no supo aclarar el cuándo y el cómo de la «desaparición» de la «gringa». Pero coincidimos en algo:

«El irritante "Dic. 2" no puede significar la fecha de la partida.»

Y sumó un valioso dato:

—El hospedaje lo pagó Spain... y por adelantado.

Y al igual que el ingeniero y el resto de las personas que conoció a Ricky, comentó convencida:

—Nunca la vi manejar dinero, ni tampoco cheques o tarjetas de crédito...

Y salté a otro tema, no menos intrigante...

—¿Novios?

Y la mujer, con su fino instinto, se inclinó a creer que no.

—¿Ricky y Spain, novios? En absoluto...

Y sentenció:

—Aquélla era una amistad (?) muy extraña... Dormían juntos, sí, pero no se comportaban como amantes... Jamás observé una caricia, un beso, un detalle...

Y fue a revelarme algo que, al parecer, le había confesado la propia Ricky:

—La relación amorosa no era con Spain, sino con un hermano de éste.

Días más tarde comprobaría que se hallaba en lo cierto...

Y me pregunté y sigo preguntándome:

«Entonces ¿por qué Spain acompañaba a Ricky?... Si no eran novios, ¿cuál fue el objetivo del viaje?

»Extraño, sí... muy extraño...»

Y la vieja sospecha creció.

Y tras pasar revista por enésima vez a los flacos recuerdos de Marta, busqué la forma de reunirme con Tom, el ex marido.

Pues bien, en esta ocasión, a pesar de los dos días invertidos y de la mediación de la dueña, fracasé estrepitosamente.

Por razones que no he logrado poner en pie, el norteamericano —residente en la misma ciudad en la que trabaja Marta— me esquivó sin cesar.

Estaba claro. No deseaba remover la memoria ni responder a las preguntas sobre los «huéspedes» de 1981...

No tuve opción.

Y la entrevista fue aplazada... de momento.

«¿Qué sabe Tom?... Mejor dicho, ¿qué oculta?... ¿A qué obedece esta inexplicable actitud?... ¿En qué puede perjudicarlo... o perjudicarlos?... ¿Qué había pactado (?) con los supuestos "turistas"? ¿Qué llegó a ver?»

Jueves, 29.

Y aquella mañana, de pronto, el indeseable «compañero» despertó con inusitada violencia.

Y ocurrió lo que, en ocasiones, suele ocurrirme...

Blanca está acostumbrada. Yo, en cambio, no.

Y en un típico arranque, necesitado de una solución que anulara aquel voraz pánico, eché mano de la «cirugía»...

«Tengo que intentarlo... Sí, el "bisturí" será lo mejor... Lo degollaré...»

¡Pobre ingenuo!

Y el remedio fue peor que la enfermedad...

Y Blanca, atónita, me vio marcar el teléfono de Ricky.

«Sí... le haré frente.»

Y al teclear fui dándome ánimos.

«... Sólo es una "gringa"... Una simple ciudadana que ha visitado España... Algo rara, sí, pero con una dirección, una casa, un teléfono... Debo seguir el consejo: pisa donde pise el buey...»

Y Ricky —¡cómo no!— respondió al primer toque...

Y me descompuse.

Y el supuesto valor empezó a escapar...

La mujer no pareció sorprendida.

«No, "esto" no es normal...»

Y se mostró tan amable, dulce y acogedora como en la ocasión anterior.

Y, definitivamente, me vine abajo...

Pero sucedió... ¡Sucedió de nuevo!

¡Cuán extraño y desconocido es el espíritu humano!

No sé cómo, ni de dónde salió, pero, recobrando

momentáneamente la entereza, le adelanté algo que me sorprendió a mí mismo:

—¿Qué tal la semana próxima?... ¿Puede recibirme?

Y aceptó con toda naturalidad y al instante.

Y comprobé que estaba sudando. Era un sudor frío...

Y en aquella pelea desigual, el miedo siguió desarmándome.

«¡Es uno de "ellos"!... ¡Retrocede!... ¡Anula la cita!»

Y Ricky, con aquel desconcertante poder de adivinación, se alió con la voz del miedo. Y me previno:

—Presiento que voy a defraudarle... Mis recuerdos son oscuros... Lamento que haya venido desde tan lejos... para nada.

Y llenando el tono de gravedad añadió muy lentamente:

—¿Seguro que sólo quiere hablar de la población «A»?

Pero, torpe como siempre, no tuve reflejos. No supe «leer entre líneas»...

En aquellos críticos momentos me hallaba enredado en mi propia paradoja.

«¿Cómo es posible?... Acabo de posponer el viaje a la ciudad de Ricky y, sin embargo, ¡aquí estoy!... preguntando si puede atenderme... ¡la semana próxima!

»¡De locos... sí!»

Y como un autómata, improvisé:

«No importa que sus recuerdos sean oscuros... Yo la ayudaré...»

Y a pesar del miedo, fui a rizar el rizo en aquel delirante comportamiento.

Y quedé en confirmarle el día de mi vuelo a la gran metrópoli...

Y al colgar creí morir.

«¿Qué he hecho?»

Y la «fiera» se ensañó.

Y lo hizo sin piedad... y con una frase:

«... ¿Seguro que sólo quiere hablar de la población "A"?»

Y aquel viejo presentimiento (?) apareció de la mano del terror.

«¿Qué ha querido decir?... ¿Qué estaba insinuando?»

Y sólo fui capaz de pensar (?) en una dirección.

«Sí... lo sabe... Sabe la verdad... ¡Ricky es uno de "ellos"!... ¡Y me está esperando!»

Y el remedio, como decía, fue peor que la enfermedad...

Y maldije aquel arranque.

Y allí mismo di marcha atrás...

«¡Al diablo Ricky! ¡Al diablo el ingeniero y la historia de los "infiltrados"!

»En mi agenda esperan otras investigaciones...

»¿Por qué complicarme la vida con "esto"?»

Y, asustado, renegué de todo. En especial... de mí mismo.

Estaba decidido: suprimiría, incluso, el proyectado viaje a México.

«Pero ¿qué ocurre? Mejor dicho, ¿qué me ocurre?»

Y Blanca, a la vista de aquel rostro desencajado, no se atrevió siquiera a preguntar. E hizo bien...

Aquélla, sin duda, fue una situación grave y peligrosa. Y poco faltó para que el caso Ricky se hundiera para siempre en los archivos...

Pero, obviamente, olvidaba a «alguien»...

¡El implacable Destino (?)!

Viernes, 30.

No sé por qué (?) pero, afortunadamente, mantuve a Blanca al margen de estas decisiones y zozobras.

«Sí... hoy mismo le daré la noticia... Volvemos a España... ¡Adiós a Ricky!...

»¿Y cómo lo justifico?...

»Ya veremos... Algo se me ocurrirá...»

Pero el Destino (?), como digo, estaba al quite...

Y aquella mañana, mientras paseábamos sin rumbo fijo —todo había terminado para mí—, sucedió «algo»...

¡Cuán cierto es que la vida y las más graníticas decisiones pueden variar en treinta segundos!...

Ni entonces supe la razón ni tampoco ahora. Quizás, eso sí, sospeché...

E imaginé que «aquello» encerraba una posible doble lectura:

«O la inestabilidad de este pobre y anárquico investigador no ha tocado fondo o lo "planificado" —no sé bien por quién— continúa su curso... a pesar de mí mismo.

»¿No sé por quién?... ¡Mentiroso!»

¡Que cada cual lo interprete como pueda o sepa!

La cuestión es que, mientras mi mujer practicaba uno de sus deportes favoritos —curiosear escaparates—, servidor, a su lado, rumiando en silencio una fórmula airosa (?) que medio justificara el retorno a España, fue a «tropezar» (?) con «aquello»...

Y me detuve en seco.

«¡Explicarlo?... ¡Imposible!»

Sólo recuerdo que una «fuerza» todopoderosa —esa «fuerza»...— me arrastró al interior...

¡Y juro por lo más sagrado que nada tuve que ver con mis propios movimientos y palabras!

Y Blanca, desconcertada, se unió a su no menos desconcertado marido.

Media hora más tarde abandonaba la agencia de viajes con un pasaje de avión en las manos y un «no entiendo nada» en el corazón...

«¡Un pasaje para la gran metrópoli!»

¿Fecha?: 2 de septiembre, lunes...

«¿Qué está pasando?»

Aeropuerto de partida y de retorno: México, D. F.

«Pero ¡yo no quiero...!»

Y Blanca, intuyendo la cruel batalla interior, me acogió entre sus brazos...

—¡Felicidades!

Y la miré e, incrédulo, volví a examinar los billetes...

«¿Felicidades? ¿Por qué?... Yo no he sido... Yo sólo quiero regresar a España.»

Pero mi mujer nunca supo de estos pensamientos.

«¿Estaré verdaderamente loco?»

Y una «voz» (?) se apresuró a replicar:

«Sí, maravillosamente loco...»

Y lo que Blanca tampoco adivinó es que, allí mismo —¡cómo no!—, me arrepentí de nuevo...

Pero, esta vez, esa «fuerza» me cubrió. Y me sentí extrañamente en paz. Extrañamente amparado...

Y soporté la embestida del miedo.

Y comprendí que nada en el mundo —ni yo mismo— podría apartarme del caso Ricky.

Y en aquella «pirueta» (?) del Destino (?) hubo «algo» más. «Algo» que —ahora lo sé— tenía que ser así...

Y lo acepté.

Y Blanca, inteligentemente, lo asumió también... con resignación.

Contra todo pronóstico —no era ésa mi costumbre—, sólo compré un boleto de avión. Blanca no me acompañaría en este trascendental viaje.

«¿Por qué?... Aparentemente, no tiene sentido...»

Mis sospechas se fortalecieron.

Yo tuve poco que ver en la fulminante decisión de entrar en la «oportunísima y causal» agencia de viajes.

«Aquello» no fue cosa mía...

De haber actuado fría y conscientemente, en primer lugar... no habría traspasado la puerta.

Por último, dado el pánico que me inspiraba la supuesta alienígena, lo lógico es que hubiera preferido —casi exigido— que alguien me acompañara y diera fe del encuentro...

¡Y quién mejor que mi mujer!

La verdad es que lo analizamos y discutimos. Y Blanca encontró otra explicación...

Pero dudé.

En aquellos momentos del viaje, Tirma, mi hija pequeña, se había unido a nosotros. Y Blanca, como digo, pensó que el hecho de volar en solitario a la gran metrópoli obedecía fundamentalmente a mi deseo de no dejarla sola.

La justificación, sin embargo, no me convenció.

«Aquí flota "algo" más... Y creo entender...

»¿Tengo que enfrentarme a solas con Ricky?... ¿Por qué?»

Y tampoco acerté a comprender la absurda «maniobra» de viajar a la ciudad de Ricky desde la capital azteca. De haber sido responsable de mis actos en la agencia de viajes, por sentido común, tiempo y economía, lo normal es que el salto hubiera sido planificado desde el lugar donde me hallaba: la Florida.

Poco después lo vi claro...

Tenía que ser así.

La decepción que me aguardaba en la metrópoli podría haber puesto en peligro las siguientes y «obligadas» fases de la investigación...

Y sigo maravillándome.

«¡Qué precisión! ¡Qué minucioso control!»

Sábado, 31.

Y con el miedo temporal y discretamente contenido por aquella benéfica «fuerza», hice acopio de valor y repetí la llamada a la bella «gringa».

Y tampoco pareció sorprendida...

Sencillamente, me dejó hablar.

Y al anunciarle que aterrizaría el lunes en su ciudad, sin perder la habitual e inquietante calma, como lo más natural (?) del mundo, comentó:

—Perfecto... Al llegar al aeropuerto, por favor, avíseme... Estaré encantada de pasar a recogerle...

Y el instinto (?), atentísimo, tocó en mi hombro.

«¿Perfecto?... ¿Encantada de pasar a buscarme?...

163

»No, esa actitud, esa "hospitalidad" (?), no son normales.»

Y de pronto preguntó:

--¿Y cómo sabré reconocerle?

Y me vi atrapado en mi propia mentira...

Lógicamente, no la puse al corriente de las fotografías que obraban en mi poder, providencialmente (?) tomadas por el ingeniero en 1981 o 1982. Eso formaba parte de la «otra» historia... La verdadera...

En definitiva, yo sí podía identificarla... Ella a mí, en cambio, no... ¿O sí?

Pero no adelantemos acontecimientos...

Y escapé del conflicto sin demasiada imaginación.

—Muy simple —disimulé—. Basta con que escriba mi nombre en un papel...

Y Ricky cometió un error. ¿O no fue tal?

—Muy bien... J. J. BENÍTEZ... con mayúsculas.

Y fue un latigazo...

«J. J.?... ¿Y cómo sabe de mis iniciales de "guerra"?... En la primera conversación, ni Andrés ni yo las mencionamos... Y tampoco en la segunda... Que recuerde, siempre me presenté con el nombre completo: Juan José...»

Y las sospechas se agitaron y me levantaron con el ímpetu de un tornado...

«¡No puede ser!... ¡Está al tanto!

»Entonces...

»¡Sí... lo es!... ¡Es uno de "ellos"!»

Y la anécdota, aparentemente intrascendental, terminaría jugando un «interesante papel» en esta, cada vez más, intrigante aventura...

Pero de «eso» me daría cuenta bien entrado el histórico lunes, 2 de septiembre de 1996...

¡Extraño Destino (?)!

Y tras regresar a Daytona, siendo las 14 horas, despegamos finalmente con rumbo a México... y a lo desconocido.

La suerte estaba echada...

MÉXICO, D. F.

Domingo, 1 de septiembre.

¡Pobre ingenuo!

No, el miedo no había sido sofocado.

Y conforme fui acercándome al inevitable y temido lunes... se desperezó.

Y experimenté unos continuos y agudos pinchazos en la boca del estómago...

Y la poderosa «fuerza» que lo mantuvo a raya en las últimas horas pareció desentenderse... en parte.

Aunque no se manifestó como el pánico corrosivo de otras veces, sí me robó el aire...

Y me sentí huérfano.

«¿Dónde está aquella "fuerza"?... ¿Por qué me abandona?... ¿Por qué precisamente ahora?»

Pero bueno será que me refugie de nuevo en el fiel diario. Él, mejor que yo, sabrá transmitir el estado de ánimo de este atribulado viajero durante la jornada previa al viaje a la gran metrópoli norteamericana...

Leo textualmente:

«... El Distrito Federal amanece lluvioso. Tan gris y borrascoso como mi corazón...

»Visita al Zócalo...

»Imposible acceder a la basílica de Guadalupe. Nos quedamos sin saludar a la Virgen... La lluvia cae torrencialmente...

»¡Dios! ¡Esto es insoportable! ¡Estoy temblando!...

»¡No quiero... no puedo! Ricky me da terror...

»16 horas.

»Paseo con Blanca y Tirma por la "zona rosa".

»Entramos en un cine. Vemos *Independence Day*...

»¡Otra "charlotada" USA!... ¿Cuándo aprenderán que la realidad ovni supera a la ficción?...

»Sí, Ricky sería una gran película...

»18 horas.

»¡Ya falta menos!... Creo que estoy pálido...

»¡Debo ser valiente! "Ellos" saben... supongo.

»¿Y qué hago cuando la vea?... ¿Qué digo?... ¿Cómo empiezo?... ¿Llevo las fotos de 1981? ¿Me dejará grabar?... ¿Me permitirá fotografiarla?...

»¿Y si me secuestra?...

»¡Qué tontería! ¡Ya empezamos!...

»Tienes que estar preparado para todo... ¿Quién sabe?...

»Pero no... Lo más probable es que me mande a paseo...

»"¿Extraterrestre? ¿Yo?... ¿Yo una extraterrestre?... Pero ¡qué se ha creído!"

»Fin de la entrevista.

»¿O no?

»21 horas.

»Cena en Garibaldi... ¡En mala hora!...

»Los muy ladrones han querido estafarnos. ¡Veinte mil pesetas por una botella de vino blanco... y del malo!...

»Estallo... Y la tensión acumulada cae sobre los piratas del restaurante Nuevo México. Interviene la policía... pero también está "comprada"... ¡Qué desastre de país!

»Me niego a pagar... Regateo... Amenazo...

»Al final abono cuatrocientos pesos... ¡por toda la cena!

»¡Qué sinvergüenzas!

»2 de la madrugada.

»¿Dormir?... ¡Qué más quisiera!...

»Aquí estoy, escribiendo y dejando constancia de mi frágil y escaso valor...

»¿Valor? ¿Qué valor?... ¿Dónde está?

»Sí... Lo sé...

»Ricky podría ser uno de "ellos". ¡Y me espera!

»Dentro de unas horas la tendré a mi alcance... ¡O yo al suyo! ¿Y cómo hago? ¿Cómo controlar? ¿Cómo disimular el pánico?

»Blanca tampoco duerme...

»Sé que sabe... Lo intuyo... Hasta un ciego percibiría el trueno de esta angustia...

»¿Marcha atrás? ¡Imposible! ¡Ahora no!

»Me asomo a la ventana.

»Sí... Él sí puede auxiliarme...

»Y mi último pensamiento es para el "Abuelo".

»No debo pedir, lo sé, pero, por favor, dame fuerzas...

»Las estrellas tiritan azules a lo lejos...

»Sí, yo también puedo escribir los versos más tristes esta noche...

»Puedo escribir y describir el miedo..., porque yo soy el miedo.

»Tengo frío...

»¡Ojalá no amanezca!...»

Lunes, 2 de septiembre de 1996.

5 horas.

Estoy dormido.

Cruzo el Distrito Federal sin tropiezos. Continúa lloviendo.

Aeropuerto internacional Benito Juárez.

«¡Vaya por Dios! ¡Empezamos bien!

»El tráfico aéreo es una espesa tela de araña.»

El vuelo de la United Airlines despega con retraso. Según mis cuentas, con veintiocho minutos y treinta segundos.

«¡Sólo falta que llegue tarde a la cita con Ricky!...»

Y al miedo, a ese indeseable «compañero» de viaje, se une el nerviosismo.

«Bien... ¡Ahí voy!»

El cronómetro señala las 8 horas, 36 minutos y 10 segundos.

«¡Adiós... México!»

Y por delante... ¡Dos mil millas!

Abro el cuaderno de «bitácora». Y examino las imágenes de Ricky, la supuesta alienígena, por enésima vez.

Me la sé de memoria...

«¿Será realmente uno de "ellos"?... No, me niego a pensar... Ahora no...»

Y me aferro al cuestionario. Y lo repaso. Y lo corrijo...

—¿Café?

—Claro, señorita... Todo el café del mundo.

Y la azafata observa de reojo las fotografías de la bella «gringa».

Y comenta, guiñándome el ojo:

—Su novia es muy guapa.

Sonrío sin ganas.

—Si tú supieras...

10.30 (hora local).

Aterrizaje impecable.

Aplausos para el capitán Khein.

Y la gran metrópoli norteamericana resplandece altiva en el horizonte.

«¡Ha llegado el momento!»

Y al abandonar el avión sucede «algo»...

«¿Dónde está el "compañero"?... ¿Qué ha sido del punzante e implacable miedo?»

Y con paso rápido, camino del control de pasaportes, respondo atónito:

—Sí... me siento tranquilo... Extrañamente en paz...

Examino las manos.

Pulso normal.

«Pero ¿dónde ha ido a parar el familiar y penoso temblor de hace unas horas?»

Inspiro hondo y sonrío para mis adentros...

«¡La "fuerza"!... ¡Ha regresado!...

»¡Merdi viennne... "Abuelo"!»

Y busco... Busco en los interminables y funcionales pasillos...

«¡Un teléfono!... ¡Necesito un teléfono! ¡Ricky espera mi llamada!»

Más sorpresas...

«¡Mierda!»

Cientos de orientales —los inevitables y omnipresentes japoneses— hacen cola frente a las cabinas de inmigración.

10.40.

«¡Inaudito!

»Uno de los aeropuertos más concurridos del mundo y no veo un solo teléfono...»

«Empujo» con la mente. Inútil. El funcionario no tiene prisa.

10.50.

«Ya falta menos...»

Una treintena de nipones me separa de la línea verde.

Los nervios protestan... y yo también.

Primer susto.

Un inspector se acerca a la fila.

¡Y me "elige"...!

«No me extraña... Al lado de tanto "mini-japonés" debo parecer el Michael Jordan ese...»

Y exige los papeles.

—¿Motivo de su visita a Estados Unidos?

Y dudo...

«¿Qué respondo? ¿Cómo le explico? ¿Cómo le digo que intento reunirme con una mujer que —quizás— "es y no es humana"? ¿Podrá entenderlo y entenderme? ¿Será capaz de admitir que una supuesta compatriota suya —Ricky— no es lo que parece? ¿Cómo hablarle de extraterrestres... infiltrados entre nosotros?»

Y me escurro con un lacónico y aséptico... «profesional... motivo profesional».

Pero el funcionario, insatisfecho, trata de desnudarme con la mirada.

Y me digo:

«Lo tienes crudo...»

No sé por qué —quizás porque soy un malvado—, pero estas situaciones me divierten...

Y desconfiado y minucioso, hojea de nuevo el pasaporte.

«Calma —insisto mentalmente—. Sobre todo, calma...»

Y revuelvo en el ático de las excusas, buscando un motivo (?) medianamente creíble. Pero, de momento, no aparece... Y el lance —¡dichoso Destino (?)!— se envenena.

De pronto se detiene en una de las hojas. Lee y regresa a mis ojos. Y adivino una incipiente y velada agresividad.

Señala uno de los sellos ovoide —en rojo, para mayor desgracia— y se arma hasta los dientes...

«¡Vaya por Dios!... ¡También es mala pata!»

Y montado en la sospecha, agrio por dentro y por fuera, pregunta:

—¿Profesión?

Aquel sello —estampado por la República de Cuba— enciende al individuo.

—Periodista —replico al punto, y con orgullo.

Y el inspector aprieta...

—¿Es usted comunista?

Y frío como el mármol, me apunto a un juego divertido... y peligroso.

—Currista... Soy currista.

Pero el obtuso, obviamente, no capta la «larga cambiada».

«¿Cómo traducir al inglés una expresión tan taurina?»

—¿Caguista?

Y sujetando la risa con dificultad, repito desafiante:

—¡Currista!... ¡De Curro!

Y el muy traidor se destapa: ¡habla español!

Menos mal que no he mentado a su señor padre..., entre dientes.

Y exige de nuevo una explicación.

—¿Cuguista?... ¿Qué es cuguista?

Y me ensaño...

—El régimen político-social... perfecto, amigo.

Y, atónito, insiste...

—¿En España son cuguistas?

Y me adorno a lo Curro Romero...

—Sólo los inteligentes...

Y, perplejo, se «cierra en tablas».

172

—Pero, vamos a ver... ¿eso es democrático?

Y lo descabello...

—Dígame... ¿es Dios democrático?

Oreja y vuelta al ruedo...

Y con una estudiada y oportuna sonrisa pongo fin a la «faena».

Y el «gringo», en las nubes, se suaviza.

«¡Gracias, Curro!»

—Está bien, señor cuguista... pero ¿a qué viene exactamente?

Y suelto otra verdad. Mejor dicho, media verdad...

—Estoy citado con una «estrella»...

Y el funcionario, temiendo una nueva fresca, se rinde.

—¿De cine?... ¡Qué suerte! ¡Que tenga un buen día!

Y al recuperar el pasaporte, redondeo la frase mentalmente:

«Sí... una "estrella" del firmamento...

»Nunca mejor dicho.»

11.04.

«Mi turno... ¡Al fin!»

Y el policía repasa y verifica el impreso de entrada.

Contempla la fotografía de aquel descarado y levanta la vista, examinándome.

Sostengo la escrutadora mirada.

Finalmente teclea aburrido en el diminuto ordenador.

Y leo con él:

«No existe.»

La clave —equivalente a «estar limpio» de antecedentes— me libera.

Y el sello, golpeando el pasaporte, suena a pistoletazo de salida.

«Autorizado el ingreso en USA...

»Ahora sí... Ahora empieza la gran carrera.

»Ricky es la meta.»

Y vuelo por los pasillos...

«¿Reconocerá la verdad?... ¿Aceptará que no es de aquí?...

»¿Admitirá la aparentemente fantástica versión del ingeniero?...

»¿O me mandará a paseo?

»Pronto saldré de dudas... Muy pronto...»

11.10.

«¡Un teléfono!... Pero ¿qué pasa en este maldito aeropuerto? ¡Necesito un teléfono!»

Y el Destino (?) tensa la cuerda...

¡Cuán sabio es!

Y rebusco en los bolsillos. Y en la bolsa de mano que me acompaña...

«¡Nada! ¡Ni un centavo!»

Con los nervios y las prisas, he olvidado lo más importante: moneda fraccionaria...

Pregunto. Subo... Vuelvo a bajar. Corro...

Y en la estúpida «caza» de los *coin* procuro animarme:

«Estoy cerca... Sí. Ricky está ahí fuera... ¡Voy a conocerla! ¡La verdad es mía!»

¡Pobre iluso!

¿Cómo imaginar en esa frenética carrera contra el reloj lo que me deparaba el caprichoso Destino (?)?

11.15.

Desisto.

No hay forma de obtener monedas de veinticinco centavos...

¡Increíble!

Dicen que por un clavo —un *coin*— se perdió una batalla...

Pues bien, éste es mi caso.

«¡Tres cuartos de hora de retraso!... Ricky pensará que he fallado, que no he acudido a la cita...»

Y el Destino (?), impasible —«en su momento»—, destensa...

Y lo hace por boca de un amable japonés.

«Las tarjetas de crédito... ¿Cómo no se me ha ocurrido antes?... ¡Soy un inútil!»

Y la voz cálida y acariciante de Ricky —¡cómo no!— responde al primer toque.

«¡Por fin!»

Y el Destino (?) se «explica»...

—¿Todo bien? ¿Ha hecho un buen viaje? Estaba preocupada... He tenido que salir y acabo de regresar... Justo un minuto antes de su llamada...

¡Asombroso!

La aparente pérdida de tiempo no ha sido tal...

«*¿Qué hubiera ocurrido si telefoneo... y no contesta nadie?*

»*Probablemente, nada... ¿O sí?*

»*Pero "alguien" (?) me ha ahorrado cuarenta y cinco minutos de angustia. Una angustia de mayor calado...*»

¿Casualidad? Lo dudo...

¿«Sutilezas» de mis «primos»?

Es posible...

Y compruebo que es cierto: el miedo a Ricky se ha quedado en México...

Me siento seguro. Decidido...

Y la mujer sugiere que aguarde en el exterior, en la puerta de Internacional.

Y me sorprende de nuevo...

«Estaremos ahí en unos minutos...

—¿Estaremos?... Pero ¿cuántos son?

»¡Oh, Dios!

»Debí suponerlo...

»Nunca "trabajan" en solitario...

»Pero ¿qué tonterías estoy pensando?

»¡Tranquilo!»

Y el corazón me lleva al Distrito Federal mexicano...

«Blanca... ¡deberías estar aquí!»

Y, presuroso, me encamino al punto convenido.

«¿Estaremos? ¡No importa! Hoy puedo con un regimiento.»

¡Pobre incauto!

E ignorando lo que se preparaba, seguí trepando por aquella ilusión...

«¡No me lo creo!... ¡Estoy a punto de conocerla!...

»¿Será la misma de las fotos? ¿Y si fuera otra?»

Y me corrijo...

«No... Eso sería... ¿cruel?... ¿Imposible?... ¿Milagroso?

»¿Despejaré la incógnita?

»¿Es Ricky uno de "ellos"?»

11.20.

Y, de pronto, con los nervios en estampida, recuerdo «algo»...

«¡Maldición!»

E intento desterrarlo...

«¡A buenas horas... mangas verdes! Ahora... da lo mismo.»

Pero la duda pincha y pincha...

«Imagina que no se presenta...»

Y el sentido común responde por mí...

«No... Lo ha prometido.»

Y me sublevo...

«¿Cómo he podido olvidarlo? ¡La dirección es vital! ¿Qué hago si no aparece?»

Y reparo en otro «detalle»...

«Ella tampoco lo ha mencionado... ¿Por qué?... ¿Por qué no ha querido facilitarme su dirección?»

Y hoy —creo— lo comprendo...

Tenía que ser así...

Sin embargo, el nerviosismo me oscurece...

«Ya no soy lo que era... La vejez no perdona, hermano.»

Puerta de acceso a la terminal de Internacional.

Exploro.

«¿Cómo calmarlo?... ¿Cómo hacer para que entre en razón?»

Pero el corazón «sabe». Tiene «sus razones»... Por eso se sale por la boca...

Y el Destino (?), meticuloso, caldea el ambiente...
¿Qué veo?

Un intenso flujo de vehículos se derrama por una vía de servicio, de dirección única, que corre ancha y esmerada a diez metros de este agitado investigador.

Prohibido aparcar.

Y turismos, autocares y taxis se detienen lo justo para embarcar y desembarcar pasaje.

El lugar es un frenesí...

Maletas. Gritos. Abrazos. Despedidas... y cientos de individuos que entran y salen.

«¿Dónde me sitúo?... Esto es un caos...»

Y elijo el filo de la acera, frente por frente a las gigantescas hojas de cristal.

«¿La reconoceré?... Espero que sí... Su imagen está grabada a fuego...

»Además, supongo que recordará lo pactado: un cartel con el nombre...»

11.40.

Quinta alarma. Y tan falsa como las anteriores...

«No... Tampoco... Ésa no es Ricky...»

Cada vehículo, al frenar en las inmediaciones, me acelera...

Enésimo cigarrillo. En realidad no fumo: me consumo en cada ducados...

«... Estaremos ahí en unos minutos...

»¿Minutos?... Empiezan a parecerme siglos...»

Y los nervios, desmelenados, me nublan.

«¿Serán de los altos o de los bajitos y cabezones?

»¡Y dale con las estupideces!

»¡No tengo arreglo!

»Esta espera me remata.»

Más japoneses... Son una plaga... Más maletas... Más autocares... Más gritos... Más confusión...

«Así no hay manera... ¿Cómo voy a identificarla?»

11.45.

«¿Qué puede haber pasado? Este retraso no me gusta...»

Y recapacito (?).

«Sólo han transcurrido quince o veinte minutos desde nuestra conversación... ¡Paciencia!»

Y me consuelo... a medias.

«Quizás vive lejos...»

Pero los nervios, impertinentes, no dan respiro.

«Sí... ¡En la constelación de Orión!... ¡En Akrón!»

¡Cuán pésima consejera es la impaciencia!...

Y las dudas picotean como cuervos...

«¿Internacional? ¿Dijo Nacional o Internacional?»

Y el sentido común —pobrecillo— hace lo que puede...

»Sí... Internacional... ¡Pedazo de burro!»

Y a los cuervos se suman las moscas rabiosas...

«Un momento... ¿Es ésta la puerta de Internacional?»

Y el paleto, asustado, va y pregunta...

«¡Increíble!... ¡Y eso que he dado noventa veces la vuelta al mundo!...»

—Sí, en efecto —confirma un policía, indicando el monumental letrero que luce sobre la entrada—. Esto es Internacional... ¡Y no fume!... Molesta a los demás...

Encima de burro... ciego.

Y en lugar de asumirlo, el burriciego se desahoga con el agente...

«¿Dejar de fumar?... ¡Y una leche!...

»A mí también me molesta su pistola... y su cara... y su falta de desodorante... ¡Y me aguanto!»

En esta ocasión, afortunadamente, el «gringo» no sabe español. Y me salvo...

11.50.

Y de la villana incertidumbre —claro está— voy resbalando hacia una más que notable indignación.

«¿Y si todo fuera una burla?»

Pero el Destino (?), de pronto, lo evita...

Y súbita e inexplicablemente (?), la zona se despeja.

178

Y se hace el silencio...

Y me quedo solo...

«¿Qué demonios ocurre? ¿Dónde está el gentío? ¿Dónde los turismos?»

¿Casualidad? Lo dudo...

¡Y lo veo!

A lo lejos se mueve un solitario vehículo.

Y el corazón me olvida... Y yo a él...

Y cada cual sigue su camino... atropelladamente.

Se acerca despacio. Muy lentamente... Como si calculara...

«Sí, distingo dos siluetas.»

Es un renqueante utilitario blanco.

«¿Conduce un hombre?... Sí.»

Y el instinto (?) monta el arma...

«Y a su lado... una mujer.»

Pero, sin previo aviso, el misterio se rompe...

«¡Maldita sea!»

Y los vidrios automáticos se abren y vomitan un nuevo caos.

Y «aquello» me desborda...

¿Casualidad? Lo dudo...

Y un centenar de gesticulantes y parlanchines nipones —entonces me parecieron miles—, armados de maletas hasta los dientes, irrumpe en la acera, rodeándome, empujándome... y sepultándome.

«*Porca miseria!*... ¡Ahora no!»

Y salto...

Y me estiro entre los inoportunos orientales...

El coche blanco se ha detenido a poco más de quince metros.

«¿Será posible?»

Y empujo...

Y tropiezo...

«*Sorry!*... ¡Lo siento! ¡Mentira! ¡No lo siento!»

Y me abro paso entre los bultos...

Y maldigo...

«¿Cómo se dice "tus muertos" en japonés?»

Y al escapar del «peligro amarillo» me quedo quieto. Paralizado.

Los ocupantes del sospechoso turismo observan a la turba con atención.

«¿O es a un servidor?»

Parecen dudar.

Y el corazón regresa.

Y pasado de revoluciones, en plena zona roja... ¡Dice sí!

«¡No hay duda!... ¡Es ella!»

Puedo verla a través del parabrisas.

«¡¡Es Ricky!!»

Uno, dos, tres escalofríos...

Hablan entre sí.

«¡Es la misma de las fotos!... ¿O no?»

Unas gafas de sol me despistan...

«¡Sí!»

El corazón insiste...

«¡Sí!»

Y la mujer, finalmente, abre la puerta y sale. Y permanece inmóvil junto al vehículo...

El conductor no se inmuta. Tiene las manos sobre el volante.

«¡Sí!... ¡Es la bella "gringa"!»

Y un frío polar recorre mi columna...

Y sucede «algo»... «Algo» que, lógicamente, no supe calibrar en aquellos «especialísimos momentos»...

Pero el subconsciente tomó buena nota.

En realidad fueron tres «detalles»... encadenados.

E incrédulo, desconcertado y feliz, sigo como un poste, con la bolsa de mano a los pies.

«¡Bendita y providencial inmovilidad!»

Entonces, no lo intuí siquiera... Ahora lo sé: «alguien» (?), probablemente, quiso que fuera así...

Era vital que no moviera un músculo. Y no lo hice...

Y tentado estuve de avanzar y reunirme con ella.

Pero, como digo, el Destino (?), sutil, no lo permitió. Y me retuvo...

Pero, como casi siempre, este torpe investigador caería del olivo mucho después...

Sería esa noche, en el hotel, al rememorar y escribir lo acaecido, cuando comprendí...

«No, aquellos "detalles" no fueron lógicos ni normales...»

Y durante unos segundos, Ricky tampoco se movió. Parecía contemplar y medir (?).

«Pero ¿a quién? ¿A los turbulentos japoneses? ¿Al "poste" que, a su vez, la observaba perplejo desde diez metros?»

Entonces no lo supe... Ahora sí...

Y fugazmente me «llega» el primer y anormal «detalle»: Ricky tiene las manos desnudas...

«¡No hay cartel!... ¡No hay nombre!»

Pero el corazón, tronando, no me deja pensar...

«¡Sí!... ¡La misma!... ¡Es la Ricky de las fotos! Gracias... "Abuelo"!»

Y como si leyera el pensamiento... ¡camina hacia mí!

Segundo y no menos singular «detalle»...

Y lo hace con paso firme... Decidida. Sin vacilación.

«¿Cómo sabe?... Ella no me conocía físicamente...
»¿O sí?
»Entonces...»

Y aquel escalofrío es el mismo de ahora...

«Sí... ¡uno de "ellos"!»

Y sonríe...

¡La tengo a cuatro metros!

Sonríe abierta y acogedoramente...

«¿Y a quién sonríe?»

Y como un estúpido vuelvo la cabeza.

No, detrás sólo está el enmarañado «peligro amarillo»...

«Entonces...»

Y el corazón, agotado, se lamenta.

«¡Idiota!... ¿A quién crees que puede sonreír?»

Y la sonrisa va transformándose. Ahora es de complicidad...

Ésa, al menos, es mi apresurada traducción.

Y ese «alguien» (?) que me amarra al cemento... me suelta.

«Suficiente...

»Lo que debía "captar"... ya ha sido "anotado" en la mente.

»Mensaje recibido.»

E impulsado —casi catapultado— por una «fuerza» que no identifico... salgo a su encuentro.

«Miento... Naturalmente que la conozco...»

Y vuelve a suceder.

«No, "eso" tampoco es normal.»

Y al reunirme con ella, sin dejar de sonreír, sin palabras, como «algo» establecido, me estampa dos besos...

«Pero...»

Y coloca las manos sobre mis hombros...

Y aprieta cariñosamente...

Tercer y desconcertante «detalle».

«No, el comportamiento no es propio de una norteamericana... No con un extraño.»

Y la sensación es inconfundible...

«Sí... Nos conocemos... Nos conocemos de "algo"...»

E instintivamente me revuelvo.

«¿De qué? ¿Dónde?

»Sólo hemos hablado por teléfono...

»¿Y qué tiene esto que ver con el pánico que me había inspirado?

»Yo la soñé, sí... La imaginé...

»Pero...

»No, esto no es normal.»

Y aquella voz limpia y tibia como el sol de la gran metrópoli suena al fin:

—¡Bien venido!

Y sigo mudo. Incapaz de hilvanar ni un prosaico «hola».

Aquella mujer me tiene fascinado...

«¡Oh, Dios!»

Y la escena me transporta lejos... Muy lejos...

Pero, por pudor, prefiero silenciarla.

«Demasiado fuerte...» (1).

A partir de ahí, durante la media hora en la que viajamos por carretera, los recuerdos se entrecruzan. Se difuminan...

Supongo que fueron los nervios.

¡Qué digo nervios!

Aquellos minutos resultaron indigeribles...

¡Fue el aturdimiento total!

«¡Ricky!... ¡Está aquí... y yo con ella!»

Y el Destino (?), insaciable, preparó el siguiente y dramático «acto»...

Y por expreso deseo (?) de Ricky fui a ocupar el asiento del copiloto.

¿Casualidad? Lo dudo...

En esta intensa aventura, hasta los «detalles» más nimios aparecían minuciosamente «estudiados»...

Y de pronto lo vi.

En el piso, a mis pies, descubrí una «olvidada» (?) hoja de papel blanco. Y en ella, con gruesos trazos negros, las iniciales y el apellido de este aturdido investigador.

Y el subconsciente volvió a la carga:

«¿Por qué no ha sido utilizada?... ¿Qué están insinuando?»

Pero era muy pronto para entenderlo...

Todo llegaría... «en su momento».

Presentaciones.

Y el hombre del volante dijo llamarse Rex.

Y me acogió con idéntica simpatía.

(1) Una pista: léase *Caballo de Troya 1*, a partir del «31 de marzo, viernes»... A buen entendedor...

Primer susto...

Y de pronto, en un castellano tan remendado como el utilitario, echando por delante una media y enigmática sonrisa, el individuo exclamó:

—Yo también soy una estrella...

E instintivamente —no sé por qué (?)— retrocedí a la escena del inspector en el aeropuerto...

Y penetrando (?) en mi mente, matizó:

—Una estrella de la música... no del cine...

Segundo susto... y nueva e inacabada sonrisa.

¿Casualidad? Lo dudo...

Y no supe ni pude reaccionar.

Y arrancó de inmediato, dejándome perplejo.

Pero «aquello» sólo fue el principio...

Y Ricky, parapetada en un no menos misterioso y sonoro silencio, me taladró.

Podía sentir el voltaje, el calor de sus pensamientos en la nuca. Y casi no me atreví a pensar...

«¿Pensar? ¿En qué? Primero debo serenarme.»

Y comprendí que no era el momento ni el lugar adecuados. No podía hablarle de la «otra» historia... No allí, en presencia del extraño conductor.

¿Fue la intuición (?)?... Seguramente.

Y de reojo, tragando a duras penas el embarazoso mutismo inicial, fui «radiografiando» al aparentemente excéntrico Rex.

Grave error...

«¡Vaya ejemplar! —me dije alarmado—. ¿Y qué hace Ricky con un personaje así?»

Alto... Flaco como una pértiga... Perfil de pájaro y con una montaña de huesos apuntando bajo una piel cenicienta...

¿Edad?... A juzgar por las sarmentosas manos y los surcos que le acribillaban el rostro... alrededor de setenta.

Y aquel «mástil» de cabellos blancos y descuidadamente recogidos en una cola percibió (?) las intensas y prolongadas miradas.

Y lo que es peor: ¡adivinó (?) mis conjeturas!

Tercer susto...

—Sesenta y cinco... para ser exactos.

Y el súbito comentario me aniquiló.

«¡Tierra, trágame!

»Pero ¿cómo?... ¿Cómo lo ha hecho?»

Y la respuesta, puntual, apareció como las anteriores: en forma de sonrisa... Una inequívoca sonrisa de complicidad.

Y a pesar de la agradable temperatura... sentí frío...

Un frío... sí... premonitorio.

«¿Dónde estoy?... Mejor dicho: ¿con quién?»

Y Rex, forzando la sonrisa, volvió a «responder».

Y, asustado, intenté dejar la mente «en blanco».

Imposible... Tan imposible como negarse a respirar voluntariamente.

Y recordé unas recientes y no tan ridículas reflexiones:

«¿Estaremos? Pero ¿cuántos son?

»¡Oh, Dios!

»Debí suponerlo...

»Nunca "trabajan" en solitario.»

Y esta vez, el ajado semblante se estiró grave...

Y creí entender.

Y Ricky —creo yo que consciente de mi confusión— trató de reconducirme y de enmendar el sospechoso lance...

Y sacando a relucir la población «A», procuró distanciarme del negro presagio.

Pero no lo consiguió...

«¿Quién es este individuo?... ¿Un músico?... ¿Un médium? ¿Y qué pinta al lado de Ricky?...

»¿Puede ser uno de "ellos"?»

Y el instinto (?), veloz, al igual que sucediera con Spain, me previno:

«¡Ojo... peligro!»

La «gringa» preguntó y se interesó por el lugar que visitara quince años atrás.

Pero... ¿cómo decirlo?... Aquella curiosidad sonó... artificial... calculada... poco creíble... Con una evidente segunda intención. Fue como un tanteo. Ricky parecía probarme. Era como si quisiera asegurarse. Como si pretendiera certificar que, en efecto, este escritor conocía y vivía en la población «A»...

Y no la defraudé. Repliqué siempre con precisión y con todo lujo de detalles. Y al mismo tiempo, con disimulo, aproveché para examinarla de arriba abajo...

Horas más tarde, la propia Ricky explicaría el porqué de aquel exhaustivo interrogatorio. Y aunque sé que me adelanto a los acontecimientos, entiendo que debo aclarar, aquí y ahora, la «razón» que la movió a dicho comportamiento.

Al parecer, concluida la conversación telefónica con Spain, el médico volvió a llamarla de inmediato. Y le dio un extraño aviso:

«¡Atención!... El escritor español podría ser un agente de la CIA...»

Y me pregunto:

«¿Y por qué ese temor?... ¿Qué interés podía tener la Agencia Norteamericana de Inteligencia —grandes especialistas en el fenómeno ovni, por cierto— en aquellos ciudadanos?... ¿Qué ocultaban?... ¿Era simple precaución?... Pero ¿por qué?... ¿O se trató de un comentario... "inteligentemente" deslizado por Ricky en la conversación?»

Concluido el importantísimo inciso, proseguiré con la descripción de la supuesta alienígena...

«¿Alienígena?»

El ingeniero tenía razón.

No, por supuesto...

Aparentemente sólo se trataba de una mujer normal... Muy normal... Y he dicho bien: «aparentemente»...

Ricky había sido hermosa, sí... y todavía lo era, a pesar de sus casi cincuenta años...

Alrededor de 1,80... Cuerpo atlético... Sin un gramo de grasa... Hombros anchos...

Piel suave y sonrosada, levemente salpicada por diminutas constelaciones de pecas...

Rostro alto, estrecho, ovalado y seguro... enmarcado por una cabellera sedosa y desmayada sobre las clavículas... El negro carbón de las fotos de 1982 había desaparecido bajo una lluvia de canas...

La frente despejada... Luminosa...

En cuanto a los ojos... ¡Interminablemente azules!...

Magnéticos... Dulces e inquisidores a la vez... Imposibles de olvidar y, sobre todo, de esquivar...

Con aquella acogedora sonrisa y la voz acariciante... la «clave» de su personalidad...

Nariz pequeña, acomodada y tímidamente respingona...

Labios finos, insinuantes como el horizonte y castigados por unas incipientes e inexorables arrugas verticales...

Dentadura alineada... Impecablemente blanca...

Mentón breve... Sensual...

Manos largas... Siempre en reposo... Uñas transparentes y discretamente recortadas...

Sin maquillaje... Sin adornos... Sin anillos...

Quizás, para mi gusto, a pesar de su belleza, inexplicablemente... poco femenina.

Sí, éste fue un punto que llamó poderosamente mi atención.

Ricky carecía de ese halo sutil que distingue a las mujeres...

«¿Cómo es posible?»

Y recordé los unánimes comentarios de la gente que la conoció en España:

«Muy rara... Fría... Casi varonil...»

Tampoco la indumentaria le hacía justicia.

Blusón hasta las rodillas, en un azul desvaído, y con los dos botones superiores sueltos... Y como único complemento, un diminuto bolso de tela negra, engarzado a un cordón del mismo color, descansando en bandolera junto a la cadera derecha.

Y al recorrer las piernas... lo ya pronosticado por el ingeniero y las mujeres de la población «A»:

«Jamás usaba faldas...»

En efecto, unos pantalones desahogados, en azul marino, ocultaban celosamente unas larguísimas extremidades inferiores.

Y pensé en el gran boquete descubierto por mi amigo, el ingeniero.

«¿Seguirá allí?... ¿Cómo hacer para comprobarlo y, sobre todo, para fotografiarlo?... ¿Cómo pedirle?...

»No... Blanca me mata...»

Pero el Destino (?), desconcertante, haría fácil lo difícil... «en su momento».

Y, como decía, fui respondiendo a sus puntuales e intencionadas preguntas-trampa...

«Sí, yo vivo cerca de la población "A"... Setecientos habitantes... Pescadores... Y conozco a Marta... Sí, soy escritor... Y preparo un libro sobre dicho paraje...»

Y, de pronto, Rex intervino de nuevo:

—¿Qué clase de libro?

Y temiendo otro «asalto» interior, repliqué sin precisión:

—Normal... De costumbres.

La mentira, sin embargo, apenas rodó cinco o diez segundos...

Y auxiliado por aquella intrigante media sonrisa, comentó certero y sin piedad:

—Y ha venido desde tan lejos para hablar... ú-ni-ca-men-te... de ese pueblo...

Y me desarmó.

Pero Ricky, oportunísima, imperativa y recriminadora, le aconsejó en inglés que se centrara en la conducción y que permaneciera atento a la ya inminente salida de la autopista...

188

Y percibí «algo» que iría verificando poco a poco...

En aquel «equipo» —si es que lo era—, la mujer llevaba la voz cantante. Ella decidía y gobernaba... Ricky, en suma, era el «jefe» (?).

Pero me equivoqué...

La pregunta-comentario de Rex no quedó disuelta ni olvidada...

Y suavizando el tono, Ricky la rescató. Y repitió:

—¿Está seguro que sólo quiere información de la población «A»?

Me volví y la miré perplejo.

«¿Otra vez esa... ¿Cómo decirlo?... insinuación?»

Pero, acallando el impulso —poco faltó para que soltara la verdad—, me limité a sonreír enigmáticamente.

Y ella —estoy convencido— lo entendió y me entendió...

Y leyendo (?) en mi mente, añadió insinuante:

—Temo que voy a defraudarle...

Y en ese instante —no sé cómo ni por qué— lo supe... Supe lo que me aguardaba...

Pero, en una lógica reacción de defensa, me negué a aceptarlo.

¡Pobre ingenuo!

12.30.

Rex se desvió hacia un barrio periférico. Y al poco frenaba frente a una casa de tres plantas.

La calle, solitaria, sin un solo vehículo, sin un solo peatón, me intrigó de nuevo. Pero, francamente, no le presté mayor atención. Mi preocupación era otra...

«Y ahora... ¿qué?... ¿Cómo me las arreglo para quedarme a solas con Ricky?»

Y prácticamente no tuve que pensar...

Todo fue sencillo... Sospechosamente sencillo.

El de la media sonrisa introdujo el utilitario en el garaje de la vivienda y, haciendo suya mi inquietud, señaló hacia una de las esquinas...

—Usted querrá tomar un café... y conversar. Yo

189

debo ocuparme de unos asuntos... Le veré más tarde...

Y desapareció por la estrecha puerta que comunicaba el garaje con el inmueble.

«¿Unos asuntos?»

Pero desistí. Quizás estaba viendo «fantasmas» donde, seguramente, no los había... ¿O sí?...

Después, con el paso del tiempo, estos pequeños-grandes sucesos serían minuciosamente analizados. Y las conclusiones alimentaron las viejas sospechas...

«¿Por qué no fui invitado a subir a la casa desde el primer momento?... ¿Por qué fui prácticamente "obligado" —bolsa en mano— a recluirme con Ricky en aquel bar?... ¿No tenían café en el domicilio? ¿De qué "asuntos" debía ocuparse Rex?»

Y sencillamente me dejé llevar, aprovechando la interesante «oportunidad» que acababa de ponerme en bandeja...

¿Casualidad? Lo dudo...

Y minutos más tarde, ante una humeante y reconfortante taza de café, volví a ser presa de aquellos profundos y envolventes ojos azules...

Sí... Fueron momentos angustiosos...

«¿Qué hago?... ¿Qué digo? ¿Por dónde arranco?» ¡Me manda a paseo... seguro!... "¿Una extraterrestre?... ¿Yo, una alienígena? Pero ¿qué se ha creído?"»

Y Ricky, acomodada en el silencio, sorbiendo lentamente un gran vaso de agua, siguió observándome. Escrutándome. Desnudándome con la mirada... Sonriendo pícaramente... con los ojos.

Y este azorado investigador, percibiendo el peso del sutil e implacable examen, hizo lo que pudo.

Primero tanteé.

Removí los recuerdos... cuidadosamente... y por orden, evitando la historia del ingeniero.

Pero, tal y como anunció, «no recordaba... nada de nada».

¡Increíble!

No sabía cómo llegó a la población «A» (?)...

«¿En coche?... ¿En autobús?... ¿En auto-stop?»

Nada... Todo borrado... Inexplicable y misteriosamente borrado (?)....

Insistí, pero fue inútil.

Naturalmente, no la creí. Era imposible que no pudiera recordar...

Y la extraña «amnesia» me puso en guardia. Allí pasaba algo raro. Muy raro...

Segundo asalto: la estancia en los apartamentos.

Pues bien, nuevo fracaso...

Tampoco supo decir por qué escogieron aquel albergue (?)...

Más aún: ignoraba (?) por qué Spain, compañero de habitación, había partido antes que ella (?)...

En cuanto al medio de transporte utilizado por el médico para alejarse de la población «A»... «ni idea» (?)...

Su salida del pueblo también quedó en el aire. (No es un chiste.)

Por toda respuesta comentó:

—Creo que fue en mayo...

Pero no logré concretar el «cómo» (?)...

Y comprendí.

Estaba siguiendo una táctica y un camino equivocados...

Ricky, tranquila, columpiándose en aquella mirada de complicidad, me lo gritaba... sin palabras.

«Estoy perdiendo el tiempo, sí... Ella "sabe"... "Sabe" que no es "esto" lo que me ha impulsado a localizarla... y visitarla.»

Y leyendo (?) nuevamente en mi interior —animándome, en definitiva— repitió lenta y pausadamente:

—¿Está seguro de que sólo quiere hablar de eso?...

Y me rendí.

Y allí mismo —muy por encima— detallé el porqué de mi viaje a USA.

Y ocurrió lo contrario de lo que imaginaba...

Conforme hablaba y profundizaba en la aparentemente fantástica historia del ingeniero y en su romance con la supuesta alienígena, el rostro —lejos de helarse— fue dulcificándose...

Y la sonrisa se ensanchó —milímetro a milímetro— al ritmo de las palabras.

No me interrumpió. No hizo un solo comentario. No protestó. No afirmó ni negó...

Sencillamente, como digo, sonrió...

Y no supe qué hacer ni qué decir...

«¿Cómo debo interpretar esta enigmática actitud?... ¿Es cierto?... ¿Es Ricky uno de "ellos"?»

Finalmente, simulando sorpresa, exclamó:

—Investigador de ovnis... ¡Qué interesante!

No, «aquello» no era normal...

Y confesó algo que tampoco acerté a interpretar... correctamente:

—Yo sabía que usted no estaba aquí para escribir un libro... sobre la población «A»...

Pero no entró en detalles.

Y, perplejo, esperé un veredicto.

Fue en vano...

Ricky, disfrutando con mi zozobra, se puso en pie. Y arropándome en su inagotable sonrisa, ordenó:

—Dice que quiere grabar mis palabras... Muy bien... Vayamos a la casa. Éste no es el lugar adecuado...

Y, desconcertado —sin un «sí» o un «no»—, me arrastró literalmente a la calle.

13.30.

Y el Destino (?), sin prisas, dio —y me dio— otra vuelta de tuerca...

Tras ascender por una angosta y fatigosa escalera de madera, la mujer me invitó a penetrar en el domicilio de la enigmática pareja.

Rex, sentado en el suelo, al teléfono, alzó la vista, recibiéndome con su habitual e inacabada sonrisa.

Y durante unos segundos permanecí inmóvil, junto a la puerta, tratando de situarme y de beberme

—lo confieso— hasta el último detalle. Pero, lamentablemente, no había mucho que explorar...

Me hallaba en una menguada salita, de cinco por cuatro metros, cargada de estanterías, repletas, a su vez, de latas de conservas, diminutos frascos de colores —posiblemente medicamentos (?)— y libros. Por lo que alcancé a leer, la mayoría novelas...

¡Y ni una sola obra sobre ovnis!

El espartano ajuar lo completaban un anciano frigorífico, una mesa abatible adosada a la pared y el teléfono por el que conversaba el músico, en una repisa colgada a medio metro de un crujiente y ennegrecido suelo de pino.

Frente a mí, sin puerta, en una penosa oscuridad, se abría una segunda estancia. Y deduje que podía tratarse del dormitorio. Me hubiera gustado entrar. Husmear... Pero la pareja —por lo que vi a continuación— no parecía muy dispuesta a enseñarme la casa...

¿Sillas? Ni una...

Por último, a mi izquierda, también sin puerta, el resto del mini-apartamento: una cocina estrechísima, agobiante, con un par de «fuegos» eléctricos, un fregadero de juguete y una severa y breve batería de platos, tazas y demás cacharros, todos de porcelana.

Del baño, ni rastro.

¿Cuál fue mi impresión?

Aquella «gente» (?) vivía en los límites de lo razonable...

No demostraba el menor interés por lo que habitualmente preocupaba al pueblo norteamericano.

No vi electrodomésticos último modelo. Tampoco aire acondicionado...

Ni tan siquiera una modesta televisión...

Era... sí, un lugar poco acogedor. Sin vida. Sin color. Sin atractivo. Sin un solo cuadro. Sin fotografías familiares...

Sospechoso, sí... Muy sospechoso...

Y Ricky, nerviosa —fue la única vez que la noté ciertamente excitada—, se dedicó a pasear (?), arriba y abajo, por la minúscula sala.

De vez en cuando se detenía. Observaba a su compañero y, al mirarme, recomponía apresuradamente la perdida sonrisa. Parecía incómoda y deseosa de que el «mástil» concluyera la llamada.

Pero Rex, imperturbable, continuó con la monótona e inexpresiva letanía en inglés...

—Sí..., por supuesto... Comprendo... Eso espero... Descuida... No, ningún problema... Todo controlado... Sí, claro... Te llamaré de inmediato...

Y el instinto (?) me lanzó un «flash»:

«¿Con quién habla?»

Pero, obviamente, al carecer de pruebas, el «flash» terminó por extinguirse.

Y finalizada la charla, hombre y mujer intercambiaron una intensa y significativa mirada. Pero ninguno se manifestó...

Y asistí a una escena... extraña.

A primera vista, un «incidente» venial. Sin importancia.

Un año después (agosto de 1997), al escuchar por enésima vez la grabación con Ricky y descubrir (!) aquel sonido de fondo, empecé a atar cabos...

Y al volver sobre la «extraña secuencia», una «idea» (?) bajó del cielo de nuevo...

«Todo atado y bien atado.»

Y sonreí para mis adentros...

Y ahora me pregunto:

«¿Cómo es posible que no captara aquel misterioso "bip" durante la entrevista?

»Y lo más desconcertante: ¿por qué las personas que escucharon igualmente la cinta no repararon tampoco en aquella especie de sonar?

»¿Por qué fui a detectarlo al cabo de tanto tiempo?

»Probablemente... tenía que ser así.»

La cuestión es que, como digo, sucedió «algo»...

Impaciente por interrogarla, eché mano de la grabadora y del cuaderno de campo.

Pero, inexplicablemente (?), Ricky no se movió. No dijo nada.

Y fue a refugiarse en Rex, interrogándolo sin palabras.

Y ambos, tensos, continuaron en silencio.

Sinceramente, no comprendí...

Algo pasaba.

«Pero ¿qué?»

Y creí adivinar el «problema»:

«¡Las sillas!... Mejor dicho... ¡la falta de sillas!»

Y condescendiente, restando gravedad al asunto, hice ademán de imitar a Rex, sentándome en el piso.

Y Ricky, con la sonrisa perdida, palideció...

Y a punto de acomodarme en el suelo, formulé una pregunta que encauzó la violenta situación..., «beneficiando», sin querer, a mis anfitriones.

—¿Puedo fumar?

En honor a la verdad, como ha ocurrido en otras ocasiones, en caso de respuesta negativa hubiera guardado los cigarrillos y, simplemente, habría aguantado...

Y así estaba dispuesto a hacerlo.

Y durante unos segundos —expectante— aguardé una contestación.

Nuevo y elocuente intercambio de miradas...

Y al unísono, como una sola voz, replicaron con un redondo y desproporcionado... «¡No!»

Tampoco me pilló por sorpresa...

Estados Unidos es un país que persigue a los fumadores, pero no tiene reparo en enviar a los jóvenes a matar seres humanos a Vietnam o en la guerra del Golfo...

Y antes de que acertara a esconder los Ducados, Ricky me tomó por el brazo. Y resucitando la sonrisa, en un tono exagerado, más que sugerir, ordenó:

—Abajo, en el patio, sí puede fumar...

Me resistí, alegando, con razón, «que no era tan grave... y que todavía podía vivir sin fumar...».

Y reforcé el argumento con algo tan cierto como lo anterior:

—El silencio de la casa favorecerá la nitidez de la grabación.

Inútil.

Como si de una cruzada se tratara, Rex se alió con la mujer, «empujándome» casi a seguirla.

Y hoy lo entiendo...

Hoy, tras «descubrir» el misterioso «bip», comprendo el porqué de aquella obsesiva actitud...

¡Era primordial que saliera del apartamento! ¡Era vital que permaneciera en un lugar... a cielo abierto!

Pero entonces, lógicamente, no sospeché. Y atribuí la «maniobra» a esa enfermiza tendencia de los «gringos» a no consumir humo de «segunda mano»...

¡Pobre ingenuo!

¿Cuándo aprenderé que en el fenómeno ovni nada es casual?

Y ya bajo el marco de la puerta, con una Ricky lanzada escalera abajo, tuve una postrera... y providencial reacción.

Temiendo que las condiciones acústicas del referido patio no fueran buenas, me revolví, intentando que recapacitaran.

Y fui testigo de otra escena que me intrigó...

Rex, casi de espaldas, dando por hecho que servidor descendía ya por la escalera, se hallaba enfrascado en una nueva llamada telefónica.

Fueron segundos...

Y arriesgándome, tratando de averiguar a quién telefoneaba, permanecí inmóvil y silencioso.

Pero, mientras tecleaba —llegué a sumar nueve dígitos—, el individuo se percató (?) de mi presencia.

Y ocurrió algo que, en principio, no tenía por qué haber sucedido: súbitamente cortó...

Y girando despacio me obsequió con aquella insufrible media sonrisa.

Y noté cómo una llamarada ascendía desde el estómago, pintándome de rojo vergüenza...

Intenté excusarme, correspondiendo con otra sonrisa.

Imposible. El sentimiento de ridículo me dejó seco...

Y el «mástil», con el auricular en la mano, aguardó pacientemente.

Estaba claro: no volvería a marcar... mientras yo estuviera allí.

Y escapé como pude, perdiéndome tras los pasos de Ricky.

Y me pregunté y sigo preguntándome:

«¿Por qué ha interrumpido la comunicación? ¿A quién pretendía llamar?

»Si no he errado en la suma, los nueve números representan a "alguien" ubicado fuera del estado...

»¿Quién es este individuo?... Y, sobre todo, ¿por qué este investigador no debe escuchar la conversación?»

Y al descender por la empinada escalera, un nombre bajó conmigo:

«¡Spain!»

¿Casualidad? Lo dudo...

Ricky, alarmada, me salió al encuentro. Subía precipitadamente. Pero, al verme, se tranquilizó.

Finalmente, sin palabras, me condujo a la parte posterior del inmueble.

Allí, efectivamente, en la planta baja, apareció ante mí un no menos angosto patio, de cinco por cinco metros, encajonado entre las altas paredes —sin ventanas— de los edificios colindantes.

Un cielo azul y radiante me saludó.

Y Ricky señaló uno de los ángulos, invitándome a que me instalara. Y añadió con dulzura:

—¿Puede esperar un minuto?

Asentí, naturalmente.

Y la vi desaparecer por la portezuela que comunicaba con la estrechísima y peligrosa escalera.

El lugar, a juzgar por el grado de abandono, no había sido utilizado desde hacía mucho. La mesa de madera y las tres sillas de plástico que llenaban una de las esquinas se hallaban sepultadas por una gruesa mano de polvo y tierra.

Y tuve que tirar del pañuelo para medio adecentar el tablero y uno de los asientos.

«Blanca me mata...», fue mi único pensamiento, al comprobar la suciedad que arrastraba la tela.

Pero, al punto, me asaltó una segunda reflexión:

«Si la pareja conocía el mal estado del patio, ¿por qué se empeñó en conducirme a él?... ¿No hubiera sido más hospitalario celebrar la entrevista en el apartamento?

»No, "esto" tampoco es normal...»

Y, como digo, la respuesta, en mi opinión, llegaría mucho después y hábilmente «camuflada» en la grabación...

¿«Sutilezas» de mis «primos»?

Y hablando de «primos», ¿cómo debía interpretar la larga ausencia de Ricky?

¡Más de cinco minutos!

¿A qué subió?... ¿Por qué me dejó solo? ¿Qué fue lo que maquinaron en la soledad de aquel piso? ¿Volvieron a telefonear?... ¿Por qué, al rememorar la secuencia, viene a mi mente —indefectiblemente— el familiar y más que sospechoso nombre del médico?

E incapaz de aclarar tanto misterio, aproveché la «tregua» (?) para ultimar grabadora y cámara fotográfica y revisar el cuestionario.

«¿Cámara?... ¿Me permitirá fotografiarla? ¿Y por qué no?... Al ingeniero no le puso pegas...»

Y consciente de la trascendencia del momento me dije con cierto temor:

«Bien... ¡Ha llegado la hora de la verdad!

»¿Reconocerá lo que sucedió en la población "A"?...
¿Aceptará que es una alienígena? ¿Admitirá que tomó
posesión de un cadáver... devolviéndolo a la vida?»

¡Pobre tonto!

Y el Destino (?) tensó el arco...

Seis o siete minutos más tarde, una Ricky relajada
y cordial tomaba asiento frente a mí, aparentemente
dispuesta a satisfacer la curiosidad de este ingenuo
investigador...

Y puede que carezca de importancia, pero me
chocó...

Y así lo cuento.

La mujer, al sentarse, ignoró la suciedad de la silla. Y, sin mirar, se acomodó sin más...

Por supuesto, no se excusó. No dio ningún tipo de
explicación a su dilatada e incomprensible ausencia.

Y sin más preámbulos tomé la grabadora, preparado (?) para lo que imaginé como el esprint final de
aquella aventura...

¿Esprint final?... ¡Dios santo!... ¿Cómo sospechar
siquiera lo que me aguardaba?

Y al arrancar, por pura cortesía, pregunté si estaba autorizado a utilizar su nombre y sus declaraciones. Evidentemente, el hecho de grabar encerraba ya
un consentimiento implícito. Pero quise asegurarme.

Nueva sorpresa...

Sin conocer el contenido del cuestionario, Ricky
asintió rápida y segura.

—Usted me inspira confianza... Sé que no me defraudará.

No, «aquello» tampoco fue muy normal...

Es cierto que jamás traiciono, pero, en aquellos
momentos, ella no podía conocer el destino de la grabación.

¿O sí?...

14 horas.

E inicié una charla que, poco a poco, me conduciría al desastre... y a la gran decepción.

Pero, antes de proceder a la transcripción de la misma, conviene que el lector esté avisado.

Por razones de índole personal, una parte de la grabación ha sido «congelada»... de momento.

Nadie ha llegado a escucharla. Ni siquiera mi mujer...

Quizás más adelante —si consigo llegar al fondo de este dilema— me atreva a desvelarla...

El resto aparecerá tal y como se registró. Sin maquillaje. Sin arreglo alguno...

Una entrevista desnuda. Una conversación en la que Ricky, una vez más, me sorprendió.

Y lo consiguió, tanto por lo que confesó, como por lo que silenció y, muy especialmente, por lo que dejó traslucir...

De muchos de estos aspectos, sin embargo, no sería consciente hasta bien entrado el año 1997, al finalizar el segundo viaje a Yucatán.

Verdaderamente, esta investigación fue una filigrana del Destino (?).

—Bien... aquí estamos de nuevo...

»Son las dos de la tarde del lunes, 2 de septiembre de 1996...

»Primera grabación con Ricky...

»Empecemos por el principio.

»Noviembre de 1981...

»Usted llega a la población «A»... ¿Por qué?... ¿Qué la mueve a viajar a dicho lugar?

—O.K. —respondió sin prisas—. Estábamos viajando por Italia... de vacaciones. Ese año hacía mucho frío en Europa y decidimos bajar hacia España... hacia el sol.

»Pasamos por Granada y alcanzamos Málaga. Pero no nos gustó y continuamos...

»Y allí estaba la población «A»... Un pequeño pueblo. Muy tranquilo. Con chiste...

—¿Usted iba con Spain?

—Sí.

—¿Lo conocía de antes?

—Sí, teníamos una vieja amistad...

Y ahí, en las primeras palabras, empecé a detectar algo raro. Unas extrañas e incomprensibles contradicciones...

—Él quería conocerme...

Y Ricky dudó... Creo que se percató de la incongruencia y, sin perder la calma, trató de enmendarlo. Pero no lo consiguió.

—Spain no disponía de mucho tiempo... Es médico... Y quería conocerme... en Roma...

Sí, muy extraño...

Si eran viejos amigos —me pregunté—, ¿por qué pretendía conocerla?

Pero, prudentemente, no hice comentario alguno. Era mejor así...

En esos fríos instantes —recién estrenada la charla— prefería una Ricky confiada... (?).

—Muy bien —proseguí, pasando por alto el desliz (?)—... Estamos en el 15 de noviembre... Ustedes aparecen en la población «A» y les gusta...

E insistí en lo que ya sabía.

—... Por cierto, ¿cómo llegaron?...

Y Ricky, sonriendo maliciosamente, replicó como lo hiciera en el café...

—No lo recuerdo...

Silencio.

Y la mujer percibió mi incredulidad. Y, bruscamente, saltó de la sonrisa a la seriedad.

La vi inspirar y soltar el aire con fuerza. Parecía contrariada. Pero me mantuve firme, esperando una ratificación... un comentario.

—De verdad... no me acuerdo...

Y, hábil, desvió la cuestión.

—... Seguramente pregunté y alguien me recomendó los apartamentos de Marta...

No, no era eso lo que acababa de plantear. Y ella lo sabía...

Y ahora me pregunto:

«¿Por qué respondió así?... Aquello, como dije, no era creíble... ¿Qué pretendía? ¿Qué trataba de decirme... entre líneas?»

Pero no forcé el ritmo...

—Spain no habla español...

—No.

—Y usted ¿lo hablaba entonces?

—Sí.

—¿Dónde lo aprendió?

—En México...

—¿Y por qué se detienen en la población «A»? ¿Qué tenía de particular?

La vieja táctica de formular las mismas cuestiones con diferentes palabras no dio resultado. Ricky, despierta y ágil, no cayó en la trampa...

—Como le dije, era un sitio muy tranquilo...

Y añadió algo que me confundió:

—... Aunque yo no lo escogí...

Y abriendo de nuevo la sonrisa, matizó:

—Nunca voy contra corriente... Ya sabe... el Destino...

No, yo no tenía por qué saber... ni ella por qué insinuar...

Pero ¿de qué me extraño?

Aquella conversación fue una continua y machacona «insinuación»...

—¿Y a qué se dedicaba en esa época?

Y volvió a esquivarme.

—Quería leer y estudiar a Dante... en italiano. Por eso viajé a Italia...

Y en ese instante, de las contradicciones, pasó limpia y descaradamente... a las mentiras. Pero de eso no tuve clara conciencia hasta mi regreso a España.

—... Yo estaba entrando en mi treinta y cinco cum-

pleaños y Dante, en ese aniversario, bajó a los infiernos... Y yo bajé a la población «A»...

En aquel noviembre de 1981, Ricky acababa de
cumplir treinta y tres años... no treinta y cinco.

Pero de esta y de las siguientes y más graves mentiras, servidor, como digo, no fue consciente en esa
jornada...

—Fue una idea romántica...

Y de pronto dudó. Consumió unos segundos y exclamó, lamentándose:

—Se me olvidó lo que iba a decir...

¡Qué extraño!

*En aquellos momentos consideré el lapsus
como algo normal... Hoy, en cambio, tras el hallazgo del misterioso «bip», ya no sé qué pensar... Curiosa y sospechosamente, cuando Ricky pronuncia
las dos últimas palabras —«idea romántica»—, el
supuesto sonar se hace más intenso y cercano... Y
la mujer interrumpe su exposición...*

Sí, muy extraño...

*Y el hecho, como veremos, se repite a lo largo de
toda la grabación.*

*Y una idea (?) aparentemente descabellada —lo
sé— me persigue desde que «descubriera» el mencionado y enigmático sonido:*

*«¿Estaba Ricky "controlada" por una de esas
naves "invisibles", similares a las que, sin duda,
nos acompañaron en Egipto?»*

*Y aunque los estudios sobre el repetitivo «bip»
no han concluido, me atrevo a aventurar que sí...*

Pero prosigamos con la accidentada charla.

Ricky, de pronto, pareció recobrar la memoria...
Pero el comentario, evidentemente, no encajó con la
idea inicial...

—... Buscábamos el sol...

Sí, una nueva contradicción...

¿Deseaba bajar a los infiernos o buscar el sol?

Y, aturdido, la dejé continuar.

—... Sí, por eso nos detuvimos en la población «A». En realidad queríamos escapar del frío...

—¿Cuánto tiempo permaneció en ella?

—De noviembre a mayo.

«Aquello» también me llamó la atención. Ricky recordaba con detalle muchos de los pormenores de su estancia en la población «A» y, sin embargo, se quedaba «en blanco» ante otras cuestiones... Cuestiones vitales, claro...

Y vuelvo a preguntarme:

«¿Por qué? ¿Qué intentaba comunicarme?»

Y decidido, entré de lleno en la historia del ingeniero. Empezaba a cansarme de tanto rodeo...

—Y es cierto que conoce a nuestro común amigo, el ingeniero...

—Sí.

Y los «bip» se encadenan de nuevo. Y suenan nítidos. Muy próximos.

—Y es cierto también que sale con él...

— Sí...

—Bien, vayamos por partes... ¿Qué opina?

Y fui directo.

—... Él afirma... que usted no es de aquí... Que usted es extraterrestre... Que tomó el cuerpo de una norteamericana... accidentada en México...

Y entre fortísimos «bip», balbuceando, trató de ordenar las ideas.

—Bueno... es... Quiero explicar esto muy bien, pero no tengo las palabras... Es una manera muy interesante de formar... una memoria... que...

Sinceramente, volvió a sorprenderme.

¿Por qué tanta confusión? ¿Por qué no decirlo abiertamente?

—... En realidad, el ingeniero... manipuló algunos detalles..., para fijar una memoria...

Y se detuvo.

Y el sonar (?) prosiguió implacable...

Y me vi obligado a ayudarla.

—Entonces ¿cuál es la verdad?... ¿Qué sucedió en el accidente de autobús?

—Sí... Tuve un accidente... en Yucatán... En 1975... creo.

Y de nuevo las incongruencias...

Si recordaba, por ejemplo, las fechas de ingreso y salida de la población «A», ¿por qué dudaba del año del accidente?

—... Fue muy grave...

Y se extendió en una serie de detalles que, a la larga, resultarían igualmente comprometedores... para ella.

—... El autobús tuvo un problema con la suspensión...

En aquellos momentos, obviamente, no supe de la trascendencia de esta afirmación. Sería después, tras una exhaustiva investigación en Yucatán, cuando recordaría alarmado aquella palabra: «suspensión».

Ella la había pronunciado en septiembre de 1996...

Pero no adelantemos los acontecimientos.

—... El conductor perdió el control... Y se salió del camino... Y el bus quedó con las ruedas hacia arriba... Y yo permanecí aprisionada... Un amigo mío murió... y también otras personas... Era un autocar de un negocio pequeño... barato... regional... Los conductores trabajaban mucho tiempo... sin dormir.

—¿Salió en los periódicos?

—No lo recuerdo...

Curioso. Ricky, como digo, parecía acordarse únicamente de lo que le interesaba...

—... Y estuve atrapada como dos horas...

Nueva mentira... No era eso lo que confesó al ingeniero...

—... Y mi novio gritó que no arrastraran el autobús porque podía perder las piernas...

Y siguieron los embustes.

—... Y mientras permanecí entre los hierros me preguntaba: ¿cómo harán para levantar el bus en un lugar tan remoto?

—¿Estaban en la selva?

—Sí... cerca de la ciudad de Mérida...

Y digo que prosiguieron las mentiras porque, tal y como comprobaría algún tiempo después, ni el paraje era selvático ni muchísimo menos... un «lugar remoto».

Y hoy, con la ventaja de la perspectiva del tiempo, este encadenamiento de falsedades me hace sospechar «algo»... «muy interesante»:

Ella, probablemente, sabía que me iba a ocupar del suceso. Y que terminaría averiguando las circunstancias que lo rodearon...

En ese caso, ¿por qué deslizó aquellas groseras inexactitudes? ¿Qué pretendía? ¿Qué insinuaba?

Y Ricky, fría y calculadora, continuó con los detalles. Unos detalles escandalosamente falsos...

—... Yucatán es muy plano... Y bajamos por un cerro... Me acuerdo bien... muy profundo...

Al visitar el lugar quedé perplejo. Allí no había cerro alguno...

—... Nunca regresé al sitio... Y, no sé cómo, un hombre entró por un hueco y me dijo que iban a subir el autobús... Y el motor me cayó encima... Y me desmayé... Y tuve un sueño... Vi muchos hombres a mi alrededor... y me decían: «Todo está perfectamente... No te preocupes...» Parecían médicos, pero con más corazón... Y al llegar al hospital, el doctor pronunció aquellas mismas palabras...

¡Qué astuta mezcla de verdades y mentiras!

Según pude verificar en su momento, el motor jamás la golpeó. Jamás se desprendió...

Pero este ingenuo investigador no podía saberlo entonces...

E imaginando el desenlace continué:

—¿Perdió mucha sangre?

—No, sólo estaba inmovilizada por las rodillas...

Y «aquello» me sonó igualmente a falso.

El ingeniero había sido claro y rotundo:

Ricky aseguró que el cadáver se desangró...

Esta vez, sin embargo, la supuesta alienígena no mintió. Fui yo y el ingeniero quienes malinterpretamos sus palabras. Y el error, lamentablemente, retrasaría y oscurecería la investigación...

Pero vuelvo a caer en lo de siempre: adelantarme a los hechos...

—¿Y cuánto tiempo permaneció en el hospital?

—Como dos días..., pero me mandaron a la calle, y no pude caminar... Mi pierna derecha fue escayolada y, poco a poco, los tejidos se pudrieron...

Sí y no.

Ricky volvía a manipular los hechos... Las cosas no fueron exactamente así...

—... Y permanecí unos días en la casa de mi novio, en Mérida. Pero las piernas se inflamaron... Estaban negras... como el hígado... Y me recomendaron que aplicase hielo... Pero ¿cómo encontrar hielo en Mérida?...

Obviamente, la «gringa» me estaba tomando el pelo...

Y rió divertida.

«¿Cómo encontrar hielo en Mérida?»

Muy simple. En 1975, la capital de Yucatán era ya una población próspera y lo suficientemente desarrollada como para hallar hielo en cualquier parte...

Y sigo preguntándome:

«¿Por qué introducir un comentario tan pueril en la conversación?»

Evidentemente, «algo» perseguía...

—... Y acudí a la clínica, pero el doctor me recetó unas pastillas antiinflamatorias...

Y, de pronto, con un cinismo que todavía me asombra, Ricky interrumpió la exposición, preguntando:

—¿De verdad le interesan estos detalles?

Asentí, sin darme cuenta de la importancia de mi actitud.

Y la mujer continuó con las medias verdades...

—... Pero la pierna empeoró... Y al visitar nuevamente al médico y soltar el yeso... aquello fue el desastre... Todo estaba infectado por la necrosis... Necesitaba cirugía plástica... Yo, entonces, quería viajar al Perú... Era tan importante como lo de Dante... Y pensé en operarme en Mérida... Hablé con algunos doctores, pero sus métodos eran primitivos, antiguos...

¡Falso! ¡Abrumadoramente falso!

En una de mis estancias en Mérida tuve la oportunidad de conversar con los más antiguos cirujanos plásticos de la ciudad. Pues bien, en 1975, las técnicas quirúrgicas de reparación en dicha población eran tan correctas como las de cualquier otro lugar de Europa o Estados Unidos. Y lo que es peor: Ricky no consultó a ningún especialista... En los archivos de los médicos, al menos, no consta...

—... Y regresé a Estados Unidos... Y aquí me operé...

—¿Por qué viajó a Yucatán?

—Siempre quise ir... desde muy niña... En 1972 me encontraba en Florida y un buen día vi un mapa de Yucatán... Estaba muy cerca... Y subí en un avión...

—¿Conocía a alguien?

—No...

—¿Hablaba ya español?

—Un poco...

Y mi siguiente pregunta —intuyo el porqué— modificó su actitud.

De un tono aparentemente (?) vivo y cordial saltó bruscamente a la gravedad. Y el rostro se oscureció...

—¿De dónde es su familia?

Y resistiéndose, entre dientes, contestó:

—De...

Fue curioso...

Jamás logré que ampliara detalles sobre sus parientes. Ni en las sucesivas cartas que siguieron a esta conversación —todas sin respuesta— ni en las posteriores llamadas telefónicas...

Cada vez que toqué el tema, Ricky lo esquivó, mostrándose huidiza y desconfiada.

¿Casualidad? Lo dudo...

Y comprendiendo que no debía profundizar en ese terreno —al menos de momento—, me aventuré en otra de las parcelas de la ya tambaleante historia del ingeniero...

—¿Y qué puede decirme de «Acrón»?... Él afirma que usted...

No me dejó terminar.

—No recuerdo si hablamos de eso... en broma.

De nuevo la «amnesia»...

—No me acuerdo...

Y los pitidos —los misteriosos «bip»—... en primer plano...

—¿A usted le interesaba el fenómeno ovni?

Más «bip»...

Y con indiferencia, como si de algo anecdótico se tratara, respondió a media voz:

—Sí... sí...

Y aceleré.

—Según el ingeniero, usted, como extraterrestre, habría venido a la Tierra para estudiar la memoria genética de los mayas... entre otras cosas.

Y recuperando la sonrisa de complicidad, sin el menor asombro, comentó pausadamente:

—O.K... Probablemente, el cuento que yo conté fue así: viajé a Palenque, en Chiapas, con un novio yucateco... Y allí conocimos a un indio, un viejo maya... Fumamos marihuana y nos explicó que él tenía memoria genética..., que sabía más que los antropólogos y arqueólogos..., que llevaba la información en la masa de la sangre... que nadie le había enseñado...

Y leyó los jeroglíficos... Y contó la historia de su pueblo...

209

—En otras palabras —resumí desalentado—: Todo falso.

Y Ricky fue tajante.

—Sí... amigo.

Y noté cómo me desmoronaba...

—Pero ¿por qué? ¿Por qué el ingeniero iba a inventar una historia así?

Y con una especial habilidad para «maniobrar», evitó la respuesta directa.

—Todos inventamos memorias... Está probado que todos tenemos memorias falsas... Y es difícil decir en qué momento una memoria se vuelve falsa... ¿Me comprende?

No, no entendí.

Y lo que era peor: no terminaba de asimilar aquella retorcida actitud.

Y añadió triunfante:

—Conozco al ingeniero y sé de su vanidad... Y sé también de su machismo y de su gran imaginación poética...

«¿Imaginación poética? ¿Un ingeniero con imaginación?»

Y tuve la clara sensación de que no conocía a mi amigo o, sencillamente, que volvía a mentir...

Y los «bip» se agitaron de nuevo entre las palabras de Ricky.

Y sentenció:

—Por eso puedo entender por qué ha armado este cuento...

Y creciéndose, subrayó:

—Es un manipulador... Y creo que ha montado esta fábula... para entretenerle...

No, eso no era cierto. E intenté protestar, pero Ricky, vaciándose, lo impidió...

—Él posee una gran inteligencia, una buena curiosidad y una excelente imaginación... pero es perverso.

Y finalmente contraataqué.

210

—Pero, dígame, si todo es una diversión..., para «entretenerme», ¿cómo explica que contara la historia a otras personas... en 1986? Yo no tuve conocimiento de la misma hasta algunos años más tarde.

Silencio.

Y, desconcertada, se refugió en un...

—No sé...

Y ahora, al escuchar cómo los «bip» se intensifican en ese crucial silencio, vuelvo a sospechar:

«¿Mintió?»

Pero sus palabras, a pesar de todo, me debilitaron.

«Probablemente llevaba razón... El ingeniero me había engañado.»

Y no supe «ver» más allá...

Y continué... casi por inercia.

—Bien... él explicó igualmente que usted era una persona muy extraña... Que sólo bebía leche, que llevaba en su equipaje una numerosa colección de frascos, posiblemente medicinas, con fórmulas químicas...

Y soltando una carcajada, adelantó la respuesta.

Y, temeroso y vacilante, redondeé la exposición.

—... Y dice que usted, al verlo comer carne, le recriminaba: «Te estás suicidando.»

Nuevas risas y nuevo golpe a mi ya mermado ánimo.

—Inventado... Es posible que tomara vitaminas... No me acuerdo... Pero comía y bebía de todo...

—¿De todo?

—Sí —replicó, haciendo gala de una súbita y envidiable memoria—. Paella, vino de Rioja, verduras, pescado frito...

Y lanzó algo que, posteriormente, descubriría como su enésima mentira:

—... Nuestro amigo, el ingeniero, se estaba convirtiendo en aquellas fechas al vegetarianismo...

—También comentaba que usted lo apuntaba todo en unas libretas de tapas negras...

—Sí, eso es verdad...

¡Menos mal! ¡Al fin una verdad!

—... Yo, entonces, quería escribir la gran novela americana...

—¿Y por eso hacía tantas y tan absurdas preguntas?

—No entiendo...

A mí me pareció que sí, pero disimulé.

—El ingeniero dice que usted lo acosaba con cuestiones casi infantiles... Por ejemplo: «¿Por qué unas personas se besan y otras se dan la mano?»

Y Ricky dudó nuevamente...

—No sé... No recuerdo...

—Ya...

Y seguí hurgando.

—¿Fumaba en 1982?

—Sí, ya lo creo... Fumé cigarrillos españoles...

Y al mentir —según las personas que la conocieron, jamás la vieron fumar—, los «bip» de la grabación se aceleran...

Y el alarde de embustes continuó y continuó.

—Entonces ¿tampoco es cierto que usted danzara semidesnuda en las madrugadas?

—¿Yo?...

—Según el ingeniero, así se ponía usted en armonía con el universo...

Y tras soltar otra sonora carcajada —¡cómo no!—, evitó la cuestión.

—¡Pura fantasía!... Me he bañado en el mar, sí, cuando era joven y loca... Me gustaba jugar con el plancton... y ver la luna reflejada en las aguas y en mi cuerpo desnudo... Pero de eso hace mucho...

E insistí.

—Es decir, lo niega... Niega que bailara durante las noches en la terraza de la casa del ingeniero...

Y fría, arropada por los «bip», se ratificó.

—Ya lo he dicho: ¡pura fantasía!

Aquella conversación, en efecto, empezaba a no tener sentido. Todo, o casi todo, era falso. Todo inventado...

Y, al mismo tiempo, aunque entonces no lo tuve muy claro, todo generosamente regado con un sospechoso río de mentiras...

Y fui acercándome al final... A la gran y definitiva decepción.

—Nuestro amigo asegura también que usted carecía de pudor...

—¿Pudor?

—Sí. Me explico... Usted caminaba desnuda por la casa o no cerraba la puerta cuando hacía sus necesidades...

—¡Ah! Entiendo... Sí... eso es cierto... Yo soy así...

Y subrayó sus palabras con algo que no comparto.

—... Los norteamericanos de los años sesenta somos así...

—¿Tiene eso algo que ver con el hecho de que nunca se maquille?

—No lo sé...

Y recurrió a otro embuste que quedaría patente meses después, durante las pesquisas en Yucatán.

—... Siempre fui así...

—Bien... Pasemos entonces a lo más importante...

E inspiré temeroso.

—¿Qué opina de lo ocurrido la última noche, cuando regresaban a la población «A»?... ¿Recuerda la nave?... ¿Por qué se asustó?... ¿Por qué dijo que era una astronave que venía a recogerla?

Y en esos instantes, mientras levantaba las preguntas, los enigmáticos «bip» —en secuencias de tres y dos pitidos— se hicieron arrolladores. Evidentemente, ahora lo sé, aquél fue el momento clave.

Y los «bip» sonaron de cinco en cinco. Casi rabiosos...

¿Casualidad? Lo dudo...

Y Ricky, impasible, me hundió.

—¡Todo inventado!... ¡Completamente inventado!

Y ahí, definitivamente, me vine abajo...

«Pero ¿qué esperaba? ¿Una declaración jurada? ¿Un "sí" rotundo? ¿Un reconocimiento de que, en efecto, era una alienígena?...»

¡Pobre idiota!

Y como tal, sin enterarme de nada, argumenté:

—Pero, según el ingeniero, a la mañana siguiente... usted ya no estaba...

Y remató —¡cómo no!—... mintiendo.

—Marta sabe cómo salí...

Y, confuso, recordé la última entrevista con la dueña de los apartamentos.

¡Ricky mentía!

Marta no sabía cómo abandonó el lugar... Nadie lo sabía.

Y hoy, al escuchar la cinta por enésima vez, me descubro ante la gélida «mujer» (?)...

«¡Qué frialdad! ¡Qué magnífica representación!... A no ser que aquella actitud —insisto— encerrara una segunda y escondida intencionalidad...»

Pero, lógicamente, al carecer de pruebas contundentes, no supe verlo.

Y la pasmosa seguridad de Ricky fue minándome...

—¿Sabía usted que el ingeniero me ayudó a salir de España?

Nuevo jarro de agua fría...

No, en aquellas fechas, lo ignoraba todo sobre el particular.

Y al percibir mi desconcierto..., me pulverizó.

—... Sí, mi querido amigo... Él me acompañó a comprar el boleto...

Y, desarmado, lamenté mi escandalosa ingenuidad.

El ingeniero nunca habló de aquel pasaje de avión...

E intenté pensar a gran velocidad.

«En realidad, si ella desapareció en la noche o en la madrugada del incidente con el ovni, difícilmente podía haber sacado el billete... ¿O lo compraron mucho antes?»

Y hecho un lío... caí en la trampa.

Y me incliné a creer que Ricky decía la verdad.

Y maldije al ingeniero...

¡Pobre estúpido!

Si intuía que estaba mintiendo sin cesar, ¿cómo pude darle crédito?

Gajes del oficio, supongo...

—Así que el ingeniero sabía lo del boleto...

Y me atornilló, incapacitándome para la reflexión.

—Fuimos a Sevilla y compré el pasaje... El vuelo salía de Madrid... Creo que hizo escala en Málaga... Y de allí partí hacia Nueva York...

Y empujando con la mirada... me clavó en la silla.

—... Marta estaba al corriente... ¿No se lo dijo?

E indignado conmigo mismo repetí la pregunta:

—¿Y dice que él la ayudó?

Y hoy, conociendo la versión del ingeniero, sigo asombrándome ante el cinismo (?) de la supuesta alienígena.

—Sí... sí.

—¿Y en qué fecha fue eso?

—Más o menos, en mayo...

—¿Todo el tiempo lo pasó en la población «A»?

—Sí... aunque, de vez en cuando, hacíamos viajes cortos...

—¿Recuerda a qué lugares?

Y rápida, montada en las medias verdades, sin perder la encantadora (?) sonrisa, aclaró.

—Cádiz... Ceuta... Toledo...

Y al citar la última ciudad —no sé por qué (?)— subrayó con énfasis:

—Sí..., también estuvimos en Toledo...

A mi regreso a España, el ingeniero negó tajante y enfadado:

«Jamás viajé a Ceuta con Ricky..., y mucho menos a Toledo.»

Y ahora, conociendo lo que conozco, me asalta otra irritante duda:

«¿Por qué mencionó Ceuta y Toledo?... ¿Fue un lapsus... o una "pista"?... ¿Qué quiso decir?... ¿Se trataba de una "insinuación"..., para que investigara en dichas poblaciones?... Pero ¿qué debía investigar?

»Y hoy... "algo" (?) me dice que "aquello" no fue un fallo... en la memoria de la "gringa".»

Pero todo llegaría... «en su momento».

—... Málaga... Portugal... Sevilla...

—Por cierto —la interrumpí, rememorando el suceso acaecido en Marbella—, el ingeniero me habló de otro curioso asunto...

Y al exponer el certero vaticinio sobre las muertes de Tulio, Enrique y del propio ingeniero, sencillamente sufrió un enésimo ataque de «amnesia»...

—No sé..., no me suena...

Lo que sí le sonaba —a su manera, claro está— fue lo registrado en un gran almacén de Sevilla...

—Nuestro amigo —expliqué sin entusiasmo— comenta que usted se asustó al entrar en el supermercado... y ver tantas botellas.

Y riendo plácidamente —¡cómo no!— lo desmintió.

—El consumismo me deprime... no me asusta.

—Pero él asegura que usted le tomó la mano... aterrorizada.

—Otro invento...

Y no sé por qué —quizás porque me resistía a aceptarlo—, dejé escapar un comentario... sobre lo que ya sabía.

—Así que la historia de la nave y el coche... pura invención...

—Sí...

Y remachó.

—El resto contiene algo de verdad... Está inteligentemente construido... Eso, en cambio, no... ¡Totalmente inventado!

Y astuta fue a ensañarse con mi amigo, calificándolo de «malvado, fantasioso, comunista y perturbador».

216

Y atado de pies y manos... no supe defenderlo.

Y bien que lo he lamentado...

Finalmente, estimando que Ricky conocía mejor que yo al embaucador, me interesé por las razones que —según ella— habían provocado el fraude.

Y se aventuró en otra mentira.

—Siempre tuvo un gran interés por lo extraterrestre... Es un experto...

¿Un experto?

Nada más lejos de la realidad...

Pero necesité tiempo para indagar en la personalidad y en el entorno del ingeniero, comprendiendo que la afirmación de Ricky carecía de fundamento.

Según mis informaciones, hasta la noche del avistamiento en la carretera, jamás destacó en estos temas. Le atraían, sí, como a cualquier persona medianamente curiosa e inteligente. Pero de ahí a considerarlo un «experto»... había un abismo.

Es más: de no haber sido por esta investigación, lo más probable es que hubiera terminado por olvidarse de los ovnis...

Y, tímidamente, contraataqué:

—Hay algo que no comprendo... Si es una fábula, ¿por qué se niega a revelar su identidad?... ¿Qué gana con un montaje tan arriesgado?... Él debe saber que, si todo es falso, tarde o temprano lo descubriré...

Y Ricky, que al parecer ignoraba (?) el asunto de la identidad, balbuceó insegura.

Y los pitidos arreciaron...

—No lo olvide —escapó como pudo—... Es diabólico...

—En conclusión... Usted piensa que se trata de un fraude...

—No lo pienso... lo creo...

Y el instinto (?) —supongo— me iluminó.

—Bien... es posible que mienta...

Y disparé a quemarropa.

—... Pero usted también puede estar mintiendo...

Y replicó con «algo» que todavía me tiene perplejo.

—Usted es un investigador... ¡Déjese guiar por la intuición!

Y sonrió divertida.

«¿Qué clase de respuesta era aquélla?... ¿Dejarme conducir por la intuición?

»Lo normal —digo yo— es que, si Ricky hubiera sido una ciudadana común y corriente, la insinuación tendría que haber sido rechazada de plano...

»Y la singular contestación ha terminado fortaleciendo la vieja sospecha: sí, ese "ángel" que nunca se equivoca sigue gritando...

»Ricky es... lo que asegura el ingeniero.»

Y, atónito, continué enganchado a la misteriosa recomendación.

—Ahora no sé..., pero esa intuición, en su momento, me dijo que sí..., que usted podría ser una alienígena...

Y fue desconcertante.

En lugar de rechazar o negar, como hiciera anteriormente, volvió a sonreír...

Y bajando los ojos... me dejó en suspenso.

Y ciego y torpe, como siempre, no capté...

Y proseguí.

—Porque —seamos sinceros—, si usted fuera una extraterrestre, nunca me lo diría.

¿O sí?

Nueva, interminable y compasiva sonrisa.

Y llenándome con aquella mirada azul, respondió conciliadora.

—Si usted es un buen investigador, terminará sabiéndolo... Terminará encontrando las pruebas...

—¿Pruebas?...

Lo dicho: ciego y estúpido...

Y ahora estoy seguro. Ricky, con aquellas veladas palabras, lo estaba declarando abiertamente.

De haberse tratado de un ser humano sin más, ¿por qué recurrir a una respuesta tan críptica? Lo lógico habría sido cortar por lo sano o, simplemente, enviarme a hacer... cósmicas puñetas.

Y, paciente, aclaró:

—Sí, pruebas... Pruebas de que soy... lo que afirma el ingeniero...

—Y si las encuentro... ¿usted lo diría?... ¿Reconocería que no es de aquí?

Suspiró.

Y los «bip» —enloquecidos— casi respondieron por ella.

—Primero... encuéntrelas.

Y la charla derivó hacia otros asuntos que, como ya anuncié, no puedo desvelar... por el momento.

Finalmente, al interesarme por sus ocupaciones, Ricky explicó que, desde 1982, desde su regreso de la población «A», su vida había cambiado «radicalmente»...

Y pronunció la palabra con especial énfasis.

«Radicalmente.»

Pero, entonces, la sutileza pasó casi desapercibida para este hundido investigador...

Y prosiguió, detallando que «tras un largo proceso de reflexión en dicha población "A", se decidió por el ingreso en una escuela de enfermeras». Y se hizo comadrona.

Y me gastó una broma.

¿O debería decir una supuesta broma?

—... Y ahora, merced a ese trabajo, tengo la oportunidad de sembrar semillas... extraterrestres...

Y remachó, acercándose a la grabadora.

—... Y nadie puede sospechar...

Y servidor, como un tonto integral, redondeó la supuesta frivolidad.

—¿Es que también penetran en los cuerpos durante la gestación?

—Sí, claro... Así es mucho más fácil...

—Entonces —rematé, siguiéndole la corriente— esto es una invasión... Ustedes están en todas partes...

Y riendo mi propia ocurrencia añadí:

—... Cualquiera, cualquier investigador..., yo mismo... podríamos ser... extraterrestres...

Y de pronto, dinamitando la sonrisa, sentenció:

—Usted lo ha dicho...

Y a pesar del aparente tono de broma, un escalofrío me advirtió.

Y hoy, atando cabos, acude a la memoria aquella extraña sensación al verla por primera vez en la puerta de Internacional.

«Sí..., nos conocemos... Nos conocemos de "algo"...»

16 horas.

Y concluida la grabación, recordando que no disponía de la dirección, le rogué que la escribiera en el cuaderno de campo.

Y no dudó.

Y dócil, sin la menor resistencia, procedió.

Y anotó el nombre y apellido, añadiendo el número de la vivienda, la calle, la ciudad, el estado, el código y su teléfono.

Y lo hizo con calma. Recreándose.

Y aquellas cuatro líneas —como veremos «en su momento»— resultarían de especial trascendencia...

Y vuelvo a preguntar:

«¿Por qué se negó por teléfono y, sin embargo, no puso inconveniente a la hora de registrarla con su puño y letra?... ¿Sabía lo que estaba haciendo?... ¿Era consciente de la importancia de aquel escrito para los peritos calígrafos?»

Hoy, al conocer los resultados de esos análisis, estoy seguro de que sí... Ella lo sabía...

Y, a su manera, contribuyó a armar el rompecabezas... proporcionándome una valiosa «prueba».

¿Casualidad? Lo dudo...

Y antes de abandonar el patio fui a mostrarle las fotografías tomadas por el ingeniero en la población «A».

Las examinó cuidadosamente y, sonriendo, comentó complacida.

—¡Qué tiempos aquéllos...! Sí... la población «A» fue importante...

Y, misteriosa, añadió casi para sí misma:

—Estoy en deuda con el ingeniero... Él me ayudó... sin saberlo.

—¿La ayudó?... ¿En qué?

Pero, negando con la cabeza, guardó silencio.

Sesión de fotos.

Y con idéntica docilidad, me dejó hacer.

Con gafas de sol... Sin lentes... Primeros planos... No podía creerlo.

Ni una sola protesta. Ni un mal gesto... Al contrario: posó sonriente, obedeciendo a todas mis indicaciones.

No, «aquello» no era normal...

Y, meticuloso, al repasar de nuevo el cuestionario, comprobé que faltaba una pequeña cuestión.

Y mostrándole el registro de huéspedes de 1981 —las ocho líneas fotocopiadas y pegadas en el cuaderno— pregunté si reconocía la letra.

—Sí —replicó sin titubear—. Es la mía.

Más adelante, los expertos grafólogos comprobarían que Ricky había vuelto a mentir... en parte.

Y aclaró algo que confirmó las sospechas de Marta: la dirección que aparecía bajo su nombre y apellido era, en realidad, la de un hermano de Spain con el que, efectivamente, sostuvo una relación amorosa...

Y me ratifiqué en lo ya dicho:

«Si Ricky, en 1981, era novia de un hermano de Spain, ¿qué pintaba el médico en aquel misterioso viaje?»

Y a partir de aquellos momentos, con el retorno al apartamento, todo discurrió a gran velocidad.

Y lo sé: yo fui el culpable...

Yo me empeñé en salir de allí... a toda costa.

Y es comprensible... supongo.

En mi ánimo resonaban unas crueles y fatigosas frases:

«Todo inventado...»

Y fui presa de una gran decepción.

«El ingeniero miente...»

Y lo que entonces estimé como uno de los mayores fracasos de mi vida profesional... terminó nublándome.

«No lo olvide... Ese hombre es diabólico.»

Sencilla y lamentablemente: no deseaba continuar con aquella historia.

Me sentía engañado. Estafado.

A pesar de esos veinticinco años de investigación y de supuesta experiencia... me había comportado como un novato.

«¡Punto final!»

Y me propuse abandonar el lugar —huir sería el término correcto— lo más rápidamente posible.

Y hoy, claro está, me arrepiento...

Pero el Destino (?) es así: aparentemente voluble. Aparentemente caprichoso.

Y ocurrió de nuevo...

Sucedió «algo» que, al menos para mí, no tiene una explicación racional.

Sí, otra vez el enigmático Destino (?)...

Mientras Ricky intentaba convencerme (?) para que los acompañara a cenar a un restaurante, un último vestigio de profesionalidad (?) me recordó que faltaba un «detalle».

Pero lo desestimé.

«¿Y qué importa... si todo es falso?... ¡A la mierda el boquete en la pierna!»

Pero el instinto (?) machacó tenaz...

«¡Tienes que verlo!... ¡Debes fotografiarlo!»

Y, como digo, sucedió nuevamente...

«¿Cómo lo hizo?... Nunca lo supe.»

La cuestión es que Rex, adivinando (?) el forcejeo interior, interrumpió a la mujer. Y, súbitamente, ante mi espanto, le pidió que se levantara el pantalón.

Y, atónito, lo miré de arriba abajo.

«Pero... ¿cómo era posible?»

Y, como siempre, respondió (?) sin palabras y con aquella incipiente y mal dibujada sonrisa.

Y Ricky, como lo más natural, obedeció sin rechistar.

No, «aquello» tampoco fue normal...

Y no sé qué fue lo que más me impresionó: la capacidad de «adivinación» (?) del hombre o la pierna de Ricky...

Buena parte de la cara posterior de dicha pierna derecha aparecía roja y materialmente cosida por una maraña de largas y dramáticas cicatrices.

El gran boquete en la región de los «gemelos» —en el que cabía un puño, según el ingeniero— había sido hábilmente restaurado. Sin embargo, la cirugía plástica no pudo evitar que el cuadro final resultara casi repulsivo.

Y entendí por qué Ricky jamás usaba faldas...

Y digo yo que, incomprensiblemente, saltando por encima de la decepción, ese providencial instinto (?) me forzó a echar mano de la cámara. Y casi como un autómata me apresuré a fotografiar aquel desastre.

E insisto: nada en aquella secuencia fue normal...

«¿Cómo Rex alcanzó a penetrar en mi interior?... ¿Por qué Ricky —mujer (?) a fin de cuentas— accedió a la petición?...

»Y lo más desconcertante: ¿por qué consintió que la fotografiara... y además dos veces?»

¿Casualidad? Lo dudo...

Y Ricky insistió. Y volví a rechazar la invitación.

«Dejémoslo... La verdad es que estoy cansado... Cenaremos la próxima vez...»

Y hoy, como decía, lo lamento.

¡Cuánta torpeza!

Pero las cosas estaban como estaban...

En aquellos instantes —derrotado por el supuesto fracaso y víctima de la confusión— no hubiera resistido otra tertulia con tan extraños anfitriones.

Y Rex, tomando de nuevo la iniciativa, preguntó si «necesitaba algo más».

Y en broma (?), matizó:

«¿Una foto con la extraterrestre... por ejemplo?»

Palidecí.

«¿Cómo sabe?...»

Él no estuvo presente en las conversaciones con Ricky.

Y sólo hallé una posible explicación: la mujer pudo informarle durante su prolongada ausencia, mientras servidor la esperaba en el patio.

Hoy, por supuesto, ya no estoy tan seguro...

Y dicho y hecho.

Nuevas imágenes para el recuerdo (?)...

Ricky, con el pasaporte en las manos... sin el pasaporte..., y junto a este perplejo investigador.

Y en todas, una Ricky feliz y complaciente...

Sólo Rex se negó a posar.

—La estrella no soy yo —se excusó con un punto de ironía.

Y al rememorar los últimos minutos en el apartamento, sinceramente, no salgo del asombro.

«Si la historia era una farsa, ¿a qué obedecía aquel obsesivo interés por facilitarme la labor?... ¿Por qué ese empeño en que fotografiara a Ricky?... ¿Qué buscaban?... ¿Sabían que, de momento, no daría publicidad a dichas imágenes?... ¿Por qué Rex sugirió que me retratara con ella?... ¿Por qué él, en cambio, esquivó mi cámara?... ¿Por qué tanta insistencia para que aceptara la invitación a cenar?»

Evidentemente, todo «aquello» era tan singular... como sospechoso.

En mi opinión, ningún norteamericano sensáto se habría comportado así.

«A no ser que...»

Pero entonces no supe verlo. Y hoy lo sé: no era el momento.

17 horas.

Y ciertamente aliviado, me vi de nuevo en el destartalado utilitario blanco.

Y con un Rex al volante —en esta ocasión mudo y misteriosamente ajeno— abandonamos el solitario barrio, dirigiéndonos al hotel en el que debía pernoctar por necesidades de enlace. Si de mí hubiera dependido, aquella misma tarde habría volado al Distrito Federal mexicano...

Pero el gobierno de esta aventura —¡cómo no!— no se hallaba en mis manos.

Y Ricky, acomodada en el asiento posterior, supongo que advirtiendo mi desolación, procuró aliviarme.

Y buena parte del recorrido lo invirtió en un concienzudo «examen», interesándose por mi persona, familia, amigos y proyectos.

Y preguntó y preguntó...

Y creo que respondí por pura cortesía. Casi automáticamente y sin el menor entusiasmo.

A decir verdad, la visita a la gran metrópoli podía simplificarse en aquellos momentos con aquellas tres demoledoras frases:

«Todo inventado... El ingeniero miente... Es un hombre diabólico.»

Y hundido y humillado, me replegué sobre mí mismo.

Y todo, a mi alrededor, fue difuminándose y perdiendo interés.

«¿Todo?... No, todo no...

»Y la prueba es que no he olvidado la última pregunta de Ricky.

»¿Cómo olvidarla?»

Ocurrió al final del trayecto. Curiosa y sospechosamente... en los postreros instantes, frente al hotel.

Sí, curiosa y sospechosamente...

De pronto, en un tono aparentemente (?) jocoso, la mujer se interesó por «algo» que, según mi corto conocimiento, no encajaba en la historia. Una historia supuestamente falsa...

¿O sí venía a cuento?

—¿A usted le gustaría... venirse con nosotros...

Pareció meditar el final de la frase.

Y sin apearse de la sonrisa concluyó:

—...con los extraterrestres?...

Pero, mermado, no tuve reflejos. No reparé en lo insólito de la cuestión. No profundicé.

«¿A qué obedecía tan desconcertante insinuación?... ¿Se trataba únicamente de una broma?... ¿Y por qué al filo de la despedida?»

Y el instinto (?) —no sé por qué— me sigue diciendo que «aquello» fue mucho más que una broma...

Lamentablemente, como digo, en aquellos turbios momentos, no caí en la cuenta.

Sólo recuerdo que contesté... absolutamente en serio:

—Claro que me encantaría... siempre y cuando me garanticen el billete de vuelta.

Y Ricky, prescindiendo de la sonrisa, me traspasó con sus radiantes ojos azules.

Y hoy regalaría un año de vida a cambio de sus pensamientos...

Y me pregunto:

«Si en verdad era una alienígena, ¿hará realidad mi sueño?» (1).

Y al despedirnos, abrazándome tiernamente, susurró al oído:

—¡Ánimo!... Y recuerde: ¡confíe en la intuición!

Y los vi alejarse, perdiéndose en el trasiego de la gran ciudad.

(1) Aviso para navegantes (sobre todo a Blanca): Si este pobre iluso desaparece algún día... por favor, no pierdan el tiempo buscándome... No es broma... ¿O sí?

«¡Dios bendito!

»¿Estoy soñando?... ¿Qué es todo esto?»

Y sus palabras —como una advertencia— sue-
nan, y sonarán para siempre, en mi corazón...

«*¡Confíe en la intuición!*»

Curioso... sí.

«*¿Por qué tanta insistencia?... ¿Por qué conce-*
dió tanto valor a la intuición?...

»*¡La intuición!... En aquellos momentos, la úni-*
ca que seguía confiando en el ingeniero...»

Muy sospechoso... sí.

Y no se equivocó.

Y con el crepúsculo —rendido y percibiendo el
olor de la derrota— fui a recluirme en la soledad de la
habitación.

Y durante horas, en compañía del cuaderno de
campo y de una angustiosa zozobra, luché y luché...

Fue inútil.

La serenidad había volado. Y los pensamientos,
en desorden, cayeron como buitres...

El golpe —así lo estimé entonces— fue mortal.

«Todo falso... Todo inventado.»

Y lo sé. Hoy, con la ventaja del tiempo y de la distancia, aquel comportamiento puede resultar paradó-
jico. Es más: ni yo mismo lo entiendo...

Recuerdo, por ejemplo, cómo, al repasar la grabación, el instinto (?) se hartó de gritarme:

«¡Miente!... ¡Ricky miente!»

Y así era, en efecto...

Meses después, concluidas las investigaciones en
Yucatán, llegaría a sumar treinta y seis descarados
embustes, amén de otro buen puñado de contradicciones, sospechosos silencios, intencionados «desvíos»
en la conversación y numerosos y poco creíbles ataques de «amnesia».

Sin embargo, en aquel aciago (?) lunes, pesó más
el rotundo desmentido de la supuesta alienígena.

Y caí en la trampa.

Y a pesar de los desesperados gritos de la intuición... me incliné a creer que Ricky decía la verdad.

«Todo es fruto de la febril imaginación poética del ingeniero.»

Y torpe, ciego y desmoralizado no tuve en cuenta una de las «claves» de mi encuentro con la mujer. Una «clave» tan sutil como valiosa y en la que Ricky —no por azar— insistió una y otra vez:

«¡Confíe en la intuición!»

Y aunque las últimas líneas escritas aquella noche son significativas —«¿A quién debo creer? ¿Quién miente?»—, la triste realidad es que la decepción terminó saturándome.

Y el instinto (?) fue pisoteado...

«Todo ha concluido.

»¡Adiós a la cruel y retorcida historia!

»Sencillamente..., un fracaso más.»

¡Pobre ignorante!

¿Cómo sospechar siquiera que la increíble aventura apenas si estaba arrancando?

Y hoy lo intuyo. Tenía que ser así...

Primero debía conocerla. Entrevistarla. Grabar sus palabras. Sus mentiras... y los enigmáticos «bip».

Después...

Pero no adelantemos acontecimientos.

Y la jornada finalizaría con otra sorpresa...

Honradamente, por más vueltas que le doy, no consigo entenderlo. No he logrado despejar la incógnita...

Sucedió al poco de mi ingreso en el hotel.

De pronto... sonó el teléfono.

Y me sobresalté.

Pensé en Blanca. Sólo ella conocía mi paradero en la gran metrópoli.

Pero no...

¡Era Ricky!

Al principio titubeó. Después, enderezado el ánimo y no sé si recurriendo a la adulación, pareció querer justificarse.

—Disculpe... Me ha causado una grata impresión...

Y rectificó.

—Nos ha causado una gratísima impresión...

Silencio.

—Y deseo que me haga un favor...

Esta vez fui yo quien dudó.

—Usted dirá...

Silencio.

Y tuve una extraña sensación...

—No desvele mi identidad... ni tampoco el lugar donde vivo...

Sí, fue un presentimiento...

Naturalmente, me mostré conforme.

Y añadió suplicante...

—Y mucho menos... al ingeniero.

No sé explicarlo, pero, en aquellos instantes, «supe» (?) que la mujer volvía a mentir. El presentimiento fue nítido: aquélla no era la verdadera razón de su llamada...

Y la tranquilicé, recordándole lo ya pactado durante la grabación: la entrevista era confidencial. Mientras ella no lo autorizase expresamente, nadie conocería su verdadero nombre, ni tampoco la ciudad donde residía.

Y, como garantía, ofrecí lo único que tengo: mi palabra.

—Muy bien —concluyó con dulzura—... Sé que no me defraudará.

Y, como decía, por más vueltas que le he dado, no acierto a desentrañar el porqué —el auténtico porqué— de tan inexplicable llamada.

Sí, todo era muy confuso...

«Si la historia de Acrón era una fábula, ¿qué le preocupaba?... Si no deseaba desvelar su identidad, ¿por qué permitió que grabara y que la fotografiara a placer?...

»Y lo más absurdo: ¿qué interés podía demostrar mi amigo por alguien de quien ni siquiera recordaba el nombre?

»¿Fue, quizás, una excusa para controlar mis movimientos?»

Y aquel presentimiento sigue vivo...

Finalmente, un profundo sueño acudió en auxilio de este abatido investigador.

E, inquieto, recuerdo una de aquellas agitadas ensoñaciones...

En ella —consecuencia quizás de tanta confusión— aparecía el ingeniero... como un destacado agente de la CIA, el temido Servicio de Inteligencia Norteamericano...

La historia, en definitiva, no era otra cosa que una hábil y ponzoñosa maniobra, tramada por los referidos servicios secretos... con el fin de intoxicar a la opinión pública... una vez más.

Y aunque sé que sólo fue un sueño... dicho queda.

Y «Ricky», como lo más natural, se alzó el pantalón, mostrándome las secuelas del grave accidente registrado en México. (Foto J. J. Benítez.)

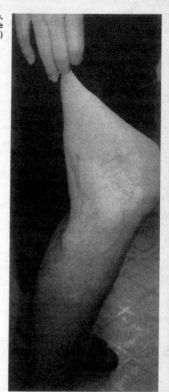

Una valiosa imagen. El autobús siniestrado, en el que viajaba Ricky. El pie de foto del *Novedades* dice textualmente: «Son de apreciarse los daños materiales del autobús de Autotransportes de Oriente placas del S. P. F. T-5326, que se volcó ayer temprano en el tramo Hda. Holactún-Hda. Ticopó de la carretera Mérida-Puerto Juárez con el saldo de cinco muertos y seis heridos.» (Foto José Martínez.)

MÉXICO, D. F.

Martes, 3 de septiembre (1996).

No sé cómo, pero lo supo...

Nada más verme, Blanca adivinó lo ocurrido en USA. Y es que el fracaso, supongo, aterrizó conmigo en el Distrito Federal. En realidad, aparecía colgado de la mirada...

Y tras escuchar atentamente lo acaecido en la gran metrópoli, sin dudarlo un instante, movida por ese prodigioso sexto sentido, sentenció indignada:

—¡Miente!... ¡Esa mujer te ha tomado el pelo!

No la creí.

Y valoré sus afirmaciones como un gentil y bondadoso soplo de oxígeno.

E insistí, intentando convencerla.

La negativa de Ricky fue redonda. No había opción ni margen para la duda.

Era duro, sí, pero convenía hacerse a la idea: el ingeniero mentía.

Pero, ante mi asombro, tenaz —casi obstinada—, Blanca no cedió.

Y me refrescó la memoria:

—¿Y qué opinas de las mentiras?

Y argumentó con razón:

—Un solo embuste invalida todo su testimonio...

Sí, cierto... pero, en aquellos instantes, la herida era tan profunda que no pude, o no quise, aceptar sus sensatos consejos.

«¡Punto final!»

A nuestro regreso a España buscaría al ingeniero, pero, únicamente, para exigir una aclaración y, probablemente, para reprocharle su falta de consideración con un supuesto amigo...

Y mi mujer comprendió.

«¡Punto final!»

La decisión estaba tomada.

¡Pobre incauto!

Una vez más, olvidaba al gran protagonista de esta historia: el Destino (?)...

Y el Destino (?), astuto, se vistió de mujer.

Blanca, con su afilada inteligencia, dejó pasar las horas. Dejó que me tranquilizara...

Y esa misma tarde, en el momento oportuno, fue a remover donde, aparentemente, no quedaba nada. Y lo hizo, pulsando la fibra más sensible de este investigador: la curiosidad.

Sencillamente, fingiendo conformidad con mi decisión de renunciar a la historia de Ricky, insinuó tentadora y maliciosamente:

—De acuerdo, pero, ya que estamos en México... ¿por qué no consultar los periódicos?... Si el accidente existió, ahí puede estar la clave...

Y desperté...

Y Blanca, sagaz, pisó el acelerador.

—...Si el ingeniero dice la verdad... en ese accidente tuvo que pasar algo raro...

Mano de santo.

Y justo es que lo reconozca. De no haber sido por esta inteligente y oportunísima intervención de mi mujer y eficaz colaboradora, las pesquisas habrían muerto...

El mérito, por tanto, es suyo.

Y el Destino (?), imagino, sonrió burlón...

Y a la mañana siguiente, miércoles, impulsado únicamente por la curiosidad —¡qué magnífica arma para el investigador!—, acudía en solitario a la Ciudad Universitaria, visitando la Hemeroteca Nacional.

Y el increíble y desconcertante Destino (?) se sentó conmigo en la cuarta planta.

Y esperó...

Pero, de pronto, al recordar las palabras de la «gringa», las escasas fuerzas flaquearon.

«Sí... tuve un accidente... en Yucatán... en 1975... creo.»

¡Ni siquiera estaba seguro de la fecha!

¿Por dónde buscar, entonces?

¿1975?

Suponiendo que Ricky no mintiera, ¿cómo acertar?

¿Y si fue en 1976?

Claro que también pudo haber sido en 1974...

¡Dios santo!

¡Qué poco faltó para que me levantara y abandonara el casi imposible empeño!

Y volvió a suceder...

«Algo» o «alguien» me amarró a la silla.

Aquello no tenía sentido, lo sé... Sin embargo, solicité los periódicos de Yucatán.

Y el sentido común protestó.

Pero aquella inconfundible «fuerza» lo dejó mudo.

Y por puro instinto (?) arranqué por 1975.

Y ocurrió algo más... Algo incomprensible, para lo que no tengo explicación... ¿O sí?

Al recibir la colección del **Diario de Yucatán**, *en lugar de iniciar la búsqueda por el principio, por el mes de enero, me fui directo al final: ¡a diciembre!*

¿Por qué?

Honradamente... lo ignoro.

¿Casualidad? Lo dudo...

Eran las once de la mañana, según consta en el cuaderno de campo.

Pero bueno será que interrumpa la narración y abra un breve paréntesis. Una aclaración que pone de manifiesto la «singularidad» de aquel rastreo en la Hemeroteca Nacional.

Y me explico.

Los que conocen México, y saben del preocupante índice de siniestros que se registra a diario en sus carreteras, podrán comprender lo arduo de una investigación en la que, lamentablemente, lo ignoraba casi todo: lugar exacto del suceso, fecha...

Y acudiré a las cifras.

Algún tiempo más tarde, en otra consulta en la Hemeroteca Regional de Mérida, capital del estado de Yucatán, fui a tropezar (?) con unos datos que ilustran cuanto digo.

Al revisar el diario *Sureste* me llamó la atención la siguiente noticia:

Con fecha 25 de diciembre del referido año de 1975, el entonces delegado en Mérida del Autotransporte Federal, don Eugenio Herrero García, facilitaba una estadística estremecedora. Entre el 18 y el 24 de ese mes de diciembre, los accidentes en los caminos de jurisdicción federal ascendían a un total de 658, con 122 muertos y 559 heridos.

En otras palabras: ¡casi un centenar por día!

Y cierro el paréntesis con el pensamiento que me escoltó aquella mañana, al penetrar en la citada Hemeroteca Nacional de México:

«Sin una sola pista... localizar el siniestro mencionado por Ricky es casi un milagro...»

Y hoy me pregunto:

«Ante un panorama tan desolador —con una media de cien accidentes diarios—, ¿cómo explicar que este investigador permaneciera "amarrado" a la silla?... ¿Fue normal que iniciara las pesquisas... por donde empecé?»

Sí, extraño... Muy extraño.

12.15 horas.

Y al encarar aquella primera plana del *Diario de Yucatán*, correspondiente al martes, 16 de diciembre de 1975, quedé petrificado.

Y leí incrédulo.

Y creí escuchar las carcajadas del Destino (?).

Y consulté el reloj por segunda vez.

Sí... apenas había transcurrido una hora y quince minutos desde el inicio del rastreo...

¿Casualidad? Lo dudo...

Y me levanté.

Y, nervioso, tuve que abandonar momentáneamente la sala, refugiándome en un cigarrillo...

Y bendije a Blanca.

Minutos después leía por tercera vez...

Y la voz de Ricky sonó cálida y oportuna en mi memoria:

«¡Ánimo!... Y recuerde: ¡confíe en la intuición!»

¡Sí, lo había encontrado!... ¡Era cierto!... ¡El accidente existió!... ¡El nombre de Ricky constaba entre los heridos!

Y despacio, muy despacio, me sumergí de nuevo en la lectura de las tres columnas.

Y hoy, entre escalofríos, me pregunto:

«¿Cómo fue posible?... ¿Cómo pude encontrarlo?... ¿Qué o quién movió los hilos?»

No, «aquello» no era normal...

La información periodística —sin imágenes— aparecía lógicamente destacada (arriba y de entrada), como la noticia sobresaliente del día en Yucatán.

He aquí el texto íntegro:

«Sucesos de policía

»Perecen 5 pesonas al volcar un autobús
»cerca de Holactún

»Lesionados seis pasajeros del vehículo, que venía de Playa del Carmen. Solicita amparo el chófer

»Un autobús de Autotransporte de Oriente que salió ayer a las 5.30 horas de Playa del Carmen, Quintana Roo, y se dirigía a esta ciudad con unos veinticinco pasajeros, volcó alrededor de las 10.30 horas cerca de Holactún y a consecuencia del accidente perecieron cinco personas y otras seis resultaron lesionadas.

»Hasta la madrugada de hoy sólo estaban identificados dos cadáveres: José Enrique Aguilar Méndez, estudiante del Tecnológico de Mérida, de dieciocho años de edad y vecino de Valladolid, y Miguel Ángel Pérez Aguilar, artesano de diecinueve años y vecino de Playa del Carmen.

»Los cinco pasajeros perecieron al quedar prensados en el interior del vehículo. Pérez Aguilar resultó desnucado y, además, un tubo del vehículo le perforó la yugular. Los daños del autobús fueron cuantiosos.

»Los lesionados son: Audomaro Martín Pool, quien fue atendido en el Centro Médico del Sureste; José de Jesús Álvarez Canto, de treinta años de edad y patrón de Pérez Aguilar, atendido en el hospital Juárez del Seguro Social; Juan Herrera Salazar, de cincuenta y un años de edad y chófer del autobús; María del Carmen Aguilar Méndez, de diecinueve años de edad y hermana de uno de los occisos; Victoria Rosado, viuda de Farjal, de sesenta y cinco años y vecina de esta ciudad, y la turista norteamericana... de veintisiete años; estos cuatro últimos fueron atendidos en la clínica Mérida del IMSS.

»PRIMERAS DILIGENCIAS

»Según las primeras diligencias practicadas en el lugar del accidente por el secretario de la Mesa 3.ª del DAP, Wéyler A. González Herrera, a la altura del kilómetro 31,800 de la carretera Bécal-Puerto Juárez, tramo Holactún-Ticopó, el autobús marca Sultana, placas T-5326, con número económico 08, manejado de Oriente a Poniente por Juan Bautista Herrera Salazar, se salió del camino y, después de tirar tres postes "fantasmas", volvió de nuevo a su ruta, pero un extremo del vehículo chocó con otra de las señales, por lo que el autobús volcó sobre un costado y después sobre su propio techo, que por el peso de la carrocería quedó sumido a la altura del respaldo de los asientos.

»Rescate

»El conductor Herrera Salazar fue rescatado de entre los escombros por un grupo de socorristas que rompió el cristal panorámico delantero. Para extraer a los muertos y heridos fue necesario retirar las láminas retorcidas de los costados.

»Según informó el secretario González Herrera, el chófer declaró en primera instancia que la volcadura ocurrió cuando se atravesó un leñador que trataba de cruzar la carretera de Sur a Norte y, para no atropellarlo, el guiador efectuó una maniobra defensiva hacia la derecha.

»Herrera Salazar solicitó y obtuvo el amparo de la Justicia Federal.

»Un reportero y un fotógrafo de este periódico que acudieron al lugar del accidente observaron que la volcadura ocurrió en un tramo recto y plano, a unos doscientos metros de una curva y aproximadamente a dos kilómetros al Poniente de Holactún. También observaron huellas de la rodada derecha del vehículo y rayones en el pavimento que atravesaban en diagonal el camino en un tramo de unos cincuenta metros.

»Declaraciones del chófer

»Entrevistado por un reportero en la sala de emergencia de la Clínica T-1 del Seguro Social, el chófer Herrera Salazar declaró que la causa del accidente fue una brusca maniobra que se vio obligado a realizar hacia su derecha, para no colisionar de frente contra un automóvil de color rojo que invadió el carril contrario a la altura del kilómetro 31, en una curva que está poco después de Sevé. (Como se ve, esta versión discrepa con la proporcionada por el DAP.)

»Herrera agregó que al replegarse a la derecha derribó cuatro "fantasmas" de la cuneta y después perdió el control de la dirección del vehículo, el cual regresó al pavimento, lo atravesó, salió por el lado izquierdo y volcó.

»El guiador, quien sufrió contusiones y excoriaciones en varias partes del cuerpo, añadió que él quedó prensado entre su asiento y el techo del autobús.

»Por otra parte... una norteamericana que viajaba en el autobús manifestó, con las pocas palabras que sabe de español, que ella ignoraba qué había sucedido, pues perdió el sentido al ocurrir el accidente y, cuando lo recuperó una hora después, estaba ya en el Seguro Social. Sufrió contusiones y excoriaciones en varias partes del cuerpo.

»El doctor Alberto Cámara Guerra, jefe de la sección de urgencia de la Clínica T-1, informó a las 19.15 horas que Victoria Rosado, otra de las lesionadas del accidente, estaba siendo operada de grave lesión en la cabeza, y que una joven, María del Carmen Aguilar Méndez, también había recibido atención médica, pero ya se había retirado a su domicilio. María del Carmen sufrió contusiones y excoriaciones.

»En la Central de Urgencia del hospital Juárez del Seguro Social, una enfermera manifestó que por la mañana fueron atendidos cinco lesionados a consecuencia del accidente, pero que todos se habían retirado, pues ninguno tenía heridas de gravedad.

»Descripción

»En la funeraria Pérez Rodríguez fueron depositados dos cadáveres no identificados y en la funeraria Poveda uno. El secretario de la Mesa 2.ª Br. González Herrera, proporcionó la siguiente descripción:

»"Los cuerpos depositados en la primera sala de ve-

240

laciones mencionadas corresponden a una mujer y a un hombre. La primera es de unos cincuenta años de edad, morena, ojos atabacados, pelo lacio, escaso y entrecano, nariz y boca regulares, complexión regular, de 1,60 metros de estatura y lleva vestido floreado con fondo morado; el segundo es de unos sesenta años, moreno, ojos atabacados, pelo negro y lacio, boca y nariz regulares, barba y bigote rasurados, complexión regular, de 1,64 metros de estatura y con camisa de manga corta atabacada, pantalón negro y camiseta blanca.

»El cadáver depositado en la otra funeraria es de una mujer de treinta y cinco años de edad, de color claro, ojos atabacados, pelo ondulado y castaño, complexión robusta, de 1,60 metros de estatura, con dos blusas de color atabacado y de rayas de distintos tonos, pantalón rojo y zapatos atabacados de hule."»

En las jornadas siguientes, 17 y 18 de diciembre, el diario en cuestión —también en portada— volvía sobre el accidente, informando de la identificación de otros dos cadáveres: los de Olda Isabel Ortegón Barrera y María Parra. Quedaba, pues, un quinto muerto por identificar.

En una de estas notas —la del miércoles, 17—, la sección de Sucesos adelantaba la versión oficial sobre las posibles causas del siniestro.

Decía así:

«Por otra parte, la Policía Federal de Caminos envió ayer al DAP el informe sobre el accidente, en el que se indica que el vehículo resultó con daños calculados en cien mil pesos.

»El informe del trágico accidente, elaborado por el oficial Pastor Camino Rendón, indica lo siguiente: A las 11.15 horas, a la altura del kilómetro 31,800 de la carretera Bécal-Puerto Juárez, tramo Holactún-Ticopó, el autobús Sultana 1972, placas T-5326, manejado de Oriente a Poniente por Juan Bautista Herrera Salazar, quien no disminuyó la velocidad al entrar a una curva a la izquierda, orilló demasiado a la derecha, invadió luego el carril contrario orillándose hacia su izquierda, y cuando el conductor trató de encarrilar de nuevo el autobús, éste volcó sobre la carpeta asfáltica, derrapó y salió del camino, donde quedó con las ruedas para arriba y el techo sumido a la altura de los asientos.»

En definitiva —según la policía—, el responsable había sido el conductor...

Y esto era todo.

En los días sucesivos —la búsqueda abarcó, incluso, los primeros meses de 1976—, el diario ignoró el tema, sepultando el caso para siempre.

Y del quinto y desconocido muerto... nunca más se supo. Un fallecido que, al parecer, jamás sería identificado, contribuyendo no poco a oscurecer el ya misterioso suceso...

Pero sigamos por orden.

Y me centré en la última consulta: las páginas del *Novedades de Yucatán*.

La información, también en portada, era idéntica, con una salvedad. Una pequeña, pero muy interesante diferencia: el *Novedades* ofrecía la imagen del autobús siniestrado. Una imagen providencial...

En cuanto a Ricky, los datos recogidos por Javier Rosado, el periodista que cubrió el accidente, eran los siguientes:

«...de nacionalidad americana, de veintisiete años de edad (de paseo), contusión en el dorso de la nariz y mentón, equimosis en ambos párpados y golpes en varias partes del cuerpo...»

Y al igual que su colega, el *Novedades* daba por cerrado el asunto, no mencionándolo nunca más...

Y en cierto modo era comprensible. Aquel «camionazo» era uno de tantos. Unos de los cien que se registraban a diario en las carreteras mexicanas. Aparentemente... un «chocazo» sin ningún misterio.

Exceso de velocidad... posible distracción del chófer... y el desastre.

Primera página del *Novedades*, con la información sobre el accidente del autocar en el que viajaba la bella norteamericana. (Gentileza del *Novedades*.)

NOVEDADES
DE YUCATAN

haga sus
PEDIDOS
navideños
a los Tels

PEPSI
1-05-70
1-41-00
1-45-00

Mérida, Yuc. Martes 16 de Diciembre de 1975

DIRECTOR: LIC. JORGE MEDINA ALONZO   GERENTE: C.P. ANDRES GARCIA LAVIN

Promete el gabinete español emprender el camino de una auténtica democracia

Sesión presidida por el Rey Juan Carlos.- Ampliación de derechos y libertades individuales, especialmente el de asociación.

MADRID, diciembre 15 (AP).- El primer gabinete español bajo la monarquía de Juan Carlos I prometió hoy el viernes desbrozar el camino de una auténtica democracia que sea su punto de arranque por intereses insultante alguno.

Son de apreciarse los daños materiales del autobús de Autotransportes de Oriente placas del S.P.F. 7-6326, que se volcó ayer temprano en el tramo Hda. Holactún-Hda. Ticopó de la carretera Mérida-Puerto Juárez con saldo de cinco muertos y seis heridos. (Foto José Martínez).

Cinco muertos y 6 heridos al volcar un autobús entre Holactún y Ticopó

El guiador declara que por evitar atropellar a un peatón imprudente el vehículo zigzagueó violentamente saliendo de la carretera y quedando ruedas arriba.- Las víctimas.

Por JAVIER ROSADO

Reciba el
Diario
a temprana hora
SUSCRIBASE AL TELEFONO
3-27-96

Diario
EL PERIODICO DE

OFICINAS Y TALLERES: EDIFICIO "DIARIO DE YUCA

AÑO II   TOMO CCXVI   MERIDA, YUCATAN, MEXICO, M.

Sucesos de Policía

Perecen 5 personas al volcar un autobús cerca de Holactún

Lesionados seis pasajeros del vehículo, que venía de Playa del Carmen. — Solicita amparo el chofer

Un autobús de Autotransportes de Oriente que salió ayer a las 5:30 horas de Playa del Carmen, Quintana Roo, y se dirigía a esta ciudad con unos 25 pasajeros, volcó alrededor de las 10:30 horas cerca de Holactún y a consecuencia del accidente perecieron cinco personas y otras seis resultaron lesionadas.

Portada del *Diario de Yucatán*, con la noticia del día: el gravísimo accidente del autobús que se dirigía de Playa del Carmen a Mérida. (Gentileza del *Diario de Yucatán*.)

Designa

El viernes se abre la serie de Copa Davis

Listos los equipos de México y Estados Unidos

MEXICO, 15 de diciembre (Excélsior).- Los capitanes de los equipos de Copa Davis, Ives Lemaitre, de México, y Tony Trabert, de Estados Unidos, dieron a conocer hoy a los cuatro integrantes de sus respectivas escuadras.

Y durante un tiempo, desconcertado ante lo fácil del «hallazgo», no reaccioné.

Y los árboles me impidieron ver el bosque...

Horas después, más frío y sosegado, al analizar la documentación fotocopiada en la Hemeroteca Nacional, empecé a comprobar que no todo era tan sencillo. Las versiones sobre las posibles causas del siniestro no coincidían...

Y lo más importante: los datos periodísticos ponían en entredicho las afirmaciones de Ricky.

Y Blanca, triunfante, confirmó sus sospechas.

La norteamericana mentía...

Y tuve que reconocerlo.

Veamos algunos ejemplos...

El motor del autocar, ubicado en la parte trasera, aparecía intacto en la fotografía. La imagen del *Novedades* era reveladora...

Y hoy me pregunto:

«¿Por qué el diario publicó esa foto y no otra?... De haber presentado el autobús frontalmente, este investigador no habría reparado en el "detalle" del motor...»

¿Casualidad? Lo dudo...

Y Blanca y yo coincidimos:

—¿Por qué Ricky aseguró que le cayó encima?... Eso era inviable... ¿Por qué mintió?

Y al explorar la mencionada foto observé igualmente que el terreno —como decían los periódicos—... ¡era plano!

Y recordé las rotundas palabras de la «gringa»:

«...Y bajamos por un cerro... Me acuerdo bien... muy profundo.»

«¿Un cerro?

»Sí, enésima mentira...»

Y al consultar un mapa de Yucatán verifiqué lo que ya había intuido al leer las informaciones...

El lugar del accidente —kilómetro 31 de la carretera que une Mérida con la población de Playa del

Carmen— no era, en absoluto, el paraje «remoto y perdido en la selva» que mencionara Ricky en la grabación. Todo lo contrario...

Semanas más tarde lo confirmaría *in situ*. El punto en cuestión se encuentra a quince o veinte minutos escasos de Mérida, la capital. Una zona muy transitada, alejada de la selva e, insisto, plana como la palma de la mano.

Pero lo que más llamó nuestra atención fue el capítulo de las «heridas»...

«Fue muy grave», había afirmado Ricky.

Y así parecía, a juzgar por las informaciones y, sobre todo, por las violentas e interminables cicatrices que presentaba su pierna derecha.

Y surgió otra incómoda duda...

«Si fue tan grave, ¿por qué la incluyeron entre los heridos leves?... ¿Por qué las crónicas no mencionan la gravísima lesión en la pierna?... ¿Por qué hablan únicamente de contusiones y excoriaciones en nariz, párpados y mentón?... ¿Debo interpretarlo como un lapsus de los reporteros?»

Me negué a creerlo.

Durante años trabajé en la difícil sección de Sucesos y sé que una herida de esa magnitud no pasa inadvertida a médicos y periodistas...

Y Blanca se mostró conforme.

Y poco a poco, al contrastar las afirmaciones de Ricky con el contenido de la prensa local, mi alarma fue en aumento.

Allí, efectivamente, había «algo» raro...

Y el remate lo puso otra desconcertante frase de la supuesta alienígena:

«...El autobús tuvo un problema con la suspensión...»

Reconozco que, en aquellos momentos, el «detalle» no fue valorado suficientemente. Nos extrañó, sí, pero no percibimos su auténtica trascendencia.

En ninguna de las notas se hacía referencia a algo

tan puntual. Se hablaba de una «maniobra defensiva» para intentar esquivar a un leñador y a un coche rojo. Por su parte, el informe policial acusaba al chófer de exceso de velocidad...

Y, desconcertados, nos hicimos la misma pregunta:

«¿De dónde sacó Ricky lo de la suspensión?»

Meses después, en el segundo viaje a Yucatán, este atónito investigador descubriría que, en efecto, ésa pudo ser la causa de la pérdida del control por parte del conductor.

Y las palabras de Ricky adquirieron un nuevo y elocuente significado...

«Sí, tenía razón... Pero ¿cómo lo supo?... El fallo en la suspensión jamás fue mencionado por nadie, ni en público ni en privado.

»Y hoy estoy convencido: aquélla fue una interesante "pista", deslizada intencionadamente por Ricky en la conversación...

»Y empiezo a comprender por qué era vital que la entrevistara antes de embarcarme en las pesquisas en Yucatán...»

Y la insistente recomendación funcionó... y sigue funcionando:

«¡Confíe en la intuición!»

Y de la noche a la mañana —merced a una pirueta del Destino (?)—, la gran decepción se vio suavizada. El «descubrimiento» en la Hemeroteca Nacional no borró el sentimiento de fracaso, pero sí logró estimularme, haciéndome ver lo absurdo de mi intransigente postura.

Y Blanca, una vez más, centró el problema...

—Primero investiga el accidente... Después, renuncia si quieres...

Y acepté.

En el fondo llevaba razón. Aquel suceso, oscuro, plagado de lagunas y contradicciones, escondía mucho más de lo que se había publicado...

«¡Confíe en la intuición!»

Y lo hice.

Y no me equivoqué...

Viajaría a Mérida, sí, e intentaría reconstruir los hechos.

No importaba que hubieran transcurrido veintiún años...

Aquella situación extrema no era nueva para mí. Yo podía...

Buscaría al conductor, a los heridos, a los supervivientes... Hablaría con la policía, con los testigos, con los médicos, con los reporteros...

Tenía que averiguar lo ocurrido. Todo lo ocurrido...

«¿Qué sucedió en aquella carretera?... ¿Por qué el chófer culpaba primero a un leñador y, acto seguido, a un coche que le forzó a maniobrar?... ¿Un vehículo rojo que invadió el carril contrario?

»¿Y por qué el informe oficial ofrece otra versión?

»Sí, "algo" no encaja...»

Pero antes debía aclarar otro asunto...

Antes de profundizar en el accidente del autocar necesitaba saldar una cuenta pendiente...

Sí, una vieja cuenta... con el ingeniero.

Y de común acuerdo reemprendimos el regreso a casa.

Y el Destino (?), benévolo, nos concedió unos días de relativo descanso.

Y digo bien: sólo unos días...

Porque la gran sorpresa —¡quién lo hubiera dicho!— estaba al caer...

Me alegré, sí. En el fondo me alegré...

Estas experiencias son siempre incómodas y embarazosas. Servidor, al menos, no las soporta...

Nunca me gustó desenmascarar a nadie. Jamás he disfrutado llamando mentiroso a alguien (1).

Y el Destino (?), atento y compasivo, evitó que localizara al ingeniero.

Al parecer se hallaba de viaje.

Y, como digo, aliviado, retrasé la obligada y desagradable entrevista con el «diabólico amigo».

E imaginando que el retorno a México iba para largo, opté por reanudar otras investigaciones...

¡Pobre incauto!

Y el Destino —¡cómo no!— se presentó sin avisar...

Jueves, 19 de septiembre (1996).

18.30 horas.

Recuerdo que circulaba veloz por la autovía del Norte, rumbo al País Vasco. Un nuevo caso me había hecho olvidar momentáneamente a Ricky.

Y agradecí aquel respiro...

Y, de pronto, en la radio aparecieron las voces de tres viejos conocidos...

(1) Ahora soy yo el que miente como un bellaco. Por supuesto que disfruto desenmascarando las torpes y torcidas maniobras de los llamados «vampiros de la ufología». Para los no avisados, unos supuestos científicos, negadores profesionales, más próximos a la Inquisición que a la verdadera ciencia... Pero ésta es otra historia.

Y Blanca, a mi lado, elevó el volumen.

Eran el doctor Jiménez del Oso y los investigadores Lorenzo Fernández Bueno e Iker Jiménez Elizari.

Se trataba de una tertulia en Radio Nacional, en el programa que conduce y dirige Julio César Iglesias, otro veterano en el mundo del misterio.

En esta ocasión, el tema elegido era un familiar encuentro con humanoides...

¡El caso de Los Villares, en la provincia española de Jaén!

¿Casualidad? Lo dudo...

Y rememorando la ya lejana conversación telefónica con Iker, presté especial atención.

Y tras esbozar el incidente protagonizado por Dionisio Ávila, uno de los jóvenes ufólogos fue a detenerse en un extremo que desconocía por completo. Un «detalle» que, como ya mencioné, había sido providencialmente «olvidado» (?) por el bueno de Iker en nuestra primera charla.

¿Casualidad? Lo dudo...

Y fue fulminante.

Y Blanca y yo nos miramos atónitos...

Y sentí cómo el cabello se erizaba.

«¡Increíble!»

Y poco faltó para que me detuviera.

—¿Has oído lo mismo que yo?...

Y mi mujer asintió, igualmente desconcertada.

Y leyendo mis pensamientos, Julio César preguntó de nuevo:

—¿Unos signos?... ¿En la nave?

Y Lorenzo, sin prisas, confirmó lo ya dicho:

—Sí... eso afirma el testigo... Dionisio vio algo parecido a un emblema... Dos barras verticales y un círculo... Barra, círculo, barra.

Y un implacable temblor me sacudió de pies a cabeza.

¡No podía creerlo!

«¡Barra..., círculo..., barra!...

»Pero, "eso" es...»

Y al punto, como un rayo, un familiar «pensamiento» (?) bajó del cielo:

«¡Aquí tienes la prueba... Ésta es la "respuesta" a tu petición!»

¡Dios!...

¡El anillo de plata!

Los símbolos eran idénticos a lo descrito por el vecino de Los Villares...

¿Casualidad? Lo dudo...

«Pero...

»Sí, lo sé... no hay explicación racional.

»¿Cómo es posible?... ¿Cómo entender y justificar semejante "coincidencia"?»

Y entonces lo supe...

Pero, por pudor, no me atreví a insinuarlo.

Y Blanca, más sincera y valiente, habló por mí:

—Ese anillo no fue extraviado... Ahora lo sé... «Alguien» lo dejó en el agua... para que lo encontraras...

¡16 de julio!

El día de nuestra llegada a Egipto...

La nave se posaba en las cercanías de Los Villares a las doce del mediodía y este investigador formulaba su extraña petición... esa misma madrugada.

¿Casualidad? Lo dudo...

Y, aterrorizado, guardé silencio.

¿Aterrorizado o feliz?

En realidad, todo a la vez...

Y las palabras de Ricky volvieron a mí:

«¡Confíe en la intuición!»

Sí, no podía negarlo... No podía dudar.

«¿Cuál había sido mi "petición"?

»*Nada más y nada menos que una "señal", una "respuesta" por parte de estos "seres", que indicara claramente la autenticidad del caso Ricky.*

»*Pues bien, ¡ahí estaba!*

»*¡Justo en el momento indicado!... ¡Cuando más lo necesitaba!... ¡Curiosa y providencialmente..., después de la gran decepción!*

»*En definitiva, todo atado y bien atado...*»

¿Casualidad? Lo dudo...

Y ocurrió.

Supongo que era lógico...

A pesar de la aplastante evidencia... rechacé lo que acababa de oír.

«Quizás estoy en un error... El testigo se confunde... El "emblema" en la nave no puede ser el mismo... Seguro que me he dejado sugestionar.»

Y Blanca, naturalmente, sonrió compasiva.

Pero la semilla germinó...

Y el Destino (?) se apartó satisfecho.

Misión cumplida.

Y la curiosidad hizo el resto...

Cuarenta y ocho horas después, alterando todos los planes, me reunía en Madrid con Iker y Lorenzo.

Y allí, en efecto, recibí la primera confirmación.

¡Los signos eran idénticos!

Pero, terco y desconfiado, me resistí a admitirlo...

«¡Tenía que escucharlo de labios del protagonista!... ¡Tenía que ver cómo dibujaba los enigmáticos símbolos!»

Y el 24 de septiembre, a las 14.45 horas, los pacientes y nobles investigadores —respondiendo a mi llamada— se presentaban en Jaén.

Poco después irrumpíamos en el domicilio de Dionisio Ávila, en la tranquila y blanca población de Los Villares...

Y durante toda la tarde, amabilísimo, aquel jubilado de sesenta y seis años, prácticamente analfabeto, repitió lo acaecido en la mañana del 16 de julio de 1996.

Y tal y como anunciaran Iker y Lorenzo, no hallé contradicción alguna en el extenso y pormenorizado relato.

Meses más tarde, siguiendo la costumbre, regresé a la casa del testigo, sometiéndolo a un nuevo y minucioso interrogatorio.

La versión, impecable, fue la misma...

Y otro tanto ocurrió en las siguientes visitas.

El encuentro, en principio, parecía genuino...

Y aunque no es mi intención extenderme ahora en la exposición de dicho suceso-ovni —tiempo habrá de contemplarlo con detalle en la interrumpida serie «Los humanoides» (1)—, sí considero oportuno que el lector disponga de un mínimo de información sobre tan insólito acontecimiento.

He aquí, pues, un resumen de mis conversaciones con el amigo Ávila:

Los hechos, como decía, sucedieron hacia el mediodía de un caluroso 16 de julio, martes...

—Esa mañana salí a dar mi habitual paseo por los alrededores del pueblo..

Y Dionisio señaló a *Linda*, la pequeña perra que comparte el hogar del modesto agricultor. Y siguió explicando...

—Me dirigí a la loma de los Barrero, a poco más de medio kilómetro, en compañía de la perrita... Allí suelo sentarme y descansar al pie de una encina...

Pero la inocente excursión por el olivar terminaría de forma sorprendente...

—Y, de pronto, cuando ascendía por una de las ondulaciones, la perra se plantó... E, inquieta, pegó el hocico a la tierra... Pero imaginé que había visto a otro perrillo y no le hice caso... Y seguí caminando...

Y al coronar la referida loma, nuestro hombre se detuvo. Y descubrió «algo» que, lógicamente, lo desconcertó...

—Al principio pensé en algún cacharro de ICONA... Y llamé a la perra... Pero el animal no quería

---

(1) La citada colección la integran los libros *La punta del iceberg* y *La quinta columna*, por el momento.

moverse y tuve que gritar... Al final se unió a mí, aunque recelosa y muy rara...

E ignorante de la verdadera naturaleza de lo que tenía a la vista, el jubilado se aproximó al supuesto «cacharro»...

Y lo describió así:

—Era circular... De unos tres metros de diámetro... Parecido a una media naranja... y con una especie de cúpula en lo alto...

Y, asombrado, como digo, fue acercándose...

—...Era rarísimo, señor... Flotaba en el aire... Quizás a treinta o cuarenta centímetros del pasto... Y noté un olor horrible... ¿Cómo le explicaría?... Sí, una peste a carburo...

Y Dionisio entró en detalles...

—Era muy brillante... Yo diría que como el cristal... Pero no puedo jurárselo... Y por debajo se escuchaba un ruido... Me recordó el que hace el gas cuando escapa de la bombona de butano..., pero más lento.

Y, ni corto ni perezoso, fue a rodear el objeto...

—Estuve muy cerca... Quizás a medio metro... Y pude tocarlo, pero no me atreví... ¿Quién era yo para hacer una cosa así?... Y en lo alto se distinguían unas ventanas redondas y oscuras... ¿Usted ha visto los ojos de buey de los barcos?... Pues una cosa así... En total, seis... Tres a un lado y el resto al otro... Enfrente...

Y al preguntar por qué no se decidió a tocar el «cacharro», Dionisio exclamó molesto:

—No me gusta que me tachen de curioso...

¡Bendita ingenuidad!

Y el testigo fue a confirmar lo que verdaderamente me había movido a visitarlo...

—Y en uno de los costados de la cúpula, entre los dos grupos de ventanas, vi también dos «palos» y un «cero»... No puedo decirle si estaban pintados... Eran grandecitos... Cada «palo» vertical mediría una cuarta, más o menos... El «cero», en cambio, era más chico... Alrededor de doce o quince centímetros de diámetro...

Mediodía del 16 de julio de 1996. Alrededor de Los Villares (Jaén) aparecen una nave y tres seres. En lo alto del objeto, el testigo distingue una especie de «emblema»: los mismos símbolos que adornan el anillo de plata «encontrado» (?) por J. J. Benítez en el mar Rojo. (Ilustración de J. J. Benítez.)

Dionisio Ávila, con «Linda», en el lugar del encuentro con la nave y los tripulantes. (Foto J. J. Benítez.)

Y obviamente insistí, rogándole que repitiera la explicación...

Y lo hizo sin titubeos.

Y siempre fue igual...

—...Como le digo, ese emblema —o lo que fuera— aparecía en lo alto del «cacharro» y entre los bloques de ventanas... Y destacaba lo suyo... Un «palo» vertical..., un «cero»... y otro «palo»...

»Pero ¿por qué le interesa tanto el emblema?

Y guardé silencio.

«¿Qué puedo decir?»

Naturalmente, Dionisio Ávila nunca llegó a ver el anillo de plata...

Por último, aunque las dudas habían desaparecido, rogué que lo dibujara.

Y extrañado, pero gentil, se afanó en la tarea...

«¡Increíble!

»¡Son los mismos signos!»

Y pregunté como un perfecto idiota...

—¿Está seguro?

Y el hombre, con más razón que un santo, protestó incómodo...

—¿Y por qué iba a inventar una cosa así?

Lo dicho: con más razón que un santo...

«¿De qué o de dónde podía saber aquel jubilado lo de mi "hallazgo" en el mar Rojo?... ¿Qué clase de "montaje" hubiera sido necesario para involucrarlo en el caso Ricky y en las experiencias en Egipto?... Prácticamente, acabábamos de conocernos... ¿Cómo imaginar siquiera que un paisano así se prestara a una confabulación tan retorcida?... Pero, una confabulación... ¿por parte de quién?... ¿Y con qué objetivo?...

»Sí..., de locos...

»Y ahora lo sé: aquel buen hombre sólo fue un "instrumento"... Una "pieza" más en el rompecabezas...

»Sí, todo atado y bien atado...»

Y, atónito, continué escuchándole...

—...Y al terminar de rodear aquella «cosa» me dirigí hacia la encina... Fue entonces cuando los vi...

Y en aquellos instantes —según el testigo— surgió el miedo...

—...No sé de dónde salieron ni cómo llegaron... Sencillamente, al volverme, aparecieron frente al «cacharro»... Y me miraron... Eran tres... Dos mujeres y un hombre... Tendrían 1,70 metros, poco más o menos... Vestían unos buzos ajustados y resplandecientes... Miento... En un primer momento creí que se hallaban en cueros...

»No sé cómo explicarle...

Y le pedí calma. Lo hacía muy bien...

—...Verá usted... Era como si la ropa estuviera pintada...

»Sí, precioso... Brillaban como el papel de estaño... Y por más que miré no vi cremalleras ni botones... Los «monos» eran de una sola pieza... ¿Me entiende?

Asentí. La descripción era típica, muy común en estos encuentros del tercer tipo...

—...Estaban alineados... Casi no se movían... Y no me quitaban ojo... Y, como le digo, ahí empecé a notar algo raro... Si usted quiere, puede llamarlo miedo... Las cosas como son...

»Tenían las cabezas peladas y los ojos rasgados... como los indios esos del Perú... El resto, salvo la boca, era normal... No vi labios... Pero eran preciosos...

Y, visiblemente emocionado, insistió...

—Sí, muy bonitos... Aquella gente no podía ser mala...

Y al preguntar por qué estaba tan seguro de que eran un hombre y dos mujeres replicó sin tapujos:

—Por los pechos y las caderas, señor... Uno es de pueblo, pero no tonto... Al hombre, además, se le marcaba el «paquete»... ¿Sabe de qué le hablo?

Y Dionisio entró en la recta final de su experiencia...

—Y, de pronto, apareció el «lucerillo»... No sé de dónde salió... No puedo decir si lo tiraron ellos, pero lo cierto es que cayó a mis pies...

Por lo que pude entender, al hablar de un «lucerillo», el testigo se refería a una luz de reducidas dimensiones, similar —según sus palabras— «a la bombilla de una bici o de una motocicleta».

—...Y me incliné y lo recogí del suelo... Y a su lado había otras dos piedras muy llamativas... Y las tomé igualmente en la mano...

Y se apresuró a matizar:

—...Pero (¡qué misterio, oiga!) al agarrar el «lucerito»..., ¡ya no era un «lucerito»!...

Y buscando mi comprensión redondeó:

—...Quizás no me crea... No le culpo... Pero sepa que digo la verdad...

»¡El «lucerillo» se convirtió en una piedra!

Naturalmente, le miré incrédulo...

Y el hombre ratificó con vehemencia:

—¡Una piedra, sí!... Oscura... Redonda como una pelota de tenis y con muchos laberintos...

—¿Laberintos? —pregunté intrigado.

—Sí, con signos y marcas... ¡Un laberinto!

Instantes después, seres y nave desaparecían. Se esfumaban...

Y allí quedó el atemorizado y descompuesto jubilado, con las piedras en la mano... y sin saber adónde mirar...

Y regresó a Los Villares, presa de un ataque de pánico.

—...Y durante varios días, oiga, no fui persona... No comía... No dormía...

Y lógicamente le rogué que me mostrara las misteriosas piedras.

Y una de ellas —la esférica, la que fue lanzada a sus pies— me dejó nuevamente perplejo...

—¡Dios santo!

«¿Qué es todo esto?... ¿Qué está pasando?»

¿Podía ser éste el auténtico aspecto del «ser» que «resucitó» y tomó posesión del cuerpo de la norteamericana accidentada en el Yucatán en 1975? (Gentileza del Dr. Jiménez del Oso.)

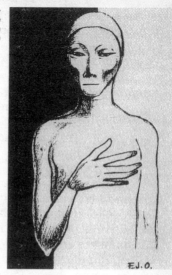

Dibujos de la nave y el «emblema», realizados por el testigo de Los Villares. (Foto J. J. Benítez.)

Los signos del anillo de plata y los que aparecían en la nave observada en las proximidades de Los Villares (Jaén) eran idénticos. (Foto J. J. Benítez.)

La superficie, negra y porosa, aparecía, en efecto, repleta de símbolos. Unos signos incomprensibles...

Y tres en particular —destacadísimos— me desconcertaron...

¡Una barra vertical..., un círculo..., y otra barra igualmente vertical!

«No, "esto" no es normal...»

¿Casualidad? Lo dudo...

Y reconozco que abandoné la población sumido en la incertidumbre...

¿Qué podía pensar?

«Ya no se trata únicamente de la increíble "coincidencia" (?) entre los signos de "mi" (?) anillo y el "emblema" en la nave... Ahora, para colmo, entra en escena una piedra con los mismos símbolos y supuestamente arrojada a los pies de Dionisio Ávila por los tripulantes del ovni...

»Sí, para volverse loco...»

Pero, afortunadamente, me negué a pensar.

Antes de sacar conclusiones había que proceder a un minucioso y severo examen. Debía averiguar la naturaleza y el origen de las piedras, así como el tipo de instrumental (?) utilizado en la ejecución de los crípticos grabados...

No es que desconfiara del testigo, pero...

Y merced a la bondad del protagonista, las tres piedras quedaron bajo mi custodia, siendo trasladadas primero a las universidades de Madrid y Granada y, posteriormente, a los laboratorios de la Policía Científica de otras dos importantes ciudades españolas.

Y meses después —al conocer los resultados— surgiría la sorpresa. Otra más...

Y en aquellos momentos —en la segunda conversación con el jubilado— me vi «asaltado» (?) por un «pensamiento» (?) que se ha hecho fuerte en mi corazón...

Y me resisto a pasarlo por alto.

Quizás no es importante... Quizás sí...

Dionisio Ávila en la pequeña era donde se posó la nave. En primer plano, el investigador Lorenzo Fernández Bueno, señalando una de las posibles huellas dejada por el objeto. (Gentileza de Iker Jiménez.)

El testigo, dibujando la nave que vio en la mañana del 16 de julio de 1996 en los alrededores de Los Villares. (Foto J. J. Benítez.)

La piedra esférica lanzada a los pies del jubilado. Uno de los símbolos es idéntico al «emblema» que presentaba la nave y a los signos del anillo de plata. (Foto J. J. Benítez.)

El caso es que, conforme fui penetrando en la historia de Dionisio, la en apariencia loca «idea» (?), como digo, se instaló como una posibilidad a tener en cuenta...

Y hoy es casi una certeza...

«¿Era aquél el auténtico aspecto del "ser" que —según el ingeniero— "resucitó" y tomó posesión del cadáver de la norteamericana accidentada en Yucatán?»

Y me explico.

«¿Eran los seres observados en Los Villares los que yo perseguía?... ¿Eran estas criaturas las que supuestamente levantaban cadáveres?... ¿Era una de estas entidades la que, en definitiva, se alojaba en el cuerpo de Ricky?

»Ojos rasgados... Sin labios... Luminosos... Bellísimos...»

Y cada vez que lo planteo, una suave, cálida y familiar voz me susurra:

«¡Confíe en la intuición!»

Dicho queda...

Y a mi regreso a «Ab-ba», tras la primera visita a Los Villares, traté de hacer balance.

Y por encima de todo brilló el capítulo de las «coincidencias» (?).

«¡Asombroso!... ¡Sencillamente, asombroso!»

Y tomé lápiz y papel y me entretuve en un curioso y divertido «juego». Y contabilicé las «casualidades» (?) que tuvieron que darse para que este investigador «tropezara» (?) con el anillo de plata.

Y al recordar las más sobresalientes sonreí de nuevo para mis adentros...

«No, "esto" no es normal.»

He aquí el excitante «trabajo» del Destino (?):

1. Un vuelo —Luxor-Sharm el Sheikh— cancelado... inexplicablemente.

2. Un providencial retraso en la partida del avión que, finalmente, nos trasladaría al Sinaí.

3. Una saludable suspensión del ascenso a la Montaña de Dios, previsto para esa noche del 24 de julio de 1996.

4. Blanca dispuesta a bucear... ¡Inaudito!

5. Su marido, alejándose... ¡Importantísimo!

6. Blanca luciendo su querido anillo de oro... Raras veces lo sacaba de casa.

7. Blanca herida por un coral, llevándose la mano a la pierna.

8. Blanca incapaz de recordar el punto exacto donde, supuestamente, «perdió» (?) la sortija.

9. Un súbito y desconocido buceador que —sin preguntar— saca a Blanca del agua.

10. Un marido rematadamente idiota que, incomprensiblemente, permanece en el mar, en lugar de acompañarla y atenderla.

11. La pérdida (?), propiamente dicha, del aro de oro. De haber extraviado cualquiera de los anillos restantes —de menor valor sentimental—, servidor, probablemente, no se hubiera molestado en buscar.

12. Un hecho inusual y desaconsejado en la práctica del submarinismo: bucear hasta quedarse casi en seco... y entre peligrosas agujas de coral.

Sí, hasta un ciego podría verlo...

Demasiadas «casualidades». Demasiadas «coincidencias»...

Y aunque sé que nada de esto es científico... lo dicho:

¡A la mierda la Ciencia!

Y hablando de «casualidades», ¿cómo debo enjuiciar aquella nueva llamada telefónica?

¿Casualidad? Lo dudo...

Corrían ya los últimos días de aquel inolvidable mes de septiembre cuando Andrés Gómez Serrano, otro excelente investigador y mejor amigo, me ponía en antecedentes de un aterrizaje-ovni que, en cierto modo, podía estar emparentado con el de Los Villares.

El nuevo caso, investigado por Gómez Serrano, un hombre que suma la friolera de cuarenta años en la ufología, se había registrado hacia las once de la noche del mismo 16 de julio, pero en las cercanías de la ciudad de Algeciras.

Testigos: los vecinos de una barriada, que vieron descender un silencioso y luminoso objeto sobre «La Rejanosa», una finca próxima.

Y allí me trasladé, comprobando lo que anunciara Andrés...

En una de las laderas, efectivamente, aparecían tres círculos bien definidos, de 6, 3,70 y 2,90 metros de diámetro, respectivamente, con la maleza extrañamente calcinada...

Y digo bien: «extrañamente calcinada».

El lentiscal espinoso, la jara y el pasto que colonizaban el apartado paraje no fueron destruidos en su totalidad, como hubiera sido lo normal en un incendio. Amén de la perfecta y sospechosa circunferencia de las huellas, el matorral contenido en las mismas se presentaba ennegrecido y desecado... en parte.

Y observamos algo muy frecuente en los descensos-ovni...

La energía propulsora (?) de la nave se había comportado selectivamente, afectando, por ejemplo, a las coronas de los cardos silvestres y respetando, en cambio, los tallos y las correosas hojas.

Incomprensible, sí...

Y otro tanto sucedía con los lentiscos.

Ante nuestra sorpresa, el ramaje se hallaba chamuscado... por zonas.

«¿Cómo es posible?... ¿Cómo explicar racionalmente que unas hipotéticas llamas quemen únicamente el lateral de un tronco, dejando el resto sin consumir?»

¿Y qué decir de los insectos y caracolillos?

Muchos aparecían abrasados... pero sólo en el interior.

El veterano investigador Andrés Gómez Serrano en el centro de uno de los círculos que aparecieron en la finca «La Rejanosa», en las proximidades de Algeciras. Increíble y misteriosamente, el fuego o el calor sólo afectaron a la parte superior del cardo que sujeta Gómez Serrano… (Foto J. J. Benítez.)

En el aterrizaje-ovni en Algeciras la vegetación resultó quemada y deshidratada de forma selectiva. En la imagen, uno de los cardos calcinado únicamente por la parte superior. (Foto J. J. Benítez.)

Desconcertante, sí...

Algún tiempo después, los análisis practicados sobre las muestras de tierra, plantas, insectos, caracoles y otros restos de animales, recogidos por Gómez Serrano y un servidor en los tres círculos, arrojaban un resultado tan familiar para los ufólogos como sorprendente para los científicos:

«El lugar había sido sometido a una temperatura superior a los mil grados Celsius...

»Y fue "cocido y deshidratado" selectivamente...

»¿Tipo de energía?: "Desconocida..."

»¿Radiaciones?: "No se detectan."»

Curiosamente, como digo, a un palmo de las huellas, el espeso y abundante monte bajo aparecía intacto...

Y la sospecha fue inmediata:

«Aunque los efectos en la loma de los Barrero no son similares, ¿estamos ante la misma civilización "no humana" que aterrizó once horas antes en Jaén?»

Muy probablemente...

Y entonces, y ahora, me hice, y me hago, las siguientes preguntas:

«¿Por qué fui "avisado" de la existencia de este segundo caso?... ¿Era tan importante?... En 1996 se detectó tal número de avistamientos ovni que el seguimiento e investigación resultó casi imposible... ¿Se trataba de una ratificación?

»Conociendo, como creo conocer, el "estilo" de estos "seres"... no me extrañaría.»

Pero las «ratificaciones» —admitiendo la hipótesis— no quedaron ahí...

Y el Destino (?), esta vez especialmente gentil, me ofrecería —en bandeja— una tercera constatación.

No es que fuera necesaria, pero, de todas formas, lo agradecí.

Y surgió, como siempre... «en su momento».

En agosto de 1997, mientras escribía estas líneas,

tuve la fortuna de recibir en mi casa a otro viejo y querido amigo: Sebastián Moreno, periodista de la revista *Tiempo*.

Y a lo largo de esa tarde, al conversar —¡cómo no!— sobre el fenómeno de los «no identificados», me hizo partícipe de «algo» que le sucedió tres días antes del aterrizaje de Los Villares. «Algo» relacionado con una misteriosa foto...

¿Casualidad? Lo dudo...

Y aunque tomé buena nota de sus explicaciones, le rogué que lo pusiera por escrito. Días más tarde recibía la imagen en cuestión y el siguiente texto:

«...El hecho ocurrió el 13 de julio (1996), sábado, hacia las 12.30 horas, cuando circulaba en un taxi por la carretera que une Almáchar con Vélez-Málaga.

»Era un día sin nubes...

»Almáchar es un pueblecito blanco, enclavado en un alto.

»Yo viajaba desde Torre del Mar, en dirección a dicha localidad.

»Y a unos dos kilómetros apareció una perspectiva del pueblo. Entonces, aprovechando que el coche iba muy despacio, disparé la cámara, una Nikon equipada con un zoom de 30-105 milímetros.

»Lo que pretendía era obtener una panorámica, que sirviera de recuerdo para Slava, un niño bielorruso, de doce años, que había pasado un mes con una familia de la citada localidad de Almáchar, acogido a un programa de solidaridad con los afectados por la catástrofe de Chernobil. Me acompañaban Slava y su tía Inna Kuzina, rusa, de veinticuatro años, profesora de español e inglés.

»En el instante de captar la foto no se observó nada anormal en el cielo.

»Ese disco apareció tras el revelado en un establecimiento de la cadena Aquí, en la calle Narváez de Madrid. A la vista de la anomalía fui nuevamente a la tienda de revelado y comprobaron que era *"algo impresionado en la película, no una mancha o defecto de revelado"*. La dirección que lleva ese disco blanco es norte, hacia el sur de la cercana provincia de Jaén.

»Pensé que podía tratarse de un globo sonda. Pero el jefe del Servicio de Meteorología de Málaga me confirmó la ausencia de cualquier radiosondeo en la zona.

»Durante ese fin de semana, algunos cajeros automáticos de entidades bancarias de la región sufrieron averías. Es el único dato aleatorio que pude comprobar, según un empleado de Caja Sur, en Torre del Mar...»

Curioso...

Horas antes de los descensos en Los Villares y Algeciras, alguien ajeno por completo a esta historia y situado «casualmente» entre ambas poblaciones, fotografiaba —«sin querer»— un objeto «invisible»...

Y ese «alguien» —¡mire usted por dónde!— era amigo de este investigador...

¿Casualidad? Lo dudo...

Y ese «alguien» —¡vaya por Dios!— decide pasar unos días de vacaciones en las proximidades de mi domicilio...

¿Casualidad? Lo dudo...

Y la visita a la población «A» coincide con la redacción de estas líneas...

¿Casualidad? Lo dudo...

Sí, el lector tendrá que estar de acuerdo conmigo: demasiadas casualidades...

Y al recibir la fotografía de Sebastián Moreno pude ratificar lo ya anunciado por el periodista:

«Aquello» que vuela sobre Almáchar no es un defecto en la emulsión o un fallo en el proceso de revelado...

«Aquello» tampoco es una nube...

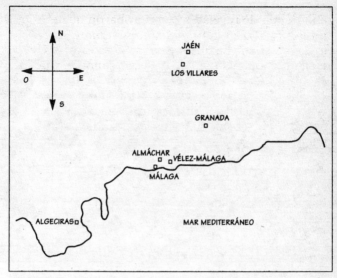

El 13 de julio de 1996, un objeto era fotografiado en las proximidades de Almáchar. El 16 de ese mismo mes, a las doce, otro ovni aterrizaba en Los Villares (Jaén). Horas más tarde, unos vecinos de Algeciras veían descender un luminoso y silencioso aparato sobre la finca «La Rejanosa». ¿Se trataba del mismo objeto?

«Aquello» nada tiene que ver con globos-sonda, aviones o helicópteros...

Y añado de mi cosecha:

«Aquello» emite luz propia...

«Aquello» presenta un perfil tan definido como familiar...

«Aquello», lisa y llanamente, es una nave desconocida (?), invisible al ojo humano...

«Aquello», muy probablemente, guarda una íntima relación con lo vivido en Egipto...

«Aquello», en definitiva, tenía mucho que ver con Ricky...

Y ahora mismo, al pronunciarme, retumba en la memoria el consejo de la cada vez menos supuesta alienígena:

«¡Confíe en la intuición!»

Los análisis de las muestras
recogidas en los círculos
fueron desconcertantes para
los científicos: «algo» había
provocado una temperatura
superior a los mil grados
Celsius. Los insectos
y caracolillos, sin embargo,
aparecían intactos en el
exterior y abrasados en su
interior. (Foto J. J. Benítez.)

El lentisco, en el interior de uno
de los círculos de Algeciras,
con el ramaje calcinado... por zonas.
(Foto J. J. Benítez.)

En el recuadro, el ovni «invisible» captado sobre la población malagueña de Almáchar. (Gentileza de Sebastián Moreno.)

Ampliación del objeto fotografiado por Sebastián Moreno.

El periodista Sebastián Moreno, autor de la fotografía del ovni «invisible» sobre Almáchar, en Málaga. (Gentileza de Sebastián Moreno.)

27 de septiembre (1996), viernes.

Y el Destino (?), al fin, me autorizó a localizar al ingeniero.

Y llegó la hora...

Llegó el momento de saldar una vieja cuenta.

Y a las once de la mañana, nervioso y envarado, cruzaba el umbral de la residencia del «diabólico», en las cercanías de la población «A»...

Y digo yo que ese Destino (?) se sentó a mi lado..., divertido y expectante.

«¿He dicho "diabólico"?

»¡Pobre tonto!»

Y durante algunos minutos permanecí mudo. Impasible. Mejor dicho, aparentemente impasible...

Y lo contemplé ávido, intentando descubrir el cinismo y la imaginación poética que no había sido capaz de detectar en las anteriores y numerosas conversaciones.

«Todo inventado... El ingeniero miente.»

Y percibió algo...

—¿Estás preocupado?... ¿Puedo ayudarte?

Podría haberlo resumido en una frase —«tu historia es un fraude»—, pero elegí el zigzag...

Necesitaba tiempo. Deseaba escucharlo. Quería ver y analizar sus reacciones.

No podía embaucarme nuevamente...

Y respondí con una verdad... camuflada.

—Sí, estoy preocupado... por ti.

Y acto seguido deposité la pequeña grabadora negra sobre la mesa. Pero no la activé.

Y midiendo cada palabra, fui a sintetizar las recientes peripecias en USA, centrándome, únicamente, en la persona de Ricky.

Y su rostro fue iluminándose.

Y al final, gratamente sorprendido, exclamó:

—¡La has localizado!... ¡Bravo!... Pero, cuéntame... ¿Cómo?... ¿Dónde?...

Y me desconcertó.

Su actitud parecía sincera.

Por más que exploré, todo en él sonaba a auténtico... La mirada, el tono, los gestos...

Y reforcé la guardia.

«¡No, otra vez no...! ¡Ahora estoy avisado!... ¡El "diabólico" no podrá envolverme de nuevo!»

Pero el instinto (?), incomprensiblemente, se puso de su lado:

«Si todo es falso, ¿por qué no capto señal alguna de turbación?... Si la historia es una fábula, el ingeniero debería dudar... Tendría que intuir la postura y las respuestas de Ricky...»

Pues no.

Mi amigo reaccionó inocentemente. Casi como un niño.

Y alegre y satisfecho, sin sospechar lo que le aguardaba, siguió preguntando...

—¿Se acuerda de mí?... ¿Cómo está?

No podía creerlo...

Una de dos: o su cinismo y frialdad eran superiores a lo apuntado por la «gringa»... o la farsante era ella.

—Ya lo creo que te recuerda —anuncié amenazador—... Y muy bien...

—¿Y qué dijo?... ¿Reconoció que es una extraterrestre?

Y de nuevo aquel tono directo. Sin doblez...

Y mi seguridad se tambaleó.

Y, abandonando la táctica del zigzag, lo fulminé.

—Dijo que eres diabólico... Que la historia de Akrón, de la nave y el coche y de su desaparición... es un invento tuyo...

Palideció.

Y hundí las palabras hasta la empuñadura...

—...Y dijo más... Ricky afirma que mientes... Que me has utilizado...

Silencio.

Y volvió a confundirme.

No hubo reacción. No protestó...

Y en sus ojos, entre la sorpresa, distinguí el aleteo de la tristeza...

Y, como suponía, me sentí mal.

Finalmente, desconcertado, balbuceó:

—Pero... ¿qué estás diciendo?

Y llegó la hora...

Llegó el momento de saldar la vieja cuenta.

E inflexible, estrangulando la embarazosa situación, pulsé la grabadora, invitándole a escuchar las graves afirmaciones de su antigua amante...

Y siguió confundiéndome.

Lejos de estallar o de doblegarse ante la supuesta verdad... se aisló.

Durante un tiempo se sumergió en la grabación...

Y sólo de vez en cuando le vi mover la cabeza negativamente, desautorizando los comentarios de Ricky.

Y el instinto (?) alzó la voz por segunda vez:

«¡Ojo!... Esto no es normal...»

Y al concluir, suave, pero firmemente, declaró:

—¡Miente!... ¡Esta mujer miente!

Y comprendí...

«¡Oh, Dios!... Estoy como al principio... pero peor...»

Y alzando el rostro, severo y sin titubeos, proclamó:

—¡Te doy mi palabra de honor!... ¡Yo no he inventado nada!... ¡Lo del ovni en la carretera fue cierto!... ¡Ella lo dijo: es una astronave y viene a por mí!... ¡Lo de Acrón fue cierto!...

Y repitió lo mismo que había oído decenas de veces.

—...Ella, incluso, al mencionar ese lugar, señaló al cielo y afirmó: «Ustedes lo conocen como el Cinturón de Orión.»

Y despacio, pero inexorablemente, saltó de la perplejidad a la indignación.

274

—¿Cómo puede negarlo?... ¿Cómo puede decir que he inventado lo de la luz sobre el coche?

Y continué en silencio, observándole...

Y mi amigo fue repasando algunos de los contenidos de la entrevista con la supuesta alienígena...

Y se desahogó.

—...¡Yo no he sido vegetariano en mi vida!... Eso es fácil de comprobar... Pregunta a mi familia o a mis amigos...

Tomé buena nota. Lo verificaría, por supuesto...

—...¡Y te juro que bailaba desnuda en la terraza!...

Eso, por carecer de testigos, era más difícil de comprobar.

—...Pero ¡qué cinismo!... ¿Por qué afirma que comía y bebía de todo?... ¡Sólo bebía leche!...

Y, como digo, fue calentándose.

—...¡Y tampoco fumaba!...

Al alcanzar el capítulo de los viajes... estalló.

—...¡Jamás fuimos a Ceuta!... ¡Nunca visité Toledo con ella!... ¡Miente!...

Y añadió con una seguridad imposible de fingir:

—¡Y ella sabe que miente!... ¡Me gustaría verla y decírselo a la cara!... ¡Por favor... créeme!...

Y noté cómo me resquebrajaba...

Y, atónito, cada vez más confuso y desmoralizado, seguí asistiendo a la implacable secuencia de los desmentidos.

—...¿Imaginación poética? ¿Y qué es eso? ¿Cuándo has conocido a un ingeniero con imaginación?...

Cierto. Podría contarlos con los dedos de una mano...

—...¡Lo mío son los negocios!... ¡Tú lo sabes!...

Lo sabía, en efecto...

De eso ya me había ocupado. A nuestro hombre sólo le obsesiona el dinero, la política, las mujeres y la buena cocina... Y creo que por este orden.

—...¿Yo perverso?... ¿Diabólico?...

Y se ensañó.

—...¡No seas ingenuo!... ¡Piensa!... ¡Es ella la que te ha utilizado!

Y el instinto (?) asintió, puntualizando:

«Sí, ése es un sentimiento muy familiar: Ricky nos utiliza... a los dos.»

Pero, luchando contra el instinto (?), me revolví.

Y necesitado de argumentos en favor de Ricky, recordé otra de las rotundas afirmaciones de la norteamericana.

Y, rebobinando la cinta, busqué el pasaje en el que —fría y contundente— asegura que el ingeniero la ayudó a comprar el boleto de avión.

Y supuse que las palabras lo acorralarían...

«Ricky —pensé confiado— no inventaría una cosa así...»

Pero, hundiéndome un poco más, contraatacó:

—¡Falso!... ¡Totalmente falso!

Y se extendió en algo que nunca me había contado.

—...¿Cómo puede ser tan diabólica?... ¡Está manipulando los hechos!... En cierta ocasión, sí, acudimos a una agencia de viajes. Fue en uno de aquellos breves desplazamientos a Sevilla... La agencia en cuestión era propiedad del Partido Comunista, al que yo pertenecía y pertenezco... Y consultamos precios... Yo tenía amigos en dicha agencia y, lógicamente, podía obtener un sustancioso descuento... Y así lo pactamos...

Y remató sin piedad:

—Pero eso fue todo... ¡Jamás compré ese billete!... ¡Y ella tampoco!...

»Fue una simple consulta... Ni siquiera se hizo la reserva... Es más: ahora mismo la estoy viendo, en la agencia, a mi lado, silenciosa y ajena... era como si aquello no fuera con ella... No hizo preguntas... Se mantuvo indiferente...

»Y nunca más volvimos a esa ni a ninguna otra agencia...

Y remachó:

—¡Miente!... Y tú lo sabes, porque has hablado con Marta...

Tuve que darle la razón...

Como ya expliqué, la dueña de los apartamentos ignoraba el sistema utilizado por Ricky para abandonar la población «A». En realidad, nadie lo conocía...

Y ahí, definitivamente, me vine abajo.

«¿A quién creer?... ¿Quién dice la verdad?...

»Mi amigo parece sincero...

»Ricky, en cambio...»

Y en un último y desesperado intento, lo presioné.

—Por favor... si se trata de un montaje, sé sincero... Yo lo entenderé... Dime que todo es una broma... No pasa nada...

»Pero, por Dios, no me atormentes... Creí que eras un amigo...

Y aunque supuse que no lo entendería, añadí suplicante:

—...Todo esto significa mucho para mí... Va más allá de la pura investigación...

Y sonrió con tristeza.

Y mirándome fijamente me desarmó...

—¿Cómo puedes pensar una cosa así?... ¡Yo nunca te perjudicaría!... No he ganado un amigo... para perderlo por una frivolidad...

E impotente, como un último recurso, echó mano de algo que, para mí, sí era definitivo:

—¡Te he dado mi palabra!... ¿Qué más puedo hacer?

Y sé que es ridículo, pero la última recomendación de Ricky se alió con el ingeniero:

«¡Confíe en la intuición!»

Y eso hice...

Y al abandonar la casa percibí con asombro cómo la balanza se inclinaba hacia mi amigo.

Y al analizar la situación, Blanca coincidió conmigo:

—Ricky no me inspira confianza... Miente... Eso

está claro. El ingeniero, en cambio, no ha caído en una sola contradicción...

»Si tuviera que elegir, me quedaría con la versión de este último.

E insistió en lo apuntado en México:

—La clave puede estar en el autobús...

Al día siguiente, sábado, no sé si insatisfecho, el Destino (?) volvía a reunirnos.

Y el ingeniero, acompañado por su mujer, asistía en «Ab-ba» a una cena íntima. Una reunión en la que —providencialmente (?)— participaría también Julio Marvizón Preney, otro brillante investigador.

Y me las ingenié para conducir la amigable tertulia hacia el problema que me preocupaba: Ricky.

Y Julio, al corriente de las pesquisas, escuchó atento las ya conocidas explicaciones de nuestro hombre.

Le dejé reflexionar...

Y en la mañana del domingo, Julio y Angelines, su esposa, me ofrecían un veredicto:

—El ingeniero no miente...

Aquello me reconfortó.

Y comprendí que había llegado el momento. Tenía que volar a Yucatán. Debía ocuparme del accidente.

Allí, probablemente, como anunciara el sexto sentido de Blanca, se hallaba la solución al complejo galimatías...

Y Blanca —¡cómo no!— acertó.

Pero antes, por una elemental prudencia, fijé dos nuevos objetivos.

Primero: estrechar el cerco en torno al ingeniero.

Seguiría interrogándolo sin pausa y sin misericordia.

Continuaría indagando...

Y sin que él lo supiera, fui profundizando en su vida y costumbres, solicitando, incluso, un informe policial a dos inspectores amigos.

Semanas más tarde llegaría la respuesta...

Segundo: en mi afán por apurar la investigación opté por abrir cuatro nuevos frentes.

Y a decir verdad, a cuál más laborioso...

Para empezar, el billete de avión.

Habían transcurrido catorce años, sí, pero quise intentarlo.

Sabía que la búsqueda de ese boleto —aceptando que hubiera sido vendido— era casi imposible...

No importaba.

Removería Roma con Santiago. Tenía que verificar si, como aseguraba Ricky, fue comprado por el ingeniero o por la norteamericana...

Visados.

Si la «gringa» y Spain ingresaron en España «normalmente», quizás constase en los archivos policiales o en los consulados que facilitaban el trámite.

Y me eché a temblar...

«¿Por dónde arranco? ¿Por los consulados españoles en USA? ¿Por el de Roma?

»¿Y si no existen tales registros?... ¿Cómo averiguar entonces la forma de entrada en el país?»

Y despreciando obstáculos y dificultades me lancé a la «caza y captura» de los hipotéticos visados y de los supuestos controles de entrada y salida en las aduanas.

Blanca, alucinada, me dejó hacer.

Tercer frente: tarjetas de crédito.

Por consejo de los policías que me auxiliaron en estas pesquisas debía emprender otra búsqueda no menos ardua: cualquier vestigio que sirviera para confirmar la identidad de Ricky y su compañero. Yo había visto el último pasaporte de la mujer (1996), pero no me fiaba...

Y dado que no podía recurrir a las autoridades norteamericanas, una de las pistas era la forma de pago de los supuestos «turistas».

Suponiendo, claro está, que dispusieran de las mencionadas tarjetas de crédito...

Por último, y ante el natural asombro de mi mujer, di los primeros pasos en el intento de localizar al platero que pudo confeccionar el misterioso anillo de plata.

Y el punto de partida fue el contraste interior: la «R» circunscrita en un círculo.

Si el Destino (?) se dignaba favorecerme, el segundo movimiento —más complejo si cabe— iría destinado a la identificación del legítimo propietario.

«¿O no hay tal?»

En cuanto a los símbolos que lo adornan, movilicé igualmente a una legión de expertos, en un no menos comprometido afán de resolver el posible significado de los mismos.

Y el primer informe me dejó perplejo...

Según el alfabeto Morse, aquellos signos podían «traducirse» como «ET».

El punto —en este caso el círculo— correspondía a la letra «E». La raya, por su parte, a la «T».

Sí, he dicho bien...

¡«ET»!

¡Extraterrestre!

Y repetido nueve veces...

¿Casualidad? Lo dudo...

Pero estoy adelantándome de nuevo a los acontecimientos...

Y nuestra partida hacia América, aprovechando una obligada gira de promoción de uno de mis libros, fue fijada para finales de octubre de ese año de 1996.

Y el Destino (?) —entonces no lo comprendí— limitó la estancia en Yucatán a cuatro ridículos días. Otras obligaciones me reclamaban en España, efectivamente...

Sin embargo, no me desanimé.

Y encajé el desafío.

Sería suficiente.

Penetraría en el enigma. Lo resolvería...

Ignacio Darnaude y Liana Romero. Gracias a ellos, el caso «Ricky» vio la luz. (Foto Blanca Rodríguez.)

¡Pobre ingenuo!

¿Cuándo aprenderé?

Y días antes del nuevo y excitante viaje, el Destino (?) tensó la cuerda...

Fue un sábado, 12 de octubre.

La verdad es que, desde el retorno de Estados Unidos, deseaba contrastar mis «hallazgos» con el maestro Darnaude, el hombre que levantó la liebre en el caso Ricky.

Y en aquella jornada se presentó la oportunidad...

Y el Destino (?), generoso, movió los hilos, haciendo que la entrevista se celebrara en el domicilio de Liana Romero, la norteamericana que, a su vez, alertó a Ignacio Darnaude sobre la existencia del ingeniero.

¿Casualidad? Lo dudo...

Y en aquella tertulia, insisto, el Destino (?) avisó.

Y digo yo que se sirvió de Darnaude para responder una cuestión que me atormentaba de antiguo...

«Si los hechos son verídicos, ¿en qué momento se produjo la irrupción del ser extraterrestre en el cuerpo de la "gringa"?... ¿En el instante de la muerte?... ¿Horas después?... ¿Quizás durante el tiempo que permaneció aprisionada en el autobús?»

Y, de pronto, como digo, en la sobremesa, el maestro de investigación lanzó una hipótesis que no olvidaría y que, en suma, vino a complicar la ya enredada historia...

—Si lo que cuenta el ingeniero es cierto —planteó Ignacio—, y me inclino a creer que sí, esa entidad, o lo que sea, tuvo que entrar en la primera Ricky con gran rapidez...

Y matizó.

—...Probablemente en segundos, o décimas de segundo, después del fallecimiento, cuando la norteamericana, la verdadera, se hallaba atrapada entre los hierros...

»Después, al rescatarla, nadie sospechó.

»Ricky vivía...

»Estaba herida, sí, pero ya no era la auténtica, la genuina...

Y argumentó con razón:

—...¿Y quién era capaz de demostrar o, sencillamente, de plantear que aquella mujer era una «resucitada»?

Nadie, por supuesto.

En todo caso... unos «locos» como nosotros.

Y la en apariencia fantástica «idea» (?), como habrá adivinado el lector, me colocó frente a otra delicada situación:

«Si la "posesión" (?) se produjo en los términos señalados por Darnaude... servidor tiene ante sus narices, no una, sino ¡dos Ricky!

»¡La verdadera, anterior al accidente de diciembre de 1975, y la "postiza", posterior a dicho suceso!

»¡Un manicomio, sí!»

Y el caso, en efecto, se oscureció... un poco más.

Si las pesquisas resultaban positivas, si acertaba a descubrir algo anormal en el siniestro del autocar, me vería en la obligación de ampliar las investigaciones...

En ese supuesto, ante la posible existencia de dos Ricky, debería ingeniármelas para interrogar a las personas que conocieron a una y a otra.

«Si una "nueva" Ricky (?) penetró en la de "siempre", familia, amigos, novios, etc., tenían que haber percibido algún tipo de cambio.

»¿O no?»

Lo dicho: de locos...

YUCATÁN
(MÉXICO)

12 de diciembre de 1996, jueves.

12 horas.

La verdad es que no empezamos con buen pie... Y era lógico.

Y siguiendo la costumbre, tras instalarnos en la ciudad de Mérida, capital del estado mexicano de Yucatán, revisé el plan. Un plan que recordaba de memoria...

Y Blanca, escéptica, movió la cabeza negativamente.

Y le di la razón...

Demasiados objetivos para tan escaso tiempo.

No importaba. Estaba seguro. Sabía que encontraría «algo»...

En principio, en el cuaderno de campo aparecían los siguientes personajes y temas a investigar:

«Chófer del autobús siniestrado. Su testimonio es vital...

»Informe de la Policía Federal de Caminos. Tengo que hacerme con él. Quizá mencione algún "detalle" que fue pasado por alto en las informaciones periodísticas...

»Agentes que participaron en el rescate. Igualmente vital... Es imprescindible interrogarlos a todos...

»Testigos del vuelco... si los hubo. Es posible que figuren en el informe policial...

»Heridos y viajeros en general. Otra fuente informativa de primera clase...

»Reporteros que cubrieron el suceso. A pesar de los muchos años transcurridos, quizá recuerden lo sucedido. Quizás tengan otra versión de los hechos... Ocurre con frecuencia.

»Médicos que atendieron a Ricky. La falta de información sobre la gravísima lesión en la pierna derecha me tiene obsesionado. No puedo entenderlo...

»Autoridades judiciales. Algo podrán aportar...

»Funerarias.

»Personal que retiró el vehículo.»

Y activando el piloto automático, sin perder un minuto, nos lanzamos a una frenética búsqueda...

Pero, obviamente, tropezamos con el gran enemigo: los veintiún años que nos separaban de 1975...

«¿Dónde vive el conductor?»

Al carecer del informe policial, en el que, a buen seguro, tenía que figurar el domicilio, el rastreo se envenenó...

Y comprobamos con horror que los «Herrera» existentes en Yucatán se contaban por cientos.

Suponiendo, claro está, que residiera en dicho estado.

Pero no me rendí.

Quedaban los chóferes que trabajaban en las líneas regulares de autocares. Ellos quizás, los más veteranos, tenían que saber el paradero actual de Juan Bautista Herrera Salazar.

Y le tocó el turno a las empresas de autobuses...

Nuevo fracaso: Autotransportes de Oriente, la firma propietaria en 1975 del Sultana siniestrado, había desaparecido...

E intentando no asfixiarme con la difícil persecución del conductor, la dejé temporalmente a un lado, centrándome en el capítulo de los policías.

Y el Destino (?) volvió a zarandearnos...

Evidentemente tenía otros «planes». Pero, nervioso, no supe verlo...

Y tras una docena de llamadas telefónicas, renuncié.

¡Era increíble!

Ni uno solo de los cinco agentes que figuraban en las notas periodísticas se hallaba en Mérida...

Dos, al parecer, el comandante Jorge Martínez Lugo y Pastor Manuel Camino Rendón, autor del informe, se habían trasladado al Distrito Federal.

Un tercero, Ángel Aguilar, residía en Cancún.

El cuarto, Marcial Martín Pantoja... difícilmente podría hablar: había muerto...

En cuanto al último, Óscar Daniel Escalante Cantó... ni rastro. Su nombre figuraba en la guía telefónica de Mérida, pero los sucesivos intentos de localización fueron inútiles.

¿Casualidad? Lo dudo...

Y sobreponiéndome —tarde o temprano daría con ellos—, dirigí mis pesquisas hacia los periodistas que cubrieron el suceso.

Y el Destino (?), supongo, sonrió satisfecho. Ése sí era el camino correcto...

18 horas.

Diario *Novedades*.

Allí, en efecto, surgió la primera luz...

A decir verdad, poco hubiera conseguido de no haber sido por la generosa y eficaz ayuda del gentil personal del rotativo yucateco. Desde el primer instante, con el director, Juan Antonio Arenas de la Rosa, a la cabeza, los reporteros se volcaron en la investigación, colaborando en todo tipo de gestiones. Uno de ellos, en particular, Joaquín Tamayo, sería decisivo...

Empecé por el principio: la obligada consulta al colega que se encargó del grave accidente del 15 de diciembre de 1975...

Y el desencanto no se hizo esperar.

Ante mi desolación, Javier Rosado —ahora jubilado— confesó que nunca estuvo en el lugar del siniestro. Sencillamente, se limitó a contemplar la fotografía de Pepe Martínez y a redactar la nota con los datos facilitados por la Policía Federal de Caminos...

Y fue rotundo:

—No creo en las versiones proporcionadas por el chófer... Eso fue una manera de autoprotegerse...

Y al interrogarlo sobre la gravísima herida que, supuestamente, debía presentar la norteamericana, Rosado se mostró escéptico...

—Es extraño... No lo recuerdo...

Y añadió, confirmando mis sospechas.

—...Una lesión de esas características habría constado en los partes médicos y policiales...

»Y te digo más: con un boquete así no habría salido del hospital en cuestión de horas...

Y me alarmé.

«Algo», en efecto, no encajaba...

Ricky, según el ingeniero, fue muy precisa:

«...Y tomé el cuerpo de una mujer desangrada...»

¿Desangrada?

No era eso lo que reflejaban los periódicos, ni lo que aseguraba Javier Rosado...

—Entre los heridos no hubo nadie que se desangrara...

¿Cómo era posible?

Y el error —mi error—, un fallo en la interpretación de las palabras de la supuesta alienígena, me mantendría confundido durante un tiempo...

Y el Destino (?) siguió sumando frustraciones.

El fotógrafo José Martínez, el hombre que sí alcanzó a ver el autocar accidentado, tampoco podía hablar...

Un infarto se lo llevó a la tumba el 27 de marzo de 1991.

Y aquel golpe sí me afectó seriamente...

Su testimonio habría sido importante... Él estuvo

allí. Él captó la única imagen conocida del siniestro...

Y, desalentado, me dispuse a abandonar la redacción. Demasiados fracasos para un solo día...

Pero el Destino (?) me salió al paso, cortando la retirada...

Y en el último instante recordé (?) algo.

Quizás fantaseaba, sí, pero...

Y pregunté.

Y dos de los periodistas, Eduardo Valdés y Álvaro Ruiz, jefe de Información, ante mi sorpresa, asintieron...

¡Maldita precipitación!

¿Cuándo aprenderé que la paciencia es el motor de toda investigación?

—Sí... por aquellas fechas, en 1975, se registraron muchos casos ovni en Yucatán y en otros estados próximos...

Y Blanca y yo nos miramos.

Y, como digo, el Destino (?) prendió una peque-ña-gran luz...

La intuición (?) jamás traiciona.

«Si la historia era verídica..., "ellos" tuvieron que hacer acto de presencia... Una operación así —supongo— no se improvisa...»

Y durante horas nos enfrascamos en una nueva búsqueda. Esta vez en las amarillentas páginas del *Novedades*...

Y lo que hallamos nos dejó perplejos.

Una lejana y familiar voz sonó a mis espaldas:

«¡Confíe... confíe en la intuición!»

Y sonreí para mis adentros...

Los datos eran muy significativos: entre febrero y mayo, cientos de yucatecos habían sido testigos del paso y aterrizaje de infinidad de objetos volantes no identificados...

Sospechoso, sí...

Según estas informaciones, los ovnis fueron vistos en San Isidro de Ochil, Homún, Tecoh, Seye, Umán,

Motul, Nolo, Mérida, Chiquila, Tekit, Sabaché, Acanceh, Uxmal, Cancún, Akumal, Tulum, Xel-Há y Campeche, entre otros lugares...

En uno de esos avistamientos —acaecido en San Isidro de Ochil, al sudeste de Mérida—, el *Novedades*, amén de asistir «en directo», se anotó un interesante «pisotón»: el 21 de febrero, en primera, publicaba la imagen de una de las naves, feliz y oportunamente captada por el fallecido Pepe Martínez.

Y en un segundo reportaje aparecido el domingo, 23 de febrero, también en portada, el periodista y testigo de excepción, Víctor Tenreiro, además de narrar con detalle las silenciosas evoluciones del objeto, daba cuenta de los testimonios de los vecinos. Y entre ellos hubo uno que me llamó la atención...

Decía textualmente:

«...Evelio Nah Dzul, vecino de la hacienda Lepán del municipio de Tecoh, relató a las autoridades de aeronáutica y en nuestra presencia, que en alguna ocasión se encontraba por el rumbo del cenote de San Francisco, como a cuatro kilómetros de Tecoh, cuando vio una luz brillante que se posaba sobre el manantial; al día siguiente, y alarmado por lo observado, reportó esto al señor Marcos Cocom, comandante de la Policía, quien ese mismo día, acompañado de Leonardo Quetzal y del propio Nah Dzul, se dirigió al cenote, donde hizo una inspección exterior e interior sin ningún resultado. Sólo había huellas sobre las yerbas, como si hubieran depositado pesados bultos.»

¡Increíble y sutil Destino (?)!

En aquellos momentos no supe por qué. No comprendí por qué el descenso de aquel ovni en el cenote de San Francisco (lago sagrado para los mayas) había captado mi interés. A primera vista no encerraba mayor misterio. En ufología, el pasto aplastado es algo casi rutinario...

Algún tiempo después, al interrogar a uno de los

21 de febrero de 1975. Primera plana del diario *Novedades*, con la fotografía de un brillante ovni sobre San Isidro de Ochil. La intensidad y espectacularidad de los avistamientos fueron tales que, cada noche, cientos de yucatecos acudían al campo para intentar ver los misteriosos objetos. (Gentileza del *Novedades*.)

Nuestro fotógrafo José Martínez, con la ayuda de un potente foto, captó, el extraño objeto luminoso cuando se mantiene sobre el cielo en su recorrido de oriente a poniente.

Toda esta gente fue testigo al igual que el reportero del ext jeto lumínico que se ve todas las noches sobre la Hacienda dro Ochil municipio de Homún.

Extraños objetos luminosos con
el municipio de l

Pepe Martínez, autor de las fotografías del autobús siniestrado y del luminoso ovni sobre San Isidro de Ochil. (Gentileza de Beatriz Sandoval, viuda del fotógrafo.)

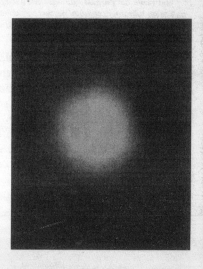

El ovni permaneció estático sobre los asombrados testigos. Y aunque sólo fueron unos segundos, Pepe Martínez logró fotografiarlo. ¿Casualidad? Lo dudo...

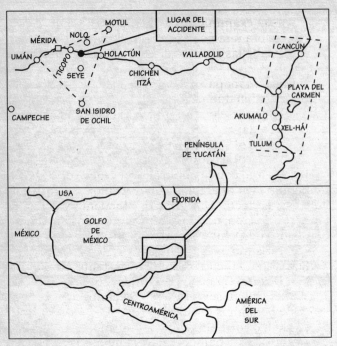

¡Sorpresa!... El «corazón» de los avistamientos ovni registrados en 1975 en la península de Yucatán coincidía con el kilómetro 31 de la carretera que une Mérida con Playa del Carmen. ¡El lugar del accidente! También en la franja costera del Caribe fueron observados numerosos objetos. Segunda sorpresa: en dicha zona, por aquellas fechas, vivía la primera Ricky... ¿Casualidad? Lo dudo...

supervivientes del autobús, recordé el testimonio de Dzul y me maravillé... una vez más.

Y vi el rostro del Destino (?), sonriendo maliciosamente...

¿Casualidad? Lo dudo...

Pero sigamos con los acontecimientos de aquella primera jornada en Yucatán.

En realidad, lo que nos conmocionó, fue otro «detalle»...

Y al «descubrirlo» (?), atónito, pensé que se trataba de un error.

292

Y volví a examinarlo.

No, no era una equivocación.

Y consulté las páginas del *Novedades* por tercera y por cuarta vez...

Y tracé un mapa.

Sí, no había duda...

Y al mostrárselo a mi mujer, exclamó igualmente desconcertada:

—¡Qué raro!

Raro no... ¡Rarísimo!

De acuerdo con lo publicado, el grueso de los avistamientos ovni aparecía «concentrado» en un triángulo casi perfecto. Una zona de cincuenta y cinco kilómetros de lado, con los vértices situados en Umán, San Isidro de Ochil y Motul.

«Sí, rarísimo...»

Pero eso no fue lo más desconcertante...

Y el Destino (?) puso la «guinda».

Y Blanca y un servidor enmudecimos.

¿Qué podíamos decir?

El «hallazgo» hablaba por sí mismo...

—¡Oh Dios! —balbuceé—. ¡Nadie nos creerá!

Y en la memoria, Ricky susurró de nuevo:

«¡Confíe en la intuición!»

Y tomando una regla volví a medir...

«¡Exacto!»

Y Blanca leyó en voz alta:

—¡Kilómetro 31!

Sí, ése era el centro del triángulo...

¡El kilómetro 31 de la carretera que une Mérida con Playa del Carmen!

¡El lugar donde volcó el autobús!

No era posible...

No, «aquello» tampoco era normal.

¡Los ovnis habían sido vistos en un triángulo cuyo centro geométrico coincidía con el punto del accidente!

¿Casualidad? Lo dudo...

Meses después, al disponer de una más completa información sobre el caso Ricky, repararíamos en otra curiosísima «coincidencia» (?): parte de la oleada de principios de 1975 se desarrolló también sobre una región de «especial interés»...

Numerosas y misteriosas «luces» cruzarían los cielos de la franja costera en la que se asientan Cancún, Playa del Carmen, Akumal, Xel-Há y Tulum...

Y... ¡sorpresa!

En aquellas fechas, la primera Ricky —digamos que la verdadera— se hallaba residiendo en dicha zona. Exactamente, en la entonces modesta aldea de pescadores de Playa del Carmen...

E insisto:

¿Casualidad? Lo dudo...

Y una, aparentemente, fantástica teoría ganó terreno en mi corazón:

«Aquellos avistamientos, curiosa y sospechosamente sobre el kilómetro 31, donde volcaría el autobús, y en la costa en la que vivía la "gringa", no podían ser gratuitos.»

Y continué especulando...

«Esos ovnis "preparaban" algo...»

Y las interrogantes me atropellaron:

«¿"Controlaban" quizás el movimiento diario de los autocares que circulaban, en una y otra dirección, desde Mérida al Caribe?

»¿"Seleccionaron" entonces el bus "apropiado"?

»¿"Siguieron" los pasos del chófer?»

Y lo más importante:

«¿Habían "elegido" ya al ser humano en el que debería "instalarse" el nuevo "inquilino"?

»¡"Espiaban" a la "gringa"!»

Y la intuición (?) respondió sin titubeos:

«¡Afirmativo!»

Y estas supuestas «fantasías» me empujarían mucho más lejos...

«Si el instinto no fallaba, si todo se hallaba ata-

Víctor J. Tenreiro, periodista del *Novedades* y testigo de excepción de los ovnis que sobrevolaron Yucatán en 1975. (Foto Blanca Rodríguez.)

Álvaro Ruiz, jefe de Información del *Novedades*, mostrando la primera página del diario, en la que se recoge uno de los masivos avistamientos ovni. (Foto Blanca Rodríguez.)

do y bien atado, ¿quién provocó el accidente?
¿"Ellos"? ¿Eran "ellos" los responsables de las cin-
co muertes? O es que, simplemente, "sabían" lo que
iba a ocurrir...»

Sí, demasiado fuerte.

Me negué a seguir por ese camino.

Lo principal eran las pruebas. Los hechos...

Luego, ya veríamos...

Y no voy a negarlo.

El «hallazgo» me enardeció. Me llenó de fuerza y de entusiasmo.

Y el resto del día se consumió en nuevas gestiones y llamadas, encaminadas a despejar otros dos objetivos igualmente cruciales: la ubicación de los heridos que figuraban en la prensa y de las familias de los jóvenes fallecidos en el accidente.

El instinto (?) me decía que uno de ellos tenía que ser el amigo que, al parecer, acompañaba a Ricky en el autocar.

«...Y un amigo mío murió...»

Y la lógica señaló a Miguel Pérez Aguilar, de diecinueve años. Según los periódicos, era vecino de Playa del Carmen. El otro, José Enrique Aguilar Méndez, de dieciocho, al residir en Valladolid, tenía que haber subido al «camión» en esta última ciudad.

Pero debía confirmarlo.

Las pesquisas, sin embargo, fueron estériles.

En la funeraria Poveda «no sabían... no conservaban archivo alguno».

Naturalmente, no los creímos. Sencillamente, se negaron a colaborar. Demasiado trabajo...

En cuanto a los «Pérez» y «Pérez Aguilar» que constaban en la guía telefónica de Playa del Carmen... otro desastre.

Ni uno solo era pariente del fallecido. Y lo que era peor: nadie tenía conocimiento del suceso de diciembre de 1975...

Y hasta cierto punto era normal. Entonces no podía saberlo, pero estaba indagando en dirección equivocada...

Respecto a los heridos, la febril búsqueda fue igualmente catastrófica.

¡No dimos una!

Para empezar, ninguno de los cinco lesionados que mencionaban los diarios figuraba en el directorio (guía telefónica) de Mérida.

Y, lógicamente, el rastreo se enredó hasta el infinito...

Los apellidos de Audomaro Martín Pool, por ejemplo, se repetían por decenas en los miles de pueblos de la península. Localizarlo habría supuesto semanas...

Suponiendo, claro está, que siguiera vivo.

Con José de Jesús Álvarez Canto, patrón del supuesto amigo de Ricky, el panorama fue el mismo... o peor.

Ni aparecía como usuario de la telefónica mexicana en las poblaciones de la franja costera de Playa del Carmen y Cancún ni lo conocían...

Preguntamos, incluso, en las comisarías de policía de dicho litoral.

Negativo...

¿Y qué decir de la viuda de Farjal? Contaba sesenta y cinco años en el momento del accidente; lo más probable es que hubiese fallecido...

Y renegué de mi estrella.

«Sí, el informe policial es vital.»

Y, agotados, renunciamos a la búsqueda del último de los lesionados: la joven Mari Carmen Aguilar, de diecinueve años, hermana de José Enrique, uno de los muchachos que, como dije, perdió la vida en el vuelco.

Y me consolé:

«Mañana será otro día...»

El Destino (?) mandaba.

No me equivoqué...

13 de diciembre, viernes.

6 horas.

Joaquín Tamayo, el ágil e inquieto reportero del *Novedades*, me despertó con buenas noticias. Mejor dicho... aparentemente buenas.

Había encontrado al médico que dirigía la sección de Urgencias en la clínica T-1 en la tarde del siniestro... El hospital en el que ingresó Ricky.

Y a las nueve, eufórico, tras encomendar a Blanca algunas de las gestiones pendientes, me dirigí al domicilio del doctor Cámara Guerra, ya jubilado.

El hombre escuchó pacientemente. Y leyó las crónicas y revisó las fotografías de la norteamericana, en especial las de la pierna derecha.

Y sentenció:

—Han sido miles los pacientes que han pasado por mis manos en más de cuarenta años de vida profesional... Lo siento... Recuerdo vagamente aquel accidente, pero no a esta mujer...

Y añadió, sumiéndome en la desolación:

—...Yo dirigía la sección, pero tenga en cuenta que había otros médicos y un buen puñado de estudiantes en prácticas...

Y al formular una de las preguntas obligadas coincidió con lo ya apuntado por Javier Rosado, el reportero que redactó la nota para el *Novedades*:

—Si la herida en la pierna era como usted dice, habría constado en los partes... Y le aseguro que no habría sido dada de alta en cuestión de horas...

¡Otra vez el maldito asunto del boquete!

«Aquello», en efecto, no encajaba...

Y aceptando la triste realidad, Joaquín y yo enfilamos el siguiente objetivo: la clínica Mérida del IMSS, también llamada T-1, donde, como digo, fue atendida la supuesta alienígena...

Nuestro propósito era tan simple como utópico: localizar el historial de los heridos y los nombres de los médicos que habían trabajado en Urgencias en la tarde del lunes, 15 de diciembre de 1975...

Nuevo fracaso. El doctor Alberto Cámara Guerra no recordaba a la «gringa», ni tampoco la gravísima herida en la pierna derecha.

El hospital donde ingresó Ricky. (Foto J. J. Benítez.)

¡Pobre iluso!

¿Archivos de 1975?

Y el responsable sonrió divertido...

—Estamos en México, señor...

Sí, lo había olvidado.

Enésimo fracaso.

Ni partes médicos ni nombres de doctores... ¡Nada! ¡Todo destruido o desaparecido!

Pero la visita no fue tan negativa como este aturdido investigador creyó en un principio...

El Destino (?) seguía ahí, atento... Muy atento.

Y merced a la insistencia y a las excelentes relaciones de Tamayo con el personal del hospital, el jefe del archivo terminaría proporcionándonos un pequeño pero decisivo dato. Un número que abreviaría el camino hacia otro de los protagonistas de la historia: Juan Bautista Herrera Salazar, el chófer del autocar...

Y ese número —el de la Seguridad Social del conductor— nos llevaría a un segundo hospital...

Pero antes nos aguardaba un nuevo calvario.

Joaquín Tamayo comprendió la necesidad de consultar el informe de la Policía Federal de Caminos. Como dije, era vital para intentar entender lo ocurrido en el accidente y, de paso, averiguar los domicilios de los implicados.

Procuraduría General de Justicia.

Y hacia allí nos dirigimos...

Y fuimos a topar con un enemigo «extra»: la burocracia.

En la mencionada sede de Justicia, el jefe de Prensa, Jorge Barrera, trató de aliviar el peregrinaje hacia el dichoso informe.

¡Misión imposible!

Los documentos, depositados, al parecer, en el Archivo General del Estado, no eran de dominio público, a pesar de los veintiún años transcurridos...

Y todo fue inútil.

Las sucesivas peticiones y llamadas, incluyendo a la licenciada Piedad Peniche Acevedo, directora del referido Archivo, dieron en hueso...

—Tiene que presentar una instancia...

Y me resigné. Así lo haría, por supuesto.

Y, casi al galope, probamos fortuna de nuevo en la funeraria Poveda.

Y expliqué. Y supliqué...

Pero el director, Guido Espadas Cantón, negó una y otra vez...

No existían archivos... Imposible localizar el lugar de residencia de las familias de los dos jóvenes fallecidos...

Y puede que dijera la verdad, pero ni Tamayo ni un servidor le creímos...

Quinto asalto.

Registro Civil.

Allí sí debían aparecer las actas de defunción y las órdenes de enterramiento de algunos de los cinco muertos...

Pues no.

El gesto de buena voluntad del responsable, Cleominio Zoreda Novelo, permitiéndonos el acceso a la bodega, no sirvió de nada.

Tras una hora de minuciosa búsqueda entre polvorientos libros y legajos, comprobamos con desolación que habíamos perdido el tiempo... una vez más.

¡Increíble!

¡Ni siquiera constaba el certificado de defunción de Olda Isabel Ortegón, residente en Mérida en la fecha del suceso!

En otras palabras: legalmente... ¡seguía viva!

Verdaderamente, todo es posible en México...

Y el Destino (?), al fin, tuvo misericordia.

Ocurrió en la siguiente visita, en el hospital de la Seguridad Social al que se hallaba afiliado el chófer del autobús.

Tamayo mostró el nombre y el número proporcionado en la T-1 y, sencillamente, solicitó el domicilio de Juan Bautista Herrera Salazar.

Y, como siempre, para no perder la costumbre, recibió —recibimos— el obligado jarro de agua fría...

Y nos miramos estupefactos.

En principio, la petición tampoco violaba un secreto de Estado...

Pero el personal administrativo, inflexible, no cedió.

—Eso que piden es confidencial.

Y les dimos la razón, pero insistimos...

Sólo pretendíamos averiguar su lugar de residencia. Y mentimos:

—Se trata de algo importante... Una herencia...

Segunda negativa.

Y al devolvernos el papel, una de las secretarias, de pronto, cortó el forcejeo:

—Además... el señor Herrera está muerto.

¿Muerto?

Y noté cómo me hundía...

«¡Su testimonio era trascendental!... ¡Él sí podía aclarar lo sucedido en el autocar!»

Y supongo que mi súbita palidez conmovió a la funcionaria.

Y guiñando un ojo dejó caer una preciosa pista...

—Quizás la viuda pueda ayudarlos... Se llama Cristina Díaz y vive aquí, en Mérida... Pero yo no les he dicho nada...

¡Bendita palidez y bendita secretaria!

Y a pesar del hachazo... proseguimos.

Y la agitada mañana finalizaría en la redacción del *Novedades*, con un enésimo asalto a los teléfonos de los policías que participaron en el atestado.

Y entre fracaso y fracaso, Joaquín me pasó una nota:

«Wéyler González Herrera, fallecido.»

Y me negué a seguir peleando... de momento.

La nueva pérdida —la del secretario judicial que

practicó las diligencias— colmó el vaso de aquella, aparentemente, infructuosa mañana...

Y el Destino (?), naturalmente, me escoltó hasta el hotel.

Y allí —¡cómo no!— sonrió burlón...

Blanca tenía buenas noticias.

Una de sus gestiones había cuajado.

¡Menos mal!

Después de un laborioso rastreo, la paciente mujer terminaría ubicando en Valladolid a Yolanda, la madre de María del Carmen Aguilar Méndez, una de las heridas y, como fue dicho, hermana de uno de los jóvenes fallecidos. Y aquélla le daría la buena nueva: María del Carmen residía actualmente en Mérida...

¡Bingo!

Y aquella misma noche, después de no pocos intentos, lograría conversar con ella.

Y la emplacé para el día siguiente...

Su relato, como veremos, resultaría interesante. Muy interesante...

Aupado por el incombustible optimismo de Blanca, traté de sobreponerme a la noticia de la irreparable muerte del chófer.

La investigación es así. Uno no puede abarcar ni pretenderlo todo...

Y me consolé (?) pensando en la familia de Herrera Salazar.

«Quizás no todo esté perdido... Quizás conozcan la verdad... Quizás Juan Bautista los había hecho partícipes de lo acaecido en la mañana del 15 de diciembre...»

Y tirando de la valiosa pista facilitada por la gentil secretaria, nos precipitamos, una vez más, sobre la ya familiar guía de teléfonos de Mérida.

Pero el entusiasmo se desvaneció al primer vistazo...

Los «Díaz», como imaginábamos, eran legión.

Y probamos con los «Herrera Díaz».

Y el Destino (?) fue compasivo...

Sólo eran ocho.

Y fueron consultados uno por uno...

Finalmente, la voz de un niño confirmaría que Juan Bautista Herrera era su abuelo.

¡Bingo!

Minutos después, Marco Antonio Herrera Díaz, padre del niño, nos ofrecía el teléfono de su madre.

Y cordial, aunque lógicamente extrañada, la viuda aceptó recibirnos esa misma tarde.

Y a las 17.30 horas, Cristina Díaz y varios de sus hijos nos abrían las puertas de la casa, en la colonia Miraflores.

Y evitando toda alusión al asunto de la supuesta alienígena, expliqué que era escritor y que, por una serie de circunstancias, el accidente del autobús formaba parte de un libro que tenía en preparación.

Y honestos y sinceros fueron respondiendo a mis cuestiones. En esta ocasión, los veintiún años que nos separaban de 1975 jugaron a mi favor. Ya no contaban los posibles problemas con la justicia...

Ahora sólo importaba la verdad.

—¿Qué sucedió en aquel autocar?

Y éstas, en síntesis, fueron sus explicaciones:

—...Mi marido murió el 7 de julio de 1976...

Y eché cuentas: casi a los siete meses del suceso.

—...Tras el accidente —prosiguió la viuda— sufrió tres infartos. Y al cuarto falleció...

Y en esos instantes me vi asaltado por un «pensamiento» (?). No lo silenciaré...

«¿Pudo influir el vuelco del Sultana en los ataques al corazón?»

Y hoy, sabiendo lo que sé, voy, incluso, más allá...

«Si en el accidente se registró una "presencia" extraña, si hubo "algo" más de lo señalado por los periódicos, ¿quién provocó la rápida desaparición del incómodo testigo?... ¿"Ellos"?

»No sería la primera vez... ni será la última.»

E hijos y viuda continuaron...

—...Nuestro padre tenía una gran experiencia. Conocía bien la ruta. La había hecho infinidad de veces... En cuanto a la curva en la que volcó no era peligrosa...

Y José Enrique Herrera, chófer de profesión, aportó otro dato importante:

—...Él no quería manejar aquel «camión»... era viejo... Tenía problemas, pero lo obligaron...

»Murió convencido de que el vuelco se debió a un fallo mecánico.

Aquello no constaba en la prensa ni, al parecer, en el informe de la Policía Federal de Caminos. E insistí en el último punto.

El hijo matizó:

—...Según mi padre, y un mecánico que también viajaba en el bus, es posible que, antes de entrar en la curva, se dañara el eje de la dirección...

¿Un mecánico?

Eso también era nuevo para mí...

Pero, al interesarme por la identidad del pasajero en cuestión, la familia no supo concretar.

Y pasé a las diferentes versiones sobre la posible causa del siniestro.

Y el citado José Enrique Herrera fue igualmente sincero:

—...Mire usted, probablemente, ninguna es correcta... Nuestro padre se vio obligado a autoprotegerse, culpando a un leñador y, posteriormente, a un coche rojo que invadió el carril contrario... La verdad, lo que él defendió hasta el final, fue otra... Algo se rompió en el «camión»...

Y comentó resignado:

—...Pero eso no interesaba a la compañía... Ya sabe: indemnizaciones, problemas con los seguros...

»Era más fácil y económico echarle la culpa al más débil... Al conductor...

»Y todo el mundo se puso de acuerdo: exceso de velocidad...

Y admitiendo esta triste posibilidad —bien conocida por los chóferes y camioneros mexicanos— enlacé con lo que más me interesaba.

—Y además de esa hipotética rotura..., ¿vio o escuchó algo extraño?... ¿Pudo haber alguna otra causa que contribuyera a provocar el accidente?

Pero la familia no captó la soterrada intencionalidad de las preguntas.

Y con todo el tacto de que fui capaz aclaré la cuestión.

—...Sí, «otras causas»... ¿Se asustó?... ¿Observó «algo» anormal en el cielo o en la carretera?... ¿Dijo haber visto, por ejemplo, alguna «luz» cerca del autocar?...

Silencio.

Sencillamente, se limitaron a negar.

No sabían nada al respecto. Su padre, al menos, jamás hizo comentario alguno.

—De todas formas —añadieron— debería hablar con Fernando... Él, como nuestro padre, trabajaba entonces en esos mismos autobuses de línea... Quizás sepa cosas que nosotros ignoramos... Fernando estaba muy unido a él...

El tal Fernando, efectivamente, era el hijo mayor de los Herrera. Y en aquellos momentos vivía en Cancún...

Y tomé nota.

Naturalmente que lo localizaría...

Cualquier detalle, por pequeño e insignificante que pudiera parecer, podía suponer un rayo de luz en aquel, cada vez más, intrincado enigma...

Y la reunión concluiría con otra pista: el *Cuarto bate*, el conductor de la grúa que, al parecer, levantó y enderezó la Sultana.

Y aquella misma noche, mientras nos afanábamos en la localización del mencionado *Cuarto bate*, llegué a una conclusión:

«La versión de la familia Herrera no es correcta.»

Y me explico:

Si el vehículo hubiese sufrido la rotura de la dirección, difícilmente habría maniobrado, tal y como apuntaban los informes. Un fallo de tal naturaleza no permite que el chófer dirija el autocar a derecha e izquierda, como señalaban los periódicos y el propio atestado de la policía. Sencillamente, habría avanzado en una única dirección...

¡Dios santo!

¡Estaba como al principio! ¡Quizás peor!

Pero la jornada —menos mal— terminaría positivamente...

Tras presentarnos en el taller mecánico en el que trabajaba el *Cuarto bate*, un obrero nos guiaría hasta una carnicería, propiedad del *Patas*, uno de los hijos del conductor de la grúa. Y éste nos facilitaría la última conexión: su padre vivía en el Penal, un apartado barrio de Mérida. No disponía de teléfono, pero, si regresábamos al día siguiente, uno de sus empleados nos conduciría hasta él.

Y así lo pactamos...

14 de diciembre, sábado.

No es que la charla con el *Cuarto bate* fuese esclarecedora, pero no podíamos ignorarla. Como digo, a la hora de investigar, todas las piezas son teóricamente importantes...

Y José Natividad González González, alias el *Cuarto bate*, aportó también su granito de arena...

Recordaba el suceso, sí, aunque con las lógicas lagunas.

—La Federal avisó a la compañía y ésta, a su vez, me telefoneó... Y monté en la grúa, una Dina, modelo 72, propiedad de Autotransportes de Oriente, la empresa propietaria del «camión»...

»Y a eso de las dos de la tarde, más o menos, llegué al lugar...

»¡Espantoso, señor!...

Y José informó de algo nuevo, posteriormente ratificado por los viajeros del bus y testigos del suceso.

—¡Aquello fue una masacre!... Los cadáveres fueron alineados en el campo. Conté diez o doce...

¿Diez o doce?

Algún tiempo después, en efecto, descubriríamos con horror que el *Cuarto bate* no se equivocaba. Los muertos no eran cinco, como se dijo oficialmente, sino muchos más...

Sí, todo es posible en México.

En lo que sí erraba el voluntarioso *Cuarto bate* era en lo referente a la hora de arribo al lugar...

Y aunque a primera vista pueda parecer intrascendente, continuaré con el rigor.

Según nuestros cálculos —elaborados al final de la investigación—, la Dina pudo abordar el kilómetro 31 hacia las tres de la tarde... con suerte. Y la prueba está en las propias palabras de José:

—...Al llegar ya se habían llevado a los heridos... en el camino me crucé con las ambulancias...

Si teníamos en cuenta que el accidente se produjo hacia el mediodía, y que los lesionados permanecieron atrapados alrededor de cuatro horas, la grúa, efectivamente, tuvo que entrar en el escenario de los hechos a las tres o las cuatro...

Y Natividad González confirmaría igualmente otra de las afirmaciones de los periodistas del *Novedades*:

—¿Un barranco? ¿En aquel sitio? No, señor... Usted se confunde... Aquello es plano como una tabla...

Blanca y yo nos miramos.

Sí, Ricky mentía.

Y al plantear las posibles causas del siniestro, el *Cuarto bate* se encogió de hombros. Reflexionó unos instantes y aseguró convencido:

—Conocía a Herrera... era un buen chófer...

»Y le diré lo que siempre he pensado... Es raro,

El reportero Joaquín Tamayo,
que hizo posibles muchas
de las gestiones en Mérida
(Foto Blanca Rodríguez.)

El chófer del autobús, Juan Bautista
Herrera Salazar, con su esposa,
Cristina Díaz, poco después del accidente.
(Gentileza de la familia Herrera.)

José Natividad González, el
«Cuarto bate», conductor
de la grúa que levantó el autobús.
(Foto Blanca Rodríguez.)

muy raro que, a tan sólo treinta kilómetros de Mérida, le diera por «apretar» y correr...

Y dejando hablar al instinto (?) sentenció:

—...No sé qué fue... pero ahí pasó algo extraño...

Y, sin saberlo, acertó.

Pero tendríamos que esperar a la reunión con María del Carmen Aguilar para empezar a confirmarlo...

18 horas.

Tras un nuevo e inútil intento de conexión con los de la Federal de Caminos, nos dirigimos al hotel Hyatt.

El estrepitoso fracaso con los policías me tenía desconcertado.

«No podía entenderlo... ¿A qué obedecía aquella increíble imposibilidad de enlace con el comandante Martínez Lugo y con el autor del informe, Camino Rendón?»

Y sospeché algo.

«El Destino (?) lo dejaba para otro momento... El momento indicado.»

¿Casualidad? Lo dudo...

Y en el Hyatt olvidaría momentáneamente estas preocupaciones.

Allí, al fin, conectamos con un testigo directo del misterioso suceso. Nuestro primer testigo...

Y Mari Carmen Aguilar Méndez, acompañada de su marido, el doctor Jorge Burgos, nos observó intrigada.

No le faltaba razón...

«¿A qué se debe tanto interés por un acontecimiento de 1975? ¿Quiénes son estos investigadores, llegados desde tan lejos?»

Y al principio, como sucediera con los Herrera, soslayé la razón capital. Tiempo habría, quizás, de revelar la verdad...

Y, como pude, me justifiqué, aludiendo a la vieja excusa del libro en preparación.

Y, lentamente, fuimos ganándonos la confianza del matrimonio.

María del Carmen, con idéntica gentileza, desgranó sus recuerdos. Unos recuerdos vivos que, por supuesto, la conmovieron...

Pero no había alternativa.

Y duro, frío e inflexible, inicié el interrogatorio.

La grabación se prolongaría hasta bien entrada la noche...

He aquí parte de la misma:

—Todo empezó mucho antes —explicó la hermana de José Enrique, llenándonos de perplejidad desde el primer instante—. No sé si me creerán, pero tuve un presentimiento... Soñé algo feo... Vi un accidente... Y me pasaba las horas llorando... Pero mi mamá le quitó importancia...

Y el Destino (?), en efecto, se ensañó con los Aguilar Méndez.

—Ya ve usted... Cuarenta y ocho horas antes de la muerte de mi hermanito, el 13, sábado, Dios se llevaba a mi papá... a los cuarenta y dos años de edad...

»Y lo enterramos el domingo, 14, en Valladolid.

Curiosamente, esta dolorosa circunstancia, y otras no menos inexplicables, marcarían el final de la existencia del joven José Enrique Aguilar...

¡Increíble Destino (?), sí!

—Mis padres estaban separados... Mi mamá vivía en Mérida... Y tuvimos que viajar a esa ciudad para darle la triste noticia...

»Y decidimos hacerlo de inmediato...

»Así que, según lo planeado, el lunes, 15, a eso de las siete de la mañana, acudimos a la estación de autobuses...

»Pero —¿casualidad?—... perdimos el «camión»... Lo vimos partir... Y recuerdo que grité: «¡Vamos! ¡Todavía podemos alcanzarlo!»

»Pero no... Mi hermano se negó a correr...

»Y regresamos a la casa, durmiendo otro rato...

»Y a las diez, más o menos, nos presentamos nuevamente en la terminal...

»Total, que embarcamos y arrancamos...

—¿Qué hora podía ser?

—Las diez y media... El «camión» salió con retraso...

—¿Iba lleno?

—No del todo...

Y la mujer prosiguió con dificultad. Aquella inesperada «revisión» de la trágica jornada empezaba a herirla de nuevo...

Pero no cedí.

—...Y todo fue normal... hasta que entramos en Chichén Itzá... El autobús se detuvo y el chófer bajó a comprar un refresco... Era una parada habitual...

—¿Por qué dice que «todo fue normal»?

—Porque, a partir de Chichén, sucedieron cosas extrañas... Llevábamos media hora de camino y, hasta ese momento, como le digo, todo había discurrido monótonamente... La velocidad era correcta... Quizás ochenta kilómetros por hora...

»Y entonces vi subir a dos extranjeros... Eran altos... Alrededor de 1,80... Con sombreros de cuero y cámaras fotográficas...

»Y al arrancar observé la primera anormalidad: el pasaje al completo se quedó dormido...

El instinto (?) me alertó.

—¿Dormido?... Eso puede ser normal...

—No lo fue —matizó María del Carmen, sin percatarse de la importancia de lo que estaba relatando—. Aquel sueño colectivo fue súbito... Denso... Muy profundo... Algo raro.

E instintivamente, Blanca y yo nos miramos.

«Sí, este fenómeno es familiar. Muy familiar...»

—¿Raro?...

Y presioné.

—¿Por qué raro?

—Fue instantáneo... Pesadísimo... Los ojos se cerraron... como si estuviésemos drogados... Hasta mi hermano y yo nos dormimos...

—No entiendo...

—Es simple... A causa del velatorio, José Enrique y una servidora habíamos pasado dos días sin pegar ojo... Y en la tarde del domingo, 14, nos acostamos temprano... Serían las siete... Y descansamos profundamente, hasta las seis de la madrugada...

Y sumé.

Estaba claro: ¡eso significaba un total de once horas!

Blanca y yo cruzamos una nueva y significativa mirada.

E intuyo que aquello inspiró el mismo pensamiento:

«¿Cómo pudieron quedarse dormidos después de once horas de reparador sueño?

»Sospechoso, sí... Muy sospechoso...»

Pero, pese al revelador dato, continué haciendo de abogado del diablo...

—Quizás exagera... Si el autocar partió de Playa del Carmen a las cinco y media de esa madrugada, era lógico que el pasaje se durmiera...

Y esta vez intervino el doctor Burgos.

—Tiene usted razón... pero hay dos cosas que no comprendo... Primera: ¿por qué a partir de Chichén?... Según mi mujer, entre Valladolid y esa última población nadie se durmió... Es más: después de cinco horas y media de viaje, la gente debería haber llegado dormida a Valladolid. Sin embargo no fue así...

»Y segunda cosa: resulta igualmente anormal que dos jóvenes de dieciocho y diecinueve años, que han descansado durante tantas horas, se duerman a los treinta minutos de iniciado el camino.

Y en mi interior reconocí que hablaba con sensatez. Pero no hice comentario alguno.

Busqué alguna contradicción...

—Si usted, María del Carmen, cayó en ese profundo sueño, ¿cómo supo que los demás se hallaban igualmente dormidos?

—Porque soy hiperactiva... Y desperté poco antes del accidente... Me quedé atónita... Nadie respiraba. Nadie hablaba. Hasta mi hermano dormía profundamente...

»E inquieta, muy agitada, terminé despertándolo... Recuerdo que se enfadó.

»—¿Por qué no te quedas quieta de una vez? —me dijo...

»Y fue entonces cuando decidimos cambiar de asiento... Yo ocupaba el de la ventanilla y me trasladé al del pasillo...

»¡En mala hora!

»Si no lo hubiera despertado, si no llego a cambiar de lugar, quizás hoy estaría vivo...

Sí, el Destino (?), minucioso una vez más.

Y seguí con el importante asunto del misterioso «sueño».

—¿Afectó también al conductor? ¿Vio si cabeceaba?

—Sí, claro que lo vi... Y me alarmó... Pero todo fue muy rápido...

»Nada más sentarme, el autocar empezó a volar... Y se puso a más de cien...

»Recuerdo cómo un mexicano, un señor mayor, se levantó indignado... Lanzó una grosería y se fue para el chófer, tratando de que aminorase...

»No hubo tiempo.

¡Qué extraño!

Y me hice una pregunta que, de momento, no ha sido resuelta:

«Si el repentino sopor alcanzó al chófer, ¿por qué aceleró?... En aquellas circunstancias, entre cabezada y cabezada, el sentido de la supervivencia actúa automáticamente... Y lejos de acelerar, el conductor disminuye la velocidad...»

Y fue el instinto (?), creo, el único que se atrevió a responder:

«¿Fueron "ellos"? ¿Fueron estos "seres" los res-

ponsables del súbito "sueño" y de la inmediata ace-
leración del Sultana?»

Y aunque estimo que difícilmente podré demos-
trarlo, hoy estoy convencido de que así fue...

Y la testigo, quebrada por la emoción, tiró del relato.

—No hubo tiempo... Fue visto y no visto... El bus
sufrió una sacudida y empezó a zigzaguear... Y el
chófer perdió el control...

»Entonces cerré los ojos... Y al abrirlos vi a mi hermanito, durmiendo... ¡No lo entiendo! ¡Todos dormían!

—No puede ser —interrumpí incrédulo—. ¿Nadie
se despertó con el zarandeo?

—Al principio no. Y ahora que lo menciona... no
me lo explico.

Servidor, en cambio, sí creyó entender...

Si era lo que imaginaba —si el «sueño» había
sido inducido—, el hecho de despertar no dependía
únicamente de la voluntad...

Pero esto —lo sé— sólo son elucubraciones. ¿O
no?

Y la voz de Ricky repitió incansable durante la
charla:

«¡Confíe en la intuición!»

—...Y ya todo fue vertiginoso...

»Nos salimos de la carretera... Y el «camión», no
sé cómo, volvió a ella... Y se salió de nuevo y dio varias vueltas de campana... Una, dos, tres... No sé
cuántas...

»Finalmente se detuvo... Y escuché un estruendo... Algo así como un ruido de latas, pero fortísimo...

»Luego, silencio... Y el motor rugió, acelerando...

»Después, nada...

»Otra vez aquel angustioso silencio...

»Y quedamos boca abajo...

»El silencio se rompió también... Y empezaron los
gritos... los gemidos...

»¡Mi mano! ¡Mi pie!

»Y los extranjeros aullaban...

»Traté de moverme, pero estaba prensada por el brazo izquierdo.

»Y pensé: ¿qué hago yo aquí?

»Llamé a mi hermano, pero no respondió... No lo veía...

»Y observé que me hallaba sobre una zanja... Vi las hormigas... Y así permanecí hasta que me sacaron...

—¿Qué hora podía ser?

—Las doce, poco más o menos... Sólo faltaban unos kilómetros para Mérida...

—¿Cuándo llegaron los primeros auxilios?

—No sabría decir con precisión, pero pasó tiempo...

»Y entonces, la confusión fue todavía mayor... La gente, en el exterior, gritaba y golpeaba los cristales y las chapas... Y ocurrió algo horrible...

La mujer dudó. Y la animé...

—Algunos consiguieron entrar y palparon a los muertos y heridos... ¡Y nos robaron! ¡Nos lo quitaron todo: joyas, dinero, relojes!... A mí me llevaron el bolso y mi hermano apareció con los bolsillos del pantalón hacia afuera...

»¡Fue una vergüenza!

Y Carmen pasó a la siguiente fase de la tragedia.

Y el Destino (?) se puso en pie...

¡No era para menos!

Ni Blanca ni yo podíamos imaginar lo que nos reservaba...

—...Y hacia las cuatro me sacaron... ¡Aquello, señor, era un manicomio!... Sopletes, cadáveres, sangre, gente gritando, olor a gasolina... No entiendo cómo el «camión» no se incendió... Fue un milagro...

E instintivamente pensé:

«Sí, un "milagro"... controlado.»

—...Me trasladaron a una ambulancia... Y desde allí pude ver a mi hermanito... muerto.

»Pero estaba como ida...

Y Carmen Aguilar, sin proponérselo, abrió la caja de los truenos.

—...En la ambulancia, en una de las camillas, descansaba una extranjera... Una norteamericana, creo...

»Al vernos nos agarramos de la mano y nos abrazamos... La pobrecilla tenía las piernas aplastadas...

—¿Una norteamericana? ¿Cómo era?

—Alta... morena, de ojos celestes... Muy linda...

Y el asombroso Destino (?) —estoy seguro— sonrió divertido.

—Pero —balbuceé nervioso— ¿está segura? ¿Ha dicho una norteamericana?

—Sí... sólo hablaba inglés...

—¿Le dijo su nombre?

—No lo creo...

Y, aturrullado, presintiendo algo importante, continué interrogándola sin ton ni son...

—¿Cómo iba vestida?

—Con un pantalón largo y una camisa...

—¿Hablaron?... ¿Qué le dijo la «gringa»?

—Nada... No cruzamos una sola palabra...

—¿Sangraba?

La mujer me miró con extrañeza.

—No lo sé...

—¿Se fijó en sus heridas?

—No muy bien... Como le he dicho, sólo recuerdo las piernas... Estaban muy lastimadas...

—¿Notó algo raro al abrazarla?

Y Carmen, con una paciencia franciscana, sin comprender el porqué de aquellas, aparentemente, absurdas preguntas, guardó silencio. Trató de rememorar y, finalmente, exclamó sorprendida:

—Nunca me había parado a pensarlo, pero sí... Hubo algo que me llamó la atención... Sus manos, su cuerpo... parecían de hielo... Estaba fría...

Y el doctor terció con su habitual sensatez:

—Eso es normal en un estado de shock...

Sí y no... Pero, obviamente, me contuve.

Y, decidido, impulsado por la intuición (?), le mostré las fotografías de Ricky.

—¿La reconoce?... ¿Era ésta la norteamericana de la ambulancia?

Y al instante, atónita, declaró:

—Sí... la misma... Pero ¿cómo sabe usted?

¡No podía creerlo!

¡Dios bendito!

¡Nuestro primer testigo, supuestamente encontrado al azar (?), había coincidido con Ricky en el traslado al hospital!

¿Casualidad? Lo dudo...

Y me volqué en la secuencia.

—Entonces... decía usted que la bella norteamericana estaba consciente...

—Así es...

Y al recordar otra de las afirmaciones de Ricky sonreí para mis adentros...

«...El motor me cayó encima..., y me desmayé...»

Sí, la supuesta alienígena mentía por partida doble.

Primero al periodista que la interrogó en Urgencias:

«...Por otra parte —publicó el *Diario de Yucatán*—, una norteamericana que viajaba en el autobús manifestó, con las pocas palabras que sabe de español, que ella ignoraba qué había sucedido, pues perdió el sentido al ocurrir el accidente y, cuando lo recuperó una hora después, estaba ya en el Seguro Social...»

Segundo, en 1996, a este ingenuo investigador...

Y me pregunto:

«¿Por qué este doble embuste?... ¿Por qué uno por escrito, en 1975, al alcance de todo el mundo, y otro grabado?

»¿Para dejar constancia? ¿Para que nadie pueda dudar?

»Es posible...»

—...Plenamente consciente —prosiguió María del Carmen forzando la memoria—. Y no estoy de acuerdo con mi esposo... La «gringa» no presentaba los síntomas de un estado de shock... Se la veía asustada, sí, pero muy cuerda... Después de abrazarnos se interesó por la hora y se tumbó tranquilamente en la camilla...

—¿La hora? ¿Y por qué preguntó la hora?

—No lo sé... Supongo que también le robaron el reloj...

—Pero no entiendo...

—Ni yo tampoco... Y fue curioso. Insistió mucho y en inglés...

»¿Qué hora es? ¿Qué hora es?

»Lo preguntó dos o tres veces... Pero nadie la entendía...

Y no sé por qué... el instinto (?) volvió a alertarme.

«No, "aquello" no era muy normal.»

—...Y su insistencia fue tal que, al final, uno de los enfermeros, que medio comprendía la lengua de la «gringa», se quitó el reloj y se lo mostró...

»Entonces, como le digo, se quedó tranquila y se tumbó... Y ya no habló en todo el trayecto...

«¡La hora! ¡Qué raro!

»Según la testigo, podían ser las cuatro, aproximadamente...»

Y una inquietante duda me persigue desde que María del Carmen Aguilar nos hiciera esta interesante revelación:

«¿Qué se escondía tras esa obsesión? ¿Por qué a Ricky o a la supuesta alienígena la preocupaba tanto la hora?»

Y de pronto me vino a la memoria el amigo de la norteamericana, igualmente fallecido en el siniestro.

—Tengo entendido que la «gringa» viajaba con un compañero. ¿Preguntó por él?

—Para nada... Sólo le interesaba la hora...

Y Carmen añadió un regalo a su ya preciosa información.

—Por cierto... yo lo conocía. Se llamaba Miguel...

—¡Miguel Pérez Aguilar!

—Sí... Trabajaba como artesano en Playa del Carmen... Su familia vive todavía en Valladolid...

¡Bingo!

Y la intuición (?) trabajó veloz...

Si el joven artesano residía en la mencionada aldea de pescadores, lo más probable es que su patrón, José de Jesús Alvárez Canto, siguiera en Playa del Carmen...

Pero ¿por qué no habíamos dado con él?

Y ahora lo sé: «Todo en su momento.»

—...Lo ocurrido con ese muchacho, con Miguel, fue también asombroso... Les cuento...

»Fíjense que, al parar en Valladolid, él se bajó del «camión»... Y corrió a ver a su familia... Agarró ropa limpia, pero, al regresar a la estación, el bus acababa de partir...

»Pues bien, lo que es el Destino, se metió en un taxi y nos alcanzó por la zona de las vías... obligándonos a parar...

»Y entró muy enojado...

»—¡Casi me dejan! —le gritó a la «gringa»...

Minutos después perdía la vida.

El obstinado Destino (?)..., sí.

—Entonces también vio a la norteamericana en el autobús...

—En efecto... Estaba sentada en la parte de atrás, entre los extranjeros...

Y recuerdo que Miguel le entregó un maletín negro.

—¿Y qué fue de ese maletín?

—Ni idea... En la ambulancia, desde luego, no lo cargaba... Probablemente lo robarían...

—Por cierto, ¿alcanzó a ver si Miguel y su amiga se durmieron?

María del Carmen Aguilar en 1975.
(Gentileza de la testigo.)

José Enrique Aguilar Méndez,
de dieciocho años, fallecido en
el accidente del Sultana. (Gentileza
de la familia Aguilar.)

—¡Todos!

—Bien, ¿y qué ocurrió al llegar al hospital?

—Serían las cinco... A ella la sacaron en primer lugar... Se quejaba... Parecía muy dolorida...

»Y vi algo que me horrorizó... Era tan hermosa que todos querían agarrarla... y tocarla.

»Y ella exclamaba: "¡Oh! ¡Oh!"

»Y ya no la vi más...

»A mí me metieron en Urgencias y, al poco, se presentó un médico, un primo mío... Él me atendió...

—¿Un pariente suyo estaba en Urgencias?

—Sí... Él vive ahora en Valladolid. Pueden preguntarle...

¡Segundo bingo!

Estaba claro. La visita a Valladolid era obligada.

Pero ¿cuándo?

Nuestra estancia en Yucatán tocaba fondo...

Y empecé a desesperarme.

Y el Destino (?) —¡cómo no!— sonrió burlón...

Insistí en las posibles causas del siniestro.

—¿Cuál es su opinión?

Pero la testigo, indecisa, no precisó.

—Alguien habló de un infarto... Dijeron que el chófer sufrió un ataque... No sé... Para mí que se durmió...

Y el Destino (?) siguió desconcertándonos.

Nueva sorpresa...

—...En el «camión» viajaba también otro buen amigo... Un mecánico al que llaman Panchito... Lo ubicarán en Valladolid... Se dirigía a Mérida para recoger las invitaciones de boda... Creo que se casaba el 20 de ese mismo mes...

»El pobre salió de los primeros...

»Quizás tenga información sobre las causas del accidente...

¡No podía creerlo!

¿Un mecánico? ¡El mecánico! ¡El pasajero mencionado por los Herrera!

¿Casualidad? Lo dudo...

Y las sorpresas continuaron.

Porque, al profundizar en el capítulo de los extranjeros que subieron en Chichén Itzá, Carmen aportó un dato que —de ser cierto— enredaba aún más el caso Ricky...

¡Y ya lo creo que lo enredó!

—...Uno de los muertos, al que nunca identificaron, era precisamente uno de los dos extranjeros que montaron en Chichén...

—¿Y cómo lo supo?

—Lo escuché en Urgencias... Médicos y periodistas comentaron que tenía el rostro desfigurado...

Yo esgrimí escéptico:

—Podía ser cualquiera de los pasajeros...

—No... La descripción correspondía a uno de ellos... Además, según dijeron, era el único fallecido que no portaba boleto... Ya sabe: triquiñuelas del chófer... En algunas paradas intermedias aceptaba viajeros, pero sin billete...

Y el instinto (?), no sé por qué, tomó buena nota.

Algún tiempo después, aquel «quinto muerto», como digo, nos llevaría por la calle de la amargura, enrareciendo aún más la investigación.

Pero de esa increíble historia me ocuparé a su debido tiempo...

Y al finalizar la grabación me sentí relativamente satisfecho.

Y anoté en el cuaderno de campo:

«...Después de escuchar a María del Carmen Aguilar Méndez... casi estoy seguro: Ricky podría ser lo que sostiene el ingeniero.»

Pero convenía asegurarse. Reflexionar. Atar cabos...

Las interesantes declaraciones de la testigo exigían una fría y profunda meditación. Necesitaba contrastarlas con las de otros supervivientes. La «enfermedad» que me consume —la «enfermedad del dato»— demandaba nuevas pruebas. Más testimonios.

El problema era cuándo... ¿Cuándo y cómo obtenerlos?

En cuestión de horas despegaríamos hacia el Distrito Federal y, desde allí, retornaríamos a España...

La redacción de un libro muy «especial» —*A 33 000 pies*— había hipotecado los siguientes meses.

Y surgió la voz templada y prudente de Blanca:

—¡Calma! ¡Deja hacer a la Providencia! Ella «sabe»... No te lamentes... Es casi imposible reunir más información en tan corto espacio de tiempo... ¡Ánimo! Esto, como planeamos, sólo ha sido una toma de contacto...

Y me resigné.

«Sí, dejémoslo en las manos del Destino (?)...
»Regresaremos... en su momento.»

15 de diciembre, domingo.

¡Veintiún aniversario del accidente del Sultana!

Y nosotros... en Yucatán.

¿Casualidad? Lo dudo...

A primera hora de la mañana emprendimos viaje hacia el lugar del suceso.

¿Qué buscaba? Ni yo mismo lo sé... Sin embargo, obedecí al instinto (?).

La carretera, aunque modernizada, conservaba el trazado de 1975. Sólo la anchura y los arcenes modificaban la imagen publicada en el *Novedades*.

Y al llegar al kilómetro 31 reconocimos la célebre curva.

Tiempo invertido desde Mérida: cuarenta minutos.

De ello deduje que, en aquellas fechas, con una ruta más angosta —cuatro metros y medio— y un pavimento en peores condiciones, las ambulancias tuvieron que necesitar ese mismo tiempo para alcanzar los hospitales de la capital. Quizás un poco más.

Y al echar pie a tierra, Blanca y yo coincidimos:

Ricky, en efecto, nos había tomado el pelo.

Primero al ingeniero. Después, a este torpe y confiado investigador...

El terreno, mirásemos por donde mirásemos, es una inmensa e interminable llanura.

«¿Barranco? ¿Un profundo barranco? ¿Un lugar remoto y selvático?»

¡Pobre ingenuo!

La carretera, como señalaron los periodistas, soportaba un intenso flujo de vehículos. Era lógico. Por allí discurría el tráfico procedente del este de la península y el que, a su vez, buscaba la populosa costa del Caribe.

«¡Ni remoto ni selvático!»

Y durante un par de horas me afané en toda suerte de mediciones, explorando, incluso, los campos próximos a la curva.

¿Qué pretendía?

Como he dicho, ni idea...

«¿Encontrar, quizás, algún resto del autocar? ¿Un vestigio del siniestro?... ¿Algo que arroje un poco de luz?»

El empeño era absurdo. Habían transcurrido muchos años. La calzada, como digo, fue ensanchada y todo su entorno prácticamente removido...

Pero, aun así, haciendo oídos sordos a los sensatos consejos de mi mujer y del taxista que nos acompañaba, me deslicé entre la maleza, recorriendo, palmo a palmo, varios de los sectores colindantes con el punto donde, supuestamente, volcó el autocar.

A derecha e izquierda de la ruta, el campo, improductivo y enmarañado, aparecía colonizado por una vegetación espinosa y de mediano porte, formada casi exclusivamente por matorral y un pasto alto e infectado de reptiles.

¡Cuán cierto es que el buen Dios protege a los inocentes... y a los investigadores despistados!

Y al segundo «aviso», al segundo susto con las víboras, desistí.

Allí no había nada que hacer...

Meses más tarde, en el siguiente y espectacular viaje a Yucatán, al inspeccionar de nuevo el lugar, comprendería que aquel primer rastreo fue una pérdida de tiempo.

Sencillamente, equivoqué el paraje...

La fotografía del *Novedades* que sirvió de referencia —en la que se aprecia el bus y la grúa— fue malinterpretada. El escenario de los hechos se hallaba, justamente, en el lado opuesto al que servidor penetró con tanto entusiasmo como inconsciencia. Es decir, a la izquierda de la vía, en el sentido Holactún-Mérida.

Pero no es justo lamentarse...

No todo fue negativo en esta aproximación.

La intuición (?), al empujarnos hasta el kilómetro 31, sabía lo que estaba haciendo...

Y tras peinar la carretera una y otra vez, Blanca y yo esbozamos algunas inquietantes hipótesis.

Veamos.

En primer lugar, a la vista del trazado y de las informaciones, la posibilidad de un fallo en la dirección quedó prácticamente desechada.

Y me explico.

Entre la mencionada aldea maya de Holactún y la curva donde, al parecer, volcó el *Sultana* —una curva a la izquierda—, sumamos un total de dos kilómetros y doscientos metros. Pues bien, ese tramo es casi recto. En especial, el kilómetro inmediatamente anterior a la referida curva.

Dicho de otra manera:

Si el vehículo volcó, supuestamente, a la altura o en las inmediaciones de dicha curva, el zigzagueo previo tuvo que producirse, necesariamente, en esos postreros mil metros...

O lo que es lo mismo: si Herrera Salazar maniobró, saliendo de la calzada y regresando a ella, la rotura de la dirección, como habíamos sospechado, era incompatible con el zigzagueo.

Kilómetro 31 de la carretera que une Mérida con Playa del Carmen. Al fondo, en dirección a Mérida, la curva a la izquierda en la que volcó el Sultana. Ricky había mentido una vez más... ¿Dónde estaba el profundo barranco? (Foto Blanca Rodríguez.)

J. J. Benítez entre la maleza en la que, supuestamente, volcó el autobús en el que viajaba Ricky. (Foto Blanca Rodríguez.)

Segundo: en aquellas fechas (diciembre de 1975), el viejo autobús cruzaba el centro de Holactún, forzando al chófer a una notable disminución de la velocidad e, incluso, en muchas ocasiones, obligando a parar (hoy existe una circunvalación).

Y surgió la duda...

«¿Cómo explicar la súbita aceleración del Sultana?... ¿Cómo entender que una máquina con tantos achaques pasara, en segundos, de treinta o cuarenta kilómetros por hora a más de cien?»

Y fue el instinto (?) quien dibujó la posible explicación...

Una explicación loca (?), sí, pero cimentada en la experiencia:

«¿Fueron "ellos"? ¿Pudo un ovni "invisible" provocar tan repentina y violenta aceleración?»

El dilatado estudio de los «no identificados» nos dice que sí...

Son miles los casos conocidos en los que toda suerte de vehículos se ven misteriosamente frenados o acelerados por estas naves y contra la voluntad de los conductores.

«¿Fue ésta, en suma, la causa de la pérdida del control por parte del chófer? ¿O hubo algo más?»

Y el instinto (?) no se equivocaría...

¡Hubo algo más!

Pero ese «hallazgo» —definitivo, según mi corto conocimiento— llegaría... «en su momento».

Por último, en lo concerniente a la curva propiamente dicha, la familia Herrera llevaba razón.

No era peligrosa en absoluto...

Se trataba de un giro suave, prolongado y con una excelente visibilidad.

«Sí, aquí ocurrió "algo" extraño... Muy extraño.

»Pero ¿qué?»

Y el Destino (?) guardó silencio, dejando la cuestión en el aire.

Y ahora sé por qué...

Antes debía resolver «otras incógnitas».

Y a primera hora de la tarde de aquel domingo, 15 de diciembre de 1996, un Destino (?) impasible, casi cruel, nos alejaba, temporalmente, de Yucatán.

Y en pleno vuelo hacia el Distrito Federal traté de recapitular.

Y escribí en el cuaderno de «bitácora»:

«...¿Qué tenemos?...

»Mucho y poco... Todo depende...

»Hagamos balance.

»1. Curiosa y sospechosamente... numerosos ovnis fueron vistos en un triángulo cuyo centro coincidiría con el kilómetro 31...

»¡El punto exacto del accidente!

»Y curiosa y sospechosamente... meses antes del suceso.

»¿Casualidad? Lo dudo...

»2. Curiosa y sospechosamente... decenas de naves no identificadas sobrevolarían igualmente la franja costera en la que —en esos días— residía la "primera", la auténtica Ricky.

»¿Casualidad? Lo dudo...

»3. Curiosa y sospechosamente... dos extranjeros subirían al Sultana en Chichén Itzá...

»Y curiosa y sospechosamente... a partir de esos instantes, el pasaje caería en un profundo y anormal sopor...

»Un "sueño" bien conocido en ufología...

»Una especie de letargo, inducido por las naves que se aproximan a los testigos...

»¿Casualidad? Lo dudo...

»4. Curiosa y sospechosamente... el vehículo sufriría una sacudida, acelerando vertiginosamente...

»¿Casualidad? Lo dudo...

»5. Curiosa y sospechosamente... el veterano Juan Bautista Herrera Salazar —con treinta años de experiencia— perdería el control... ¡en una recta de un kilómetro!

»¿Casualidad? Lo dudo...

»6. Curiosa y sospechosamente... una vez rescatado, el cuerpo de la "gringa" aparecería frío como el hielo...

»¿Casualidad? Lo dudo...

»7. Curiosa y sospechosamente... la norteamericana no se interesaría, no preguntaría siquiera, por su amigo...

»¿Casualidad? Lo dudo...

»8. Curiosa y sospechosamente... sólo le preocuparía la hora y la solicitaría una y otra vez...

»¿Casualidad? Lo dudo...

»9. Curiosa y sospechosamente... Ricky no volvería a abrir la boca en los cuarenta o cincuenta minutos que duró el recorrido hasta el hospital de Mérida...

»¿Casualidad? Lo dudo...

»10. Curiosa y sospechosamente... el "quinto muerto" —uno de los dos extranjeros que montaron en Chichén —jamás sería identificado... ni enterrado en Yucatán...

»¿Casualidad? Lo dudo...

»Sí, demasiadas "casualidades"... una vez más.»

Y a estas singulares «coincidencias» (?) se sumarían algunas otras, fruto de la intensa investigación desplegada meses después, en la segunda e inolvidable aventura en tierras yucatecas...

Pero ésa es otra historia. Una historia mágica y «oficialmente» imposible...

Y al cerrar el cuaderno, las sospechas se vistieron ya de seguridad:

«La supuesta alienígena era, cada vez, menos supuesta.»

Y Ricky, en la lejanía, susurró:

«¡Confíe en la intuición!»

Y el Destino (?), entonces, sólo entonces, habló con voz grave...

Y lo hizo nada más aterrizar en la capital azteca y

por boca de la amiga que —«causalmente»— nos acompañó en aquellas breves horas en el Distrito Federal.

Y la noticia —especialmente «oportuna»— me hizo sonreír para mis adentros...

«Sí, todo atado y bien atado.»

La «advertencia» llegaba... «en su momento».

«¿Cómo es posible que no lo hubiésemos sabido mucho antes?... Nuestra amistad es antigua... Muy antigua...»

Y el Destino (?) sonrió burlón.

Alguien, un familiar de esta mujer, decía haber conocido —¡durante ocho años!— a un ingeniero químico... ¡no humano!

Un individuo de origen extraterrestre... camuflado entre nosotros.

¡Dios santo!

¿Otro «infiltrado»?

Y curiosa y sospechosamente, nada más pisar España, el Destino (?) volvió a la carga...

Y este perplejo investigador recibiría, casi simultáneamente, otras dos «advertencias» de idéntico corte.

Primera: un grupo de supuestos «alemanes» (?) —más de veinte—, alojado en un hotel del sur de mi país, había «desaparecido» de la noche a la mañana, «olvidando» equipajes y pertenencias...

Y algunos testigos afirmaban haberlos visto entrar en un ovni, despegando silenciosamente y perdiéndose en el firmamento...

¡Dios bendito!

No, esto no era normal...

Segunda: seres «no humanos» trabajaban, al parecer, en determinada región de Sudáfrica... bajo el aspecto de médicos...

¿Casualidad? Lo dudo...

Y creí morir.

«¿A qué me enfrentaba? ¿A qué clase de "inva-

sión" estaba asistiendo? ¿*Cuántos son en realidad?
¿Cómo reconocerlos? ¿Quién es quién? ¿Desde
cuándo están aquí?*»

Blanca y yo nos rendimos a la evidencia:

«La aventura, sí, apenas ha comenzado.»

Y el Destino (?) —lo sé— sonrió burlón...

FIN DE LA PRIMERA PARTE (1)

(1) Lo lamento (?). Comprendo el más que justificado disgusto del paciente lector, pero entiendo que, en estas torpes y apresuradas líneas, algo ha
quedado claro: servidor sólo cumple «órdenes».

En «Ab-ba» (cabo de Plata), siendo las 12 horas y 12 minutos del viernes, 26 de septiembre del año del Señor de 1997.

¡Gracias, «Abuelo»!

Biblioteca **J.J.Benítez** Otros títulos:

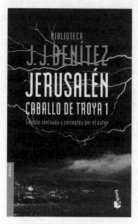

**JERUSALÉN.
CABALLO DE TROYA 1**

**MASADA.
CABALLO DE TROYA 2**

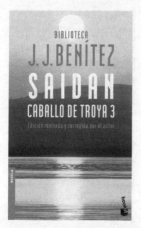

**SAIDAN.
CABALLO DE TROYA 3**

**NAZARET.
CABALLO DE TROYA 4**

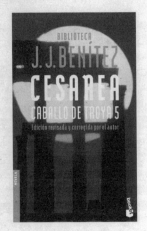

**CESAREA.
CABALLO DE TROYA 5**

**HERMÓN.
CABALLO DE TROYA 6**

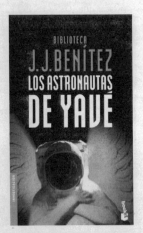

**LOS ASTRONAUTAS
DE YAVÉ**

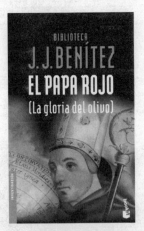

**EL PAPA ROJO
(LA GLORIA DEL OLIVO)**